PRATIQUER
L'ESPAGNOL

■ PRESSES POCKET
8, rue Garancière 75006 Paris

Les langues pour tous

Collection dirigée par Jean-Pierre Berman,
Michel Marcheteau et Michel Savio.

Série Initiation:

L'anglais pour tous en 40 leçons
L'allemand pour tous en 40 leçons
L'arabe pour tous en 40 leçons
L'espagnol pour tous en 40 leçons
L'italien pour tous en 40 leçons
Le néerlandais pour tous en 40 leçons
Le portugais pour tous en 40 leçons
Le russe pour tous en 40 leçons

Série Perfectionnement:

Pratiquer l'américain
Pratiquer l'espagnol
Pratiquer l'italien (à paraître)

Série Score (100 tests d'autoévaluation)

Score anglais
Score allemand
Score espagnol
Score italien

Série économique et commerciale:

L'anglais économique et commercial
L'allemand économique et commercial
L'espagnol économique et commercial
La correspondance commerciale en anglais

Série Dictionnaires (Garnier)

Dictionnaire de l'anglais d'aujourd'hui
Dictionnaire de l'anglais commercial et économique
Dictionnaire de l'allemand commercial et économique

Série "Bilingue"

Conan Doyle: Sherlock Holmes enquête
Nouvelles anglaises et américaines d'aujourd'hui
Nouvelles allemandes d'aujourd'hui

Grammaire de l'anglais d'aujourd'hui (O.U.P.)

Les langues pour tous

Collection dirigée par
Jean-Pierre Berman
Michel Marcheteau
Michel Savio

PRATIQUER L'ESPAGNOL

par

Julian Garavito   José-Maria Marron

Christian Régnier   Juan Torralbo

PRESSES POCKET

Cet ouvrage a été rédigé collectivement par

Julian Garavito

Traducteur
Professeur à l'Institut Supérieur
du Tourisme et des Loisirs

José-Maria Marron

Professeur à l'École Supérieure
du Tourisme

Christian Régnier

Directeur de l'École des Cadres
Chargé de cours à Paris IV - Sorbonne

Juan Torralbo

Professeur en classes
préparatoires aux Grandes Écoles
(Lycée Saint-Louis)

■ Sommaire

■ Sommaire 7

■ La méthode **PRATIQUER L'ESPAGNOL** présente, traitées sous forme de dialogues, 40 situations de la vie courante en Espagne et en Amérique hispanique.

Les dialogues traduisent donc une volonté d'authenticité faisant appel aux ressources de la langue véhiculaire actuelle, bien souvent éloignée d'une langue « académique ».

Ce souci de réalité linguistique et de « vérité » dans les dialogues prend en compte dans chaque unité (construction grammaticale, vocabulaire, modismes, etc.) les termes de plus grande fréquence qui sont justifiés et développés dans la section 3 de chaque unité.

Les faits de langue hispano-américains sont évoqués en permanence, ils traduisent la vitalité de l'espagnol en constante évolution dans le contexte socioculturel de chaque pays.

Conçue, comme tous les ouvrages de la collection LES LANGUES POUR TOUS, de façon à rendre possible l'apprentissage autonome, la méthode peut également être utilisée dans le cadre d'un enseignement de groupe (enseignement secondaire, formation continue).

PRATIQUER L'ESPAGNOL permet d'acquérir le vocabulaire et les tournures utilisés quotidiennement en Espagne et en Amérique hispanique. Cette méthode répond donc aux besoins de ceux qui, connaissant les bases de l'espagnol, cherchent à s'exprimer plus naturellement et à enrichir leur vocabulaire. Elle s'adresse également aux voyageurs et aux touristes qui doivent faire face aux problèmes de communication au cours de leurs déplacements.

Cet ouvrage joue un double rôle :
— il perfectionne les connaissances linguistiques (vocabulaire, grammaire, prononciation) en espagnol ;
— il introduit à la connaissance de l'environnement espagnol et hispano-américain sous l'aspect quotidien et touristique.

■ **Chacune des 40 unités** comporte **8 sections** :
   1. **Titre** et **dialogue**
   2. **Traduction** du dialogue.
   3. **Remarques** (grammaire, vocabulaire, explications).
   4. **Aspects hispano-américains** : l'usage espagnol est comparé à l'usage hispano-américain (tournures, vocabulaire, prononciation, orthographe, etc.).
   5. **Environnement** : textes d'illustration de l'environnement espagnol et hispano-américain avec traduction.
   6. **Phrases-types** avec traduction. Elles donnent les expressions les plus courantes utilisées dans le contexte choisi.
   7. **Vocabulaire** : cette section comprend une récapitulation du vocabulaire de la leçon et une liste complémentaire chaque fois que c'est utile.

8. **Exercices** : cette dernière section reprend les points principaux de la leçon ou propose une illustration complémentaire du domaine traité.

■ **Annexes :** dans cette dernière partie, le lecteur trouvera :
— des renseignements historiques sur l'Espagne et les États hispano-américains, ainsi que des informations socioculturelles (langue, religions) qui pourront contribuer à développer sa connaissance et sa compréhension de l'environnement espagnol et hispano-américain ;
— un index thématique ;
— un index grammatical ;
— un index général avec renvoi aux leçons et aux sections.

◉◉ L'enregistrement de **PRATIQUER L'ESPAGNOL** comporte une grande variété de voix et d'accents et permet l'entraînement à la compréhension de la langue parlée.

■ **Conseils d'utilisation**
— Avant de lire les unités, écoutez l'unité correspondante sur cassette.
— Travaillez avec régularité et profondeur ; évitez de « survoler » plusieurs unités à la fois.
— Partez dans un premier temps du texte espagnol dans la section 1 sans consulter la section 2 (traduction) en vous aidant des remarques de la section 3 et du lexique de la section 7.
— Essayez d'abord de traduire les textes en espagnol des sections 4 et 5 sans regarder la traduction.
— Faites de même avec les phrases-types de la section 6 en vous aidant toujours des notes de la section 3 et du vocabulaire de la section 7.
— Faites les exercices de la section 8 sans recourir au corrigé. Procédez ensuite à une autocorrection en comparant avec le corrigé-type.
— Vous pouvez maintenant reprendre les textes en français des sections 2, 4, 5 et les restituer en espagnol.
— Ne passez à l'unité suivante qu'après une assimilation complète des mécanismes grammaticaux et des emplois lexicaux.
— Vous pouvez vous assurer de votre compréhension des mécanismes grammaticaux en consultant la méthode SCORE dans la même collection.

P = Paco   J = Juana   C = Camarero

(Por la mañana, en la carretera[1])

P— ¿ Has visto ? Son las ocho y media y ya estamos en Somosierra y sin correr[2]

J— Es verdad que no había nadie y poquísimos camiones.

P— ¿ Nos paramos a tomar café ?

J— Sí, nos vendrá bien[3]

(En la barra, con el barman)

P— Oiga[4], ¿ Cómo está hoy de tráfico la general[5] de Madrid ?

C— Pues mire[6], bastante bien. El año pasado, día por día, no paraban[7] de pasar coches y en ambas[8] direcciones. Era sábado, quizás por eso.

(En las inmediaciones de Madrid)

P— Vaya, parece que se circula bien hoy en Madrid. ¿ Atravesamos o cogemos la M.30 ?

J— Mejor será la M.30 ; ganaremos tiempo.

P— ¿ Te acuerdas[9] del accidente del año pasado ?

J— Por aquí fue[10] ¡ sí ! ¡ Qué espanto !

P— Precisamente estaba el coche, al salir de esta curva, en la cuneta y vimos a la policía[11] que venía en sentido contrario.

J— ¡ Y qué tráfico había !

P— Adelantamiento sin visibilidad... lo clásico[12] por desgracia... ¿ Y lo que nos pasó después ?

J— El reventón a 80 km de Córdoba, el recalentón 20 km más allá y sin gasolina — menos mal — a 100 metros de la gasolinera.

P— Ahora, nos reímos, pero ¡ Vaya día !

J— ¡ Estabas nerviosísimo ! Cuando querías adelantar y no podías... o venían coches enfrente o iba algún dominguero despacito delante.

P— ¿ Y el 600 que puso el intermitente a la izquierda y luego giró a la derecha ?... Estábamos en población, no sé dónde exactamente.

J— En Andújar, después del reventón.

P— Y tú, negro[13] : « Pero ¿ Qué hace esa cucaracha con ruedas ? »

J— Este año estamos haciendo mejor viaje... Voy a llenar el depósito. Y de paso[14] comemos en la Venta de Don Quijote que está al lado.

P = François   J = Jeanne   C = garçon de café

(Le matin, sur la route)

P— Tu as vu ? Il est huit heures et demie et nous sommes déjà à Somosierra et sans aller vite.

J— Il faut dire qu'il n'y avait personne et presque pas de camions.

P— On s'arrête pour prendre un café ?

J— Ça ne nous fera pas de mal.

(Au bar, avec le garçon)

P— Dites, s'il vous plaît, est-ce que ça roule aujourd'hui sur la route de Madrid ?

C— Assez bien, ma foi ! L'année dernière à la même date, les voitures passaient sans arrêt et dans les deux sens. C'est peut-être parce que c'était samedi.

(Aux abords de Madrid)

P— Tiens, ça circule bien, on dirait, aujourd'hui à Madrid. On traverse ou on prend la M.30 ?

J— Mieux vaut la M.30. On gagnera du temps.

P— Tu te souviens de l'accident de l'an dernier ?

J— Oui, c'était par là. Quelle horreur !

P— Justement la voiture était dans le fossé à la fin de ce virage et on a vu la police qui venait en sens inverse.

J— Il y avait une circulation !...

P— Dépassement sans visibilité... le coup classique, malheureusement ! Et tout ce qui nous est arrivé après ?

J— La crevaison à 80 km de Cordoue, la voiture qui chauffait 20 km plus loin et... plus d'essence — heureusement à cent mètres d'un poste d'essence.

P— On en rit maintenant, mais quelle journée !

J— Qu'est-ce que tu étais nerveux ! Quand tu voulais doubler... et que tu ne pouvais pas... Ou bien il y avait des voitures qui venaient en face, ou bien c'était un chauffeur du dimanche qui se traînait devant nous.

P— Et la Seat 600* qui avait mis le clignotant à gauche et qui a tourné à droite ensuite ! On était dans une agglomération, je ne sais plus où exactement.

J— A Andujar, après la crevaison.

P— Et toi qui étais fou de rage : « Mais que fait cette guimbarde à se traîner comme ça ! »

J— Le voyage se passe mieux cette année... Je vais faire le plein. On pourra déjeuner à l'Auberge de Don Quichotte qui est à côté.

---

* Voir I—5, note 2.

1. **En la carretera, en carretera,** sans article défini : *sur la route* (en général). La présence d'article tend à mieux préciser le lieu de l'action : **en carretera no se sabe nunca lo que puede pasar,** *sur la route, on ne sait jamais ce qui peut arriver* ; **los camioneros se pasan la vida en la carretera,** *les routiers passent leur vie sur la route.*

2. **Sin correr,** m. à m. *sans courir* ; ici : *sans aller vite.* **Juan corre demasiado,** *Jean roule trop vite.*

3. **Nos vendrá bien, no nos vendrá mal,** *ça nous fera du bien, ça ne nous fera pas de mal.*

4. **Oiga,** *écoutez* → *dites, s'il vous plaît.*

5. **¿ Cómo está de tráfico la general ?** m. à m. *comment est aujourd'hui la circulation sur la route ?*

6. **Pues mire,** m. à m. *eh bien, regardez !* Mirar = (souvent) *écouter.*

7. **No paraban de,** no dejaban de, *ils n'arrêtaient pas de.*

8. **Ambos, ambas,** *tous les deux, toutes les deux.*

9. **Te acuerdas de,** acordarse de, *se souvenir de.* ATTENTION : recordar, *se rappeler qqch.* : **me acuerdo de mi primer coche,** *je me souviens de ma première voiture.* **Recuerdo la llegada de los primeros turistas,** *je me rappelle l'arrivée des premiers touristes.*

10. **Por aquí fue,** action ponctuelle et révolue → passé simple en espagnol : **Fue la semana pasada,** *c'était la semaine dernière.*

11. **Vimos a la policía,** la préposition « a » doit nécessairement introduire le complément direct de personne. **Ver un paisaje,** ver *a* los amigos. Mais : **Busco una secretaria,** *je cherche une secrétaire* (je n'en ai pas), et : **busco *a* una secretaria,** *je suis à la recherche d'une secrétaire* (Mlle X... je ne sais pas où elle est).

12. **Lo clásico,** adjectif du participe substantivé avec le neutre lo. Très courant : **lo bueno, lo malo, lo grande,** *ce qu'il y a de bon, de mauvais, de grand.* **Lo dicho dicho,** *ce qui est dit est dit.*

13. **Y tú negro,** ellipse : tu (estabas) negro (de ira), *tu étais fou de rage.*

14. **De paso,** m. à m. *en passant, au passage.*

Esp	Fr	Hisp-am
el atasco	*le bouchon*	**el embotellamiento**
	l'embouteillage	**el embotellaje**
el tráfico	*la circulation*	**el tránsito**
coger	*prendre*	**tomar, pasar por**
el coche	*la voiture*	**el carro**
negro	*nerveux, furieux*	**furioso**

Algunos argentinismos

el intermitente	*le clignotant*	**el guiño** *(Argentine)*
la gasolina	*l'essence*	**la nafta** *(Argentine)*

Las carreteras en Latinoamérica

Lo impresionante, ante todo, es su diversidad. Entre la carretera con curvas de un país andino como Perú, Ecuador o Colombia y la larga cinta, que se pierde en el horizonte, de una carretera nacional argentina o mexicana, existe un mundo. Y, luego, ¡ lo impresionante, es el espacio ! Vd. puede recorrer decenas de kilómetros sin el menor villorrio.

Las carreteras de montaña brindan admirables paisajes, precipicios vertiginosos y sensaciones fuertes, sobre todo cuando llueve. De trecho en trecho aparecen cruces o capillitas, a menudo con flores, que señalan el lugar de accidentes mortales. En México y en los países andinos, los cambios de clima y, por consiguiente, de vegetación, a lo largo de las carreteras, son espectaculares : Vd. sale de Bogotá por la mañana, con suéter y bufanda y se los tiene que quitar media hora después si va bajando hacia el Magdalena. Son los agrados de los climas de altura bajo los trópicos o el ecuador.

Les routes d'Amérique latine

Ce qui frappe d'abord, c'est leur diversité. Entre la route en lacets d'un pays andin comme le Pérou, l'Équateur ou la Colombie, et le long ruban à perte de vue d'une nationale argentine ou mexicaine, il y a tout un monde. Et puis, l'impressionnant, c'est l'espace ! Vous pouvez parcourir des dizaines de kilomètres sans le plus petit hameau.

Les routes de montagne offrent d'admirables paysages, des précipices vertigineux et des sensations fortes, surtout par temps pluvieux. Elles sont jalonnées par des croix ou de petits oratoires, souvent fleuris, qui marquent l'emplacement d'accidents mortels. Au Mexique et dans les pays andins, les changements de climat, donc de végétation tout au long des routes, sont spectaculaires : vous partez de Bogota le matin, avec un pull-over et une écharpe, qu'il faut enlever une demi-heure après si vous descendez vers le Magdaléna. Ce sont les agréments des climats d'altitude sous les tropiques ou l'équateur.

El tráfico por carretera español, esencialmente transporte de mercancías, es superior al francés. En las carreteras generales se encuentran numerosas estaciones de servicio que incluyen a menudo un pequeño complejo hotelero (cafetería, restaurante, habitaciones). La distribución de la gasolina es monopolio del Estado a través de la CAMPSA[1] desde 1927. La M.30 es la carretera de circunvalación de Madrid.

SEAT[2] : construye en España bajo patente FIAT distintos modelos ; el más popular de los años 60 fue el 600. La industria del automóvil : SEAT (Madrid, Barcelona), FORD (Valencia), FASA-Renault (Valladolid), Citroën (Galicia) y General Motors (Zaragoza) es hoy un sector primordial de la exportación.

La Mancha, centro de la Meseta de Castilla la Nueva entre Toledo y Andalucía. Se dedica al monocultivo de cereales y viña, donde Cervantes sitúa las aventuras de D. Quijote. Célebre por su viñedo y sus cotos de caza y pesca, es hoy centro de atracción turística.

Le trafic routier espagnol, essentiellement le transport des marchandises, est plus important qu'en France. On trouve, sur les routes nationales, de nombreuses stations services qui comprennent souvent un petit ensemble hôtelier : cafétéria, restaurant, chambres. La distribution de l'essence est un monopole d'État, détenu par la CAMPSA[1] depuis 1927. La M.30 est le boulevard périphérique de Madrid.

SEAT[2] construit en Espagne, sous licence FIAT, différents modèles dont le plus populaire fut la FIAT 600 dans les années 1960. L'industrie automobile espagnole : SEAT (Madrid, Barcelone), Renault-FASA (Valladolid), Citroën (en Galice), General Motors (Saragosse) et FORD (Valence), est aujourd'hui l'un des premiers secteurs d'exportation.

La Mancha, cœur du plateau de la Nouvelle Castille entre Tolède et l'Andalousie, pratique la monoculture des céréales et de la vigne. Cervantes en a fait le théâtre imaginaire de Don Quichotte. Aujourd'hui, son vignoble célèbre ainsi que ses territoires de pêche et de chasse attirent de plus en plus de touristes.

1. CAMPSA : **Compañía Arrendataria del Monopolio de Petróleos, Sociedad Anónima,** partie intégrante depuis 1982 de l'I.N.H. (**Instituto Nacional de Hidrocarburos**). **2.** SEAT : **Sociedad Española de Automóviles de Turismo** *(Société Espagnole d'Automobiles de Tourisme).*

1. Es un coche que corre mucho.
2. Si madrugamos llegaremos a Madrid antes de la hora punta.
3. Pinchamos dos veces y tuvimos que llamar a la grúa[1].
4. ¿ Dónde está la rueda de recambio en este coche ?
5. No me acuerdo dónde puse la documentación del coche.
6. ¡ Menos mal que teníamos un seguro a todo riesgo !
7. ¿ Me mira por favor la presión de las ruedas ?
8. ¿ Puedo pagarle la gasolina con un cheque ?
9. En coche siempre le tengo miedo a un accidente.
10. Echaremos gasolina en la próxima estación de servicio.
11. ¿ Quiere que le mire el aceite ?
12. Sí, por favor, y de paso mire cómo está de agua la batería.
13. Anda, ya está lloviendo y el limpiaparabrisas roto.
14. Pero ¿ y tú sabes llevar este coche ?
15. No me gusta en absoluto conducir de noche.
16. Corre menos, que la velocidad está limitada a 80 en este tramo.

1. C'est une voiture qui va vite.
2. Si on se lève tôt, on arrivera à Madrid avant l'heure de pointe.
3. On a crevé deux fois et on a dû se faire dépanner.
4. Où est la roue de secours dans cette voiture ?
5. Je ne me souviens plus où j'ai mis les papiers de la voiture.
6. Heureusement que nous sommes assurés tous risques.
7. Voulez-vous vérifier la pression des pneus ?
8. Est-ce que je peux payer l'essence par chèque ?
9. En voiture, j'ai toujours peur d'un accident.
10. Nous prendrons de l'essence à la prochaine station service.
11. Voulez-vous que je regarde l'huile ?
12. Oui, s'il vous plaît, et au passage voulez-vous regarder le niveau d'eau dans la batterie ?
13. Ça y est, voilà qu'il pleut et l'essuie-glace est cassé.
14. Mais est-ce que tu sais conduire cette voiture ?
15. Je n'aime pas du tout conduire la nuit.
16. Ralentis, la vitesse est limitée à 80 km sur ce tronçon.

la barra, le bar, comptoir
el tráfico, trafic, circulation
la general, la nationale
las inmediaciones, les abords
el espanto, l'effroi
la curva, le virage
la cuneta, bas-côté, fossé
el sentido contrario, le sens opposé
el adelantamiento, le .dépassement
por desgracia, malheureusement
el reventón, la crevaison
el recalentón, surchauffe
la gasolina, l'essence

menos mal, heureusement
la gasolinera, le poste d'essence
¡ vaya día ! drôle de journée
adelantar, dépasser, doubler
el dominguero, le chauffeur du dimanche
puso, infinitif **poner**
el intermitente, le clignotant
la población, l'agglomération
la cucaracha[1], le cafard
el depósito, le réservoir
llenar el depósito, faire le plein

1. Cucaracha con ruedas, m. à m. *cafard sur roues,* c.à.d. *tacot qui avance lentement.*

Vocabulaire complémentaire

la parada, l'arrêt, la halte, l'étape
la grúa, la dépanneuse
la rueda de recambio, la roue de secours
la documentación del coche, les papiers de la voiture
el seguro, l'assurance
el limpiaparabrisas, l'essuie-glace
la hora punta, l'heure de pointe
la autopista, l'autoroute
el paso a nivel, le passage à niveau
el cinturón de seguridad, la ceinture de sécurité
la avería, la panne
la multa, l'amende
el empalme, la bretelle

la encrucijada, le carrefour
la circunvalación, le boulevard périphérique
el tramo, le tronçon
la bocina, le klaxon
luz de cruce, lumière en code
luz de población, en veilleuse
luz de carretera, en feux de route
el frenazo, le coup de frein
el badén, le cassis
el bache, le nid de poule
las obras, les travaux
chocar, entrer en collision
atropellar, renverser
patinar, déraper
llevar, conducir, conduire
pinchar, crever

A Traduire
1. Je n'aime pas aller vite quand il y a beaucoup de circulation.
2. L'ennui, dans une agglomération, c'est que l'on ne peut pas doubler.
3. Tu te rappelles les travaux à la sortie de Madrid ? Quelle horreur !
4. Je vous fais le plein ?
5. Le vendredi soir, on roule mal dans les deux sens.
6. Je ne veux pas traverser Madrid à l'heure de pointe.

B Complétez avec le verbe et le temps correspondants
1. El año pasado no . . . tanto tráfico.
2. Al salir de la curva . . . la policía.
3. Chocaron porque el conductor no . . . el intermitente.
4. Como . . . sábado, había mucho tráfico.
5. . . . adelantar y no podías.
6. Por aquí . . . el accidente.

C Complétez avec une préposition s'il y a lieu
1. Llegamos antes . . . los atascos.
2. Siempre tengo miedo . . . un accidente.
3. Tuvimos que llamar . . . la grúa.
4. Nos quedamos sin gasolina después . . . Madrid.
5. ¿ Recuerdas . . . el tráfico que había ?
6. Vamos . . . echar gasolina . . . la próxima gasolinera.

Corrigé

A 1. No me gusta correr cuando hay mucho tráfico. 2. Lo malo, en población, es que no se puede adelantar. 3. ¿ Te acuerdas de las obras a la salida de Madrid ? 4. ¿ Le lleno el depósito ? 5. Los viernes por la tarde se circula mal en ambas direcciones. 6. No quiero atraversar Madrid a la hora punta.

B 1. había
2. vimos a *ou* estaba
3. puso
4. era
5. querías
6. fue, ocurrió

C 1. de
2. de
3. a
4. de
5. —
6. a, en

P = Paco   J = Juana   D = Dos turistas
B = Botones   R = Recepcionista

(Una pareja de turistas llegando al hotel)

P— Me parece que te va a gustar. Por las fotos[1] de la Agencia de Viajes, es un hotel de confort moderno y que no desentona con el estilo del pueblo.

J— Sí, es verdad, es como una prolongación del pueblo, está hecho con gusto. Estoy contentísima de veranear por fin en un sitio que es tranquilo, y que no está lejos de la playa.

(Otros turistas están en Recepción)

D— ¿ Tienen habitación ?

B— Lo siento[2] estamos completos. Pregunten en la fonda del pueblo, quizás[3] tengan algo.

(Se van y llega la pareja)

P— ¡ Buenas tardes ! Tenemos reservada[4] una habitación...

B— ¿ A qué nombre, por favor ?

P— Iglesias.

B— *(Mirando el libro de reservas)* Sí... Aquí está... una habitación doble con cuarto de baño y terraza... Hasta el día 14, salida el 15. El recepcionista está cenando ; ahora mismo vuelve. Si quieren pasar al bar mientras tanto... Ah ! Aquí viene[5].

R— Buenas tardes.

B— Son los señores de Iglesias[6].

R— ¡ Bienvenidos ! Vamos a ver... Sí... Tienen la trescientos doce en la 3ª planta. Les gustará. ¿ Me permite[7] el pasaporte o el carnet de identidad ?... Muchas gracias. Aquí tiene la llave. El mozo les subirá el equipaje. El comedor abre a las nueve.

J— Perfecto. Ah, quedamos en que[8] tomamos sólo[9] media pensión.

R— Según el bono de la agencia, sí... Cena o almuerzo, como más les convenga[10]. Si algún día toman las dos comidas, les contamos la pensión completa que les sale más barato que en servicios sueltos.

P— Estupendo. ¿ Hay muchos veraneantes en el pueblo ?

R— Nosotros estamos completos hasta final de temporada y el hostal del pueblo lo mismo, según parece. Menos mal pues luego, en temporada baja otro gallo nos canta. En fin... Hasta luego, Señores. Si necesitan algo, aquí nos tienen[11].

P = François　　J = Jeanne　　D = couple de touristes
B = groom　　R = chef de réception

(Un couple de touristes arrivant à l'hôtel)

P— Je pense que ça te plaira. D'après les photos de l'agence de voyages, c'est un hôtel avec tout le confort moderne et qui ne jure pas avec le style du village.

J— Oui, c'est vrai, on dirait que ça fait partie du village ; c'est fait avec goût. Je suis ravie de passer enfin des vacances dans un endroit tranquille et qui n'est pas loin de la plage.

(D'autres touristes sont à la réception)

D— Y a-t-il une chambre ?

B— Je suis désolé, l'hôtel est complet. Demandez à l'auberge du village, peut-être ont-ils quelque chose de libre.

(Ils s'en vont et le premier couple arrive)

P— Bonjour. Nous avons réservé une chambre.

B— A quel nom s'il vous plaît ?

P— Iglesias.

B— *(En consultant le registre des réservations)* Oui... La voilà... Une chambre pour deux personnes avec salle de bains et terrasse jusqu'au 14 avec départ le 15. Le chef de réception est en train de dîner, il revient tout de suite. Voulez-vous l'attendre au bar ? Ah, le voici qui vient.

R— Bonjour.

B— Voici M. et Mme Iglesias.

R— Soyez les bienvenus. Voyons... En effet. Vous avez la chambre 312 au troisième étage. Elle vous plaira. Votre passeport ou votre carte d'identité, s'il vous plaît. Merci beaucoup. Voici votre clef. Le garçon montera vos bagages. Le restaurant ouvre à neuf heures.

J— Parfait. Au fait, il est bien convenu que nous ne prenons que la demi-pension.

R— C'est bien conforme au bon de réservation de l'agence. Dîner ou déjeuner comme vous préférerez. Si un jour vous prenez les deux repas, nous vous comptons la pension complète qui vous revient moins cher que les prestations séparées.

P— Parfait. Y a-t-il beaucoup d'estivants au village ?

R— Nous sommes complets jusqu'à la fin de la saison et c'est pareil semble-t-il pour l'auberge du village. Heureusement car ensuite, en basse saison, c'est une autre chanson ! Enfin... A tout à l'heure. Nous sommes à votre disposition si vous avez besoin de quelque chose.

1. **Por las fotos,** *d'après les photos.* Très usuel. *Por lo que me han dicho, d'après ce qu'on m'a dit.*

2. **Lo siento,** m. à m. *je (le) regrette.*

3. **Quizás tengan algo,** m. à m. *peut-être ont-ils quelque chose (de libre).* Les adverbes de doute placés avant les verbes entraînent l'utilisation du subjonctif.

4. **Tenemos reservada una habitación.** *Tener* + participe passé = *haber* + participe passé. *Tener* entraîne l'accord du participe : *tener reservada la habitación.*

5. **Aquí viene,** *le voici* ; **ahí viene,** *le voilà (qui arrive).* *Voici, voilà* : traduction usuelle : *aquí tiene, ahí tiene, allí tiene* (ou *está*). Ex. *Aquí está el comedor, voici la salle à manger. Allí tiene la piscina, voilà la piscine* (là-bas). *Ahí está el botones, voilà le groom.*

6. **Los señores de Iglesias,** *M. et Mme Iglèsias. El señor Iglesias, M. Iglesias.* **La señora González de Iglesias,** *Mme Iglesias, née Gonzalez* (la femme mariée espagnole garde son nom de jeune fille).

7. **¿ Me permite ?,** m. à m. *me permettez-vous ?* Tournure elliptique très usuelle, correspond à : *Voulez-vous ?* ou *S'il vous plaît ? ¿ Me permite una pregunta ? Puis-je vous poser une question ?*

8. **Quedamos en,** idée de rester sur un accord : *convenir, décider. Quedamos en llegar por la mañana, il était convenu que nous arriverions le matin.*

9. **Sólo,** accentué : *seulement* ; **solo** sans accent : *seul.*

10. **Como más les convenga (a ustedes),** *comme vous préférerez, comme il vous conviendra.* L'action envisagée par la subordonnée au futur se rend en espagnol par le subjonctif.

11. **Aquí nos tienen,** *nous voici, à votre disposition.*

Traduction d'ÊTRE

• SER traduit en général un état permanent
— *être* + adjectif (ce qui caractérise, ce qui définit). *L'hôtel est tranquille, il est confortable, il est joli,* **El hotel es tranquilo, es confortable, es bonito**
— en règle générale *c'est, c'était,* se traduit par SER : *c'est un hôtel :* **es un hotel** ; *c'est vrai :* **es verdad.**

• ESTAR traduit en général un état passager
— *être* + adjectif ou participe adjectif (état accidentel). *Je suis très contente :* **estoy contentísima** ; *nous sommes complets :* **estamos completos**
— localisation, lieu. *Ce n'est pas loin de... :* **no está lejos de...**
— *être* + participe passé (résultat de l'action). *L'hôtel est fait avec goût :* **el hotel está hecho con gusto.**

Esp	Fr	Hisp-am
la piscina	*la piscine*	**la alberca** *(Mexique)*
la doble	*la chambre double*	**la habitación matrimonial**

Hoteles de Hispanoamérica

Como en cualquier país del mundo, en los diferentes países hispanoamericanos, hay hoteles de categorías diferentes. El ambiente de los turísticos es el de cualquier hotel internacional. Lo que varía es el espacio : una habitación doble en un hotel mexicano de tres estrellas parece más bien una suite. También el estilo de los cuartos suele cambiar, en especial en cuanto a muebles : se puede encontrar una cama doble redonda en un hotel de Ciudad de México o vivir en un ambiente decimonónico en Popayán, Colombia. Quizás tenga frío en Cuzco porque las noches son heladas y hay sólo un radiador eléctrico en la pieza o goce de calefacción central en La Paz. A veces un hotel tiene vista panorámica sobre toda una ciudad como en Oaxaca (México) o está ubicado en medio de un parque como en Arequipa (Perú).

Les hôtels hispano-américains

Comme dans n'importe quel pays du monde, dans les différents pays hispano-américains, il y a des hôtels de catégories différentes. L'ambiance des hôtels touristiques est celle de n'importe quel hôtel international. Ce qui change c'est la place : une chambre double dans un hôtel mexicain de trois étoiles ressemble plutôt à une suite. Le style des chambres varie aussi généralement, en particulier en ce qui concerne les meubles : on peut trouver un lit à deux places rond dans un hôtel de Mexico ou vivre dans une atmosphère du XIXe siècle à Popayán, en Colombie. Peut-être aurez-vous froid à Cuzco parce que les nuits sont glacées et qu'il n'y a qu'un radiateur électrique dans la pièce ou profiterez-vous du chauffage central à La Paz. Parfois un hôtel a une vue panoramique sur toute une ville, comme à Oaxaca (Mexique) ou bien il est situé au milieu d'un parc comme à Arequipa (Pérou).

NOTES
el P.E. : el Plan Europeo : *tarif hôtelier comprenant uniquement le logement.* **el P.A. :** el Plan Americano : *hébergement et trois repas.* **el P.C. :** el Plan Continental : *hébergement et petit déjeuner.*

El Estado español creó en 1928 la Red de Establecimientos del Estado que cuenta con varios tipos :
— Los Paradores : son hoteles de lujo de 3 a 5 estrellas ubicados en zonas turísticas de mayor interés y a menudo instalados en edificios históricos (palacios, castillos, monasterios). Son unos 60.
— Los Albergues de Carretera : son unos 15 y están concebidos como « moteles » en las carreteras de mayor tráfico. La estancia está limitada a 48 horas.
— Las Hosterías son restaurantes gastronómicos.
— Los Refugios de Montaña albergan a los alpinistas y cazadores de montaña.
Existen además establecimientos privados beneficiándose de un estatuto de asociación con el Estado : son los Paradores Colaboradores.
Además existen los hoteles clásicos, individuales o en cadenas. El parque hotelero español, completamente renovado desde el principio del « boom » turístico en los años 60, es hoy uno de los más importantes de Europa con una capacidad de 600 000 camas. La capacidad total de alojamiento (sin incluir el camping) es de 1 300 000 plazas.

L'État espagnol a créé en 1928 le Réseau d'Établissements d'État qui comprend plusieurs catégories :
— Les *Paradores* sont des hôtels de luxe de 3 à 5 étoiles situés dans des zones touristiques d'un très grand intérêt et souvent installés dans des bâtiments historiques (tels que palais, châteaux et monastères). On en compte environ soixante.
— Les *Auberges routières* sont environ au nombre de quinze et sont conçues comme des « motels » sur les routes à grand trafic. Le séjour y est limité à quarante-huit heures.
— Les *Hôtelleries* sont des restaurants gastronomiques.
— Les *Refuges de montagne* hébergent les alpinistes et les chasseurs dans les zones de montagne.
Il existe aussi des établissements privés jouissant d'un statut d'association avec l'État, ce sont les « Paradores collaborateurs ».
En outre, il existe les hôtels classiques, individuels ou regroupés en chaînes. Le parc hôtelier espagnol, complètement restauré depuis le début de l'explosion touristique dans les années soixante, est aujourd'hui l'un des plus importants d'Europe avec une capacité de 600 000 lits. La capacité d'hébergement au total (sans compter le camping) est de 1 300 000 places.

1. ¿ Puede hacer que me despierten mañana a las seis, por favor ?
2. Quisiera dar a limpiar este traje para mañana.
3. No se preocupe, la camarera se encargará de ello.
4. Lo sentimos mucho, pero para esa fecha estamos cerrados.
5. Si quiere tener habitación con toda seguridad para Semana Santa, tienen que reservarla a partir de Enero.
6. ¿ Les queda une habitación individual por favor ?
7. Si puede, que sea une habitación con vistas al mar.
8. Todas nuestras habitaciones tienen teléfono y televisión.
9. Diríjase a Recepción y allí le informarán.
10. A los que salgan de excursión se les dará una bolsa de pic-nic.
11. Como estamos en temporada baja les aplicamos el mínimo.
12. A los grupos les descontamos el 10 %.

1. Peut-on me réveiller à six heures demain matin s'il vous plaît ?
2. Je voudrais faire nettoyer ce costume pour demain.
3. Ne vous inquiétez pas, la femme de chambre s'en chargera.
4. Nous regrettons beaucoup, pour cette date nous sommes fermés.
5. Si vous voulez être sûr d'avoir une chambre à Pâques, il faut la réserver dès janvier.
6. Est-ce qu'il vous reste une chambre individuelle, s'il vous plaît ?
7. Si cela est possible, que ce soit une chambre avec vue sur la mer.
8. Toutes nos chambres sont pourvues de téléphone et de télévision.
9. Adressez-vous à la réception, on vous renseignera.
10. On donnera un panier-repas à ceux qui partiront en excursion.
11. Étant donné que nous sommes en basse saison, nous vous appliquons le tarif minimum*.
12. Pour les groupes, nous faisons une remise de dix pour cent.

* Les prix des chambres sont fixés en accord avec l'administration du tourisme qui autorise deux prix différents pour la haute et la basse saison.

una pareja, un couple (constitué de deux personnes quelles qu'elles soient)

preciosa, très jolie

veranear, passer les vacances (d'été)

el veraneo, les vacances d'été

el veraneante, l'estivant

la habitación, la chambre

la fonda, l'auberge

la reserva, la réservation

la habitación doble, la chambre pour deux personnes

el cuarto de baño, la salle de bains

mientras tanto, en attendant, pendant ce temps

ahora mismo, tout de suite

el equipaje, les bagages

el comedor, la salle à manger, le restaurant (d'un hôtel)

el mozo, le garçon (d'étage, d'ascenseur, le porteur)

media pensión, demi-pension

pensión completa, pension complète

el almuerzo, le déjeuner

los servicios (d'un hôtel), les prestations

la temporada alta, la haute saison

la temporada baja, la basse saison

salir barato, revenir moins cher

estupendo, formidable

lo mismo, la même chose

según parece, à ce qu'il paraît

menos mal, heureusement

Vocabulaire complémentaire

planta baja, le rez-de-chaussée

el desayuno, le petit déjeuner

la estacionalidad, le caractère saisonnier

el huésped, l'hôte, le pensionnaire

el registro de viajeros, le livre de voyageurs

la camarera, la femme de chambre

el botones, le groom

la hostelería, l'hôtellerie

el gerente, le gérant

el viajero, le voyageur

la estancia, le séjour

la cama, le lit

un cama de matrimonio, un grand lit

todo incluido, tout compris (forfait)

la llegada, l'arrivée

pernoctar, passer la nuit

alojarse, s'héberger

A ■ Traduire

1. Je crois que tu aimeras. Ce n'est pas loin de la plage.
2. Il ne nous reste qu'une chambre pour deux personnes au premier étage.
3. La pension complète nous reviendra moins cher.
4. Peut-être trouverez-vous quelque chose à l'auberge du village.
5. Voici la clé. Le restaurant est-il ouvert ?
6. Je regrette, le restaurant ferme à 22 heures.
7. La demi-pension comprend le déjeuner ou le dîner, comme vous voudrez.

B ■ Traducir al francés

1. Le descontamos el diez por ciento si toman pensión completa.
2. En servicios sueltos les saldrá más caro.
3. Pueden reservar la habitación que quieran para la temporada próxima.

C ■ Compléter avec ser ou estar

1. Hasta final de temporada .... completos.
2. El hotel .... bonito y .... bien situado, pero la playa .... algo lejos.
3. El año pasado .... en la última planta ; .... más tranquilo.
4. El bar .... abierto hasta la una ; se .... muy bien, ... acogedor.

Corrigé

A ■ **1.** Me parece que te gustará. No está lejos de la playa. **2.** Sólo nos queda una habitación doble en la primera planta. **3.** La pensión completa les saldrá más barato. **4.** Quizás encuentre algo en el hostal del pueblo. **5.** Aquí tienen la llave. ¿ Está abierto el comedor ? **6.** Lo siento. El comedor cierra a las diez. **7.** La media pensión incluye el almuerzo o la cena, como quieran.

B ■ 1. Nous vous faisons dix pour cent de remise si vous prenez la pension complète.
2. En prestations séparées, cela vous reviendra plus cher.
3. Vous pouvez réserver la chambre que vous voudrez pour la saison prochaine.

C ■ **1.** estamos. **2.** es ... está ... está. **3.** Estábamos *ou* estuvimos ... era. **4.** está ... está ... es.

P = el padre   M = la madre   N = el niño   A = la azafata

N— ¡ Cuánta gente, papá ! ¿ Y todos van a Canarias[1] como nosotros ?

P— ¡ No hombre[2] ! Unos van a Canarias, otros a Málaga, o a Bilbao, depende.

N— O a París...

P— A París, en el internacional.

N— ¿ Cuándo iremos a París ?

P— Ya veremos... Otro año. Por ahora vamos a Tenerife ; verás, es precioso, te gustará.

M— Bueno, dejaros[3] de hablar tanto y vamos a facturar el equipaje, así podremos merendar sin prisas antes de embarcar.

P— Llevas razón. Vamos allá.

(Unos minutos después, en la sala de facturación)

A— Todo está en regla... Aquí tienen las tarjetas de embarque con los pasajes. Preséntense en la puerta n° 9. Aunque[4] tienen tiempo. El vuelo de Tenerife saldrá con una hora de retraso.

P— ¡ Una hora ! Y, ¿ a qué se debe ?

A— Pues no lo sé, la verdad. Lo siento. En información[5] podrán[6] decírselo[7].

P— ¡ Vaya por Dios ! Bueno... Esperadme en la cafetería. Voy a Iberia[5] a saber qué pasa.

(Se oye una voz por los altavoces)

— « El vuelo cuatro, seis, uno, con destino a Tenerife, que tiene su salida a las diecisiete horas, efectuará su salida a las dieciocho treinta... »

P— ¡ De mal en peor !... Lo que voy a hacer es llamar al hotel y avisar a los Gutiérrez. Les diré que llegaremos tarde y que no vayan[8] al aeropuerto a esperarnos.

(A la vuelta)

M— ¿ Has hablado con ellos ?

P— Sí, estaban para salir[9]. Iban a cenar fuera antes de ir al aeropuerto. Se han empeñado en[10] ir a esperarnos. Estarán en el aeropuerto esta noche[11].

M— ¡ Son un matrimonio estupendo !

P— Me ha dicho Rafael que para eso estaban los amigos.

N— Papá, ¿ qué haremos mañana ?

P— Mañana, ya[12] veremos, hijo[13]. Depende.

— *(Altavoz)* « Señores viajeros con destino a Tenerife, puerta n° 9. Embarquen, por favor. »

P = le père   M = la mère   N = l'enfant   A = l'hôtesse

N— Que de monde, papa ! Et tous ces gens vont aux Canaries comme nous ?

P— Non, bien sûr ! Les uns vont aux Canaries, d'autres à Malaga ou à Bilbao, cela dépend.

N— Ou à Paris...

P— A Paris, par l'aéroport international.

N— Quand irons-nous à Paris ?

P— On verra... une autre année. Pour l'instant, nous allons à Tenerife, tu verras, c'est très joli, ça te plaira.

M— Bon, cessez de parler autant, et allons enregistrer les bagages, comme cela nous pourrons goûter tranquillement avant d'embarquer.

P— Tu as raison. Allons-y.

(Quelques minutes plus tard dans la salle d'enregistrement)

A— Tout est en règle. Voici vos cartes d'embarquement avec les billets. Présentez-vous porte n° 9. Mais vous avez le temps. Le vol pour Tenerife partira avec une heure de retard.

P— Une heure ! Mais pourquoi ?

A— Eh bien, en vérité, je ne le sais pas. Je suis désolé. Aux renseignements, on pourra vous le dire.

P— Allons ! Bon... Attendez-moi à la cafétéria ; je vais au bureau d'Iberia pour savoir ce qui se passe.

(On entend une voix au haut-parleur)

— Le vol quatre cent soixante et un, à destination de Tenerife, départ prévu à dix-sept heures, partira à dix-huit heures trente.

P— De mal en pis ! Il ne me reste plus qu'à appeler l'hôtel et avertir les Gutierrez. Je leur dirai que nous arriverons tard et de ne pas aller nous attendre.

(A son retour)

M— Leur as-tu parlé ?

P— Oui, ils étaient sur le point de sortir. Ils allaient dîner à l'extérieur avant de se rendre à l'aéroport. Ils ont insisté pour aller nous attendre. Ils seront à l'aéroport cette nuit.

M— C'est un couple formidable !

P— Raphaël m'a dit que les amis étaient faits pour ça.

N— Papa, qu'allons-nous faire demain ?

P— Demain, on verra bien mon petit, ça dépend.

— *(Haut-parleur)* Les voyageurs pour Tenerife, porte n° 9, embarquement immédiat, s'il vous plaît.

1. **Canarias,** devant les noms de pays, généralement on n'emploie pas d'article. Mais on dira : **La España del siglo XX,** *l'Espagne du XXᵉ siècle.*

2. **¡ Hombre !,** interjection. Exprime l'étonnement, l'incrédulité, l'admiration, l'affection, l'ironie, selon le contexte. **¡ Hombre, ya estás aquí !** *Tiens, te voilà !*

3. **Dejaros de hablar,** l'usage de l'infinitif à la place de l'impératif est courant. **¡ Lavaros las manos, niños !** *Lavez-vous les mains, les enfants !*

4. **Aunque tienen tiempo,** *mais vous avez le temps* (m. à m. *bien que vous ayez le temps*). **Aunque** + indicatif = fait réel. **Voy a tomar algo** *aunque no tengo* **apetito,** *je vais prendre quelque chose bien que je n'aie pas faim.* Mais **Toma algo** *aunque no tengas* **apetito,** *prends quelque chose même si tu n'as pas faim.* Le subjonctif espagnol introduit l'hypothèse.

5. **En información ;** *voy a Iberia* : préposition **a,** destination : **Voy a Madrid, voy a España,** *je vais à Madrid, en Espagne.* Préposition **en.** lieu de l'action : **Estoy en Madrid,** *je suis à Madrid.*

6. **Podrán decírselo,** *on pourra vous le dire.* **ON** *(quelqu'un, les gens)* ne se traduit pas et le verbe est à la 3ᵉ personne du pluriel : **Me han dicho que,** *on m'a dit que.*

7. **Decírselo,** ici *vous le dire.* Il s'agit des deux pronoms de la 3ᵉ personne qui se suivent : **se lo, se la, se los, se las,** *le lui, le leur, la lui,* etc., *le* ou *leur* ou *vous.* Ainsi, **decírselo** peut signifier selon le contexte, *le lui dire, le leur dire* ou *vous le dire.*

8. **Les diré... que no vayan,** *je leur dirai de ne pas y aller.* L'infinitif (en français) faisant suite à un verbe exprimant l'ordre ou la prière se rend en espagnol par **que** + subjonctif.

9. **Estar para,** *être sur le point de.*

10. **Empeñarse en,** m. à m. *s'entêter à.* **¡ Te has empeñado en hacerlo solo !** *tu t'es entêté à le faire tout seul.*

11. **Esta noche,** selon le contexte, *cette nuit* ou *ce soir.*

12. **Ya veremos,** *ya* renforce l'affirmation. Ex. : **Ya vendrá,** *il viendra bien* (n'ayez crainte).

13. **Hijo,** *fils.* Ici sous-entendu : **Hijo mío,** *mon fils, mon enfant, mon petit.*

Esp	Fr	Hisp-Am
la azafata	l'hôtesse de l'air	la aeromoza *(Mexique)*
el aparcamiento	le stationnement	el parqueo
aparcar	garer, stationner	parquear
el billete	le billet	el tiquete, el pasaje

Aeropuertos latinoamericanos

Los hay de todos : internacionales por el ambiente (Ciudad de México, Bogotá) o de carácter familiar, ya que en la mayoría de los países y especialmente los andinos (Colombia, Ecuador, Perú, Bolivia, Venezuela), se toma el avión con gran frecuencia, casi para ir a hacer las compras. Algo que llama la atención del viajero europeo es la presencia de avionetas, pequeños aviones que salen sin cesar para diferentes puntos del territorio de un país, fletados por pocas personas que necesitan ir a lugares donde no hay línea regular. Es el equivalente aéreo de los taxis colectivos, frecuentes en muchas capitales. Por la ubicación, algunos aeropuertos son impresionantes : la bajada para aterrizar en Medellín, Colombia, es imprevista y emocionante pues el aeropuerto está entre dos cerros y el avión va bajando poco a poco, casi como un ascensor. Cuando hay niebla el aterrizaje en Bogotá no deja de espeluznar a los nerviosos y, en La Paz, el aeropuerto se sitúa a 4 100 metros : así hay que bajar 500 metros para llegar a la capital boliviana.

Aéroports latino-américains

Il y en a de toutes sortes : d'ambiance internationale (Mexico, Bogota) ou d'aspect familier, puisque, dans la plupart des pays et, spécialement dans les pays andins (Colombie, Équateur, Pérou, Bolivie, Venezuela), on prend l'avion très souvent, presque pour aller faire les courses. Quelque chose qui attire l'attention du voyageur européen, c'est la présence d'avions taxis, petits avions qui partent sans cesse vers différents points du territoire d'un pays, affrétés par quelques personnes qui ont besoin d'aller dans des endroits où il n'y a pas de ligne régulière. C'est l'équivalent aérien des taxis collectifs, fréquents dans de nombreuses capitales. Par leur situation, certains aéroports sont impressionnants : la descente pour atterrir à Medellín, en Colombie, est imprévue et procure des émotions, car l'aéroport se trouve entre deux pics et l'avion descend peu à peu, presque comme un ascenseur. Lorsqu'il y a du brouillard, l'atterrissage à Bogota ne manque pas d'épouvanter les gens nerveux et, à La Paz, l'aéroport est situé à 4 100 mètres : si bien qu'il faut descendre 500 mètres pour parvenir à la capitale bolivienne.

La principal compañía aérea española, IBERIA, fue creada en 1920 e incorporada en 1944 al INI[1]. Considerando el número de viajeros transportados, IBERIA se sitúa en el sexto puesto de las compañías mundiales y en el segundo en Europa : en 1981 transportó trece millones largos de pasajeros. Su moderna flota de cerca de noventa naves enlazan noventa y una ciudades de cincuenta países en cerca de cuatrocientos vuelos diarios. Además de IBERIA, existen esencialmente otras dos compañías, AVIACO y SPANTAX, con actividades principalmente a la demanda, o especializadas : vuelos chárter, internos, etc. El tráfico aéreo se efectúa a través de una veintena de aeropuertos ; los más importantes, de carácter internacional, son : MADRID (Barajas), BARCELONA (Prat de Llobregat), VALENCIA (Manises), SEVILLA (San Pablo), BILBAO (Sondica) y MALAGA (El Rompedizo) en la península ; y en las islas, los de « Son San Juan » en PALMA de MALLORCA, « Gandó » en GRAN CANARIA, y los de « Los Rodeos » y « Reina Sofía » en TENERIFE. Una particularidad de los vuelos internos es el « Puente Aéreo » : 18 ó 20 vuelos diarios enlazan Madrid y Barcelona prácticamente cada hora y sin previa reserva.

La principale compagnie aérienne espagnole, IBERIA, fut créée en 1920 ; et depuis 1944, elle fait partie de l'INI. Si l'on considère le nombre de voyageurs, IBERIA se classe au sixième rang mondial des compagnies aériennes et au second en Europe : en 1981 elle a transporté plus de treize millions de passagers. Sa flotte moderne de près de quatre-vingt-dix appareils relie quatre-vingt-onze villes de cinquante pays par environ quatre cents vols quotidiens. Outre IBERIA, il existe notamment deux autres compagnies : AVIACO et SPANTAX, avec des activités adaptées aux besoins ou spécialisées : vols charter, intérieurs, etc. Le trafic aérien se fait grâce à une vingtaine d'aéroports : les plus importants, à caractère international, sont : MADRID (Barajas), BARCELONE (Prat de Llobregat), VALENCE (Manises), SÉVILLE (San Pablo), BILBAO (Sondica) et MALAGA (El Rompedizo) dans la péninsule, et dans les îles ceux de « Son San Juan » à PALMA de MAJORQUE, « Gando » en GRANDE-CANARIE et ceux de « Los Rodeos » et « Reina Sofia » à TENERIFE. Le « Puente Aéreo » (pont aérien) est une particularité des vols intérieurs : 18 ou 20 vols par jour relient MADRID et BARCELONE pratiquement toutes les heures et sans réservation préalable.

1. **Instituto Nacional de Industria** : il s'agit d'un « holding » d'État, *l'Institut National de l'Industrie.*

1. Avisaremos a los viajeros en lista de espera media hora antes del despegue.
2. Les aconsejo que pasen el control de policía ahora mismo.
3. Lo siento, señor, es demasiado tarde. Acaban de cerrar el embarque.
4. He perdido el avión de Málaga. ¿ Dónde me pueden convalidar el billete para el próximo vuelo ?
5. Diríjase a una azafata de tierra en Iberia ; ella se lo indicará.
6. Estamos en tránsito para Valencia. ¿ Dónde nos darán las tarjetas de embarque ?
7. Pasen primero la aduana y después un autobús les llevará al aeropuerto nacional.
8. No nos dijeron en París que teníamos que cambiar de aeropuerto.
9. El equipaje de mano, póngalo a sus pies.
10. Abróchense los cinturones y mantengan el respaldo de su asiento en posición vertical. No fumen, por favor.
11. Señores pasajeros ; dentro de breves momentos tomaremos tierra en el aeropuerto San Pablo de Sevilla. La temperatura exterior es de 25 grados centígrados.

1. On préviendra les voyageurs qui sont sur la liste d'attente une demi-heure avant le décollage.
2. Je vous conseille de passer tout de suite le contrôle de police.
3. Je regrette, monsieur, il est trop tard. L'embarquement vient de s'achever.
4. J'ai raté l'avion de Malaga. Où puis-je faire valider mon billet pour le prochain vol ?
5. Adressez-vous à une hôtesse au sol au bureau d'Iberia ; elle vous le dira.
6. Nous sommes en transit pour Valencia. Où peut-on se procurer les cartes d'embarquement ?
7. Passez d'abord la douane et ensuite la navette vous conduira à l'aéroport international.
8. On ne nous a pas dit à Paris que nous devions changer d'aéroport.
9. Les bagages à main doivent être mis par terre.
10. Attachez vos ceintures, et maintenez le dossier de votre siège en position verticale. Ne fumez pas s'il vous plaît.
11. Nous informons les passagers que nous allons atterrir dans quelques instants à l'aéroport Saint-Paul à Séville. La température extérieure est de 25 degrés centigrades.

el vuelo nacional, le vol intérieur
facturar el equipaje, enregistrer les bagages
merendar, goûter
embarcar, embarquer
la tarjeta de embarque, la carte d'embarquement
el pasaje, le billet (d'avion ou de bateau)
el retraso, le retard

el altavoz, le haut-parleur
por lo menos, au moins
¡ qué le vamos a hacer ! tant pis ! on n'y peut rien !
con destino a, à destination de
hacer tiempo, faire passer le temps
un matrimonio, un couple (marié)
el hijo, le fils (l'enfant)

Vocabulaire complémentaire

venta libre de tasas, vente hors taxes
el asiento, le siège
la azafata, l'hôtesse de l'air
abrochar el cinturón, attacher les ceintures
chaleco salvavidas, le gilet de sauvetage
la escalerilla, la passerelle
la bandeja, le plateau (de repas)
el respaldo, le dossier (du siège)
registrar el equipaje, fouiller les bagages
el pasaporte, le passeport
la aduana, la douane
los aranceles, les droits de douane
la ventanilla, le hublot
la multa, l'amende

sala de tránsito, salle de transit
arco magnético, portique détecteur
consigna, consigne
equipage de mano, bagage à main
procedente de, en provenance de
lista de espera, liste d'attente
billete abierto, billet « open »
reserva de asiento, réservation de siège
el mareo, le mal au cœur, le mal de mer
el despegue, le décollage
el aterrizaje, l'atterrissage
tomar tierra, aterrizar, atterrir

A Traduire

1. Adressez-vous aux renseignements où l'on pourra vous le dire.
2. Il m'a dit d'embarquer tout de suite avec mes bagages.
3. Il est trop tard pour enregistrer, je regrette.
4. Voici votre passeport. Embarquement pour le vol de Malaga, porte six.
5. Nous atterrirons dans quelques instants à l'aéroport de Barajas, Madrid.

B Traducir

1. Aunque tenemos tiempo todavía, prefiero pasar el control de policía ahora.
2. La azafata te ha dicho que te abroches el cinturón de seguridad.
3. El vuelo tiene su salida a las diez pero saldrá con retraso.
4. ¿ Adónde tengo que dirigirme para la tarjeta de embarque ? Estoy en tránsito para Sevilla.
5. Después de pasar la aduana, nuestras azafatas le informarán para ir al otro aeropuerto.

Corrigé

A 1. Diríjase a información donde podrán decírselo.
2. Me ha dicho que embarque en seguida con mi equipaje.
3. Es demasiado tarde para facturar, lo siento.
4. Aquí tiene su pasaporte. Embarque para el vuelo de Málaga, puerta número seis.
5. Tomaremos tierra dentro de unos breves momentos en el aeropuerto de Barajas, Madrid.

B 1. Bien que nous ayons encore le temps, je préfère passer le contrôle de police maintenant.
2. L'hôtesse t'a dit d'attacher ta ceinture de sécurité.
3. Le vol est prévu pour dix heures, mais il partira avec du retard.
4. Où dois-je m'adresser pour la carte d'embarquement ? Je suis en transit pour Séville.
5. Après avoir passé la douane, nos hôtesses vous renseigneront pour vous rendre à l'autre aéroport.

R = Ricardo   M = Maria   T = Taquillero

(En información - Estación de Chamartín-Madrid)

R— ¿ Me puede decir a qué hora tiene la salida[1] el Talgo de Cádiz ?

T— A las once quince, llegada a las veintiuna[2]. ¿ Saben que sale de Atocha ?

R— Sí, gracias. Nos da tiempo[3] de sobra de ir a dar una vuelta[3] por los « Madriles »[4].

M— Yo, cansada no estoy.

R— Yo tampoco. Se duerme bien en esas[5] literas. Me dormí[6] enseguida, al salir[7] de San Sebastián y... hasta esta mañana cuando pasó[6] el revisor... ¿ A qué hora dijo[6] el empleado que llegaba el Talgo a Cádiz ?

M— A las nueve... Casi diez horas de tren. Esta tarde el viaje será más pesado.

R— Bueno, pero entre el almuerzo, una copa en el coche-bar a media tarde[8] y leer algo, verás qué pronto pasa el tiempo[9].

M— Bueno, comparado con el viaje que hicimos[6] a Cádiz en el sesenta, diez horas no son nada, claro. ¿ Te acuerdas ?

R— ¡ No me voy a acordar ! ¡ Recuerdo que salimos[6] a las ocho de la mañana y que llegamos[6] a las tantas...

M— Eran más de las doce cuando llegamos[6], si mal no recuerdo ; ¡ Vaya viaje ! Más de dos horas de retraso...

R— Y además iba lleno[10] el tren, ocho por departamento ; y menos mal que teníamos reserva...

M— Sí, iba[10] tanta[11] gente en los pasillos como en los departamentos. Y en cada estación se apeaban menos de los que subían. Unos protestaban, otros cantaban, reían, contaban chistes... El grupo de reclutas no paró[6] en todo el viaje.

R— Eramos jóvenes, pero fuera de eso, viajar así no era viajar... y nos parecía normal... ¡ qué tiempos !

M— Nunca me acostumbré[6] a viajar de aquella manera.

R— Ni yo.... Oye, que son ya las diez. Vamos a por[12] el equipaje a consigna y cogemos un taxi, pues mientras llegamos y no llegamos nos darán las once.

M— ¡ Ay ! Pues vamos. No vaya a ser que perdamos el tren[13].

R = Richard   M = Marie   T = Guichetier

(Au guichet des renseignements. En gare de Chamar-tin-Madrid)

R— Pouvez-vous me dire à quelle heure part le Talgo pour Cadix ?

T— A onze heures quinze, arrivée à vingt et une heures. Vous savez qu'il part d'Atocha ?

R— Oui, merci. Nous avons largement le temps d'aller faire un tour dans Madrid.

M— Moi, je ne suis pas fatiguée.

R— Moi non plus. On dort bien dans ces couchettes. Je me suis endormi aussitôt, en sortant de Saint-Sébastien et jusqu'à ce matin lorsque le contrôleur est passé. A quelle heure l'employé a-t-il dit que le Talgo arrivait à Cadix ?

M— A neuf heures... Presque dix heures de train. Cet après-midi, le voyage sera plus pénible.

R— Oui, mais entre le déjeuner, un verre au bar au milieu de l'après-midi et un peu de lecture, tu verras comme le temps passe vite.

M— Oui, d'accord, en comparaison avec le voyage à Cadix que nous avons fait en mil neuf cent soixante, dix heures ce n'est rien, bien sûr. Tu t'en souviens ?

R— Et comment si je m'en souviens. Je me rappelle que nous sommes partis à huit heures du matin et que nous sommes arrivés à une heure impossible...

M— Il était plus de minuit lorsque nous sommes arrivés, si je me souviens bien ; quel voyage ! Plus de deux heures de retard...

R— Et en plus le train était complet, huit par compartiment et heureusement que nous avions réservé...

M— Oui, il y avait autant de monde dans les couloirs que dans les compartiments. Et à chaque gare il descendait moins de monde qu'il n'en montait. Certains se plaignaient, d'autres chantaient, riaient, racontaient des blagues... Et le groupe de recrues qui n'a pas arrêté de tout le voyage.

R— Nous étions jeunes mais en dehors de cela, on ne pouvait pas appeler ça voyager... et cela nous semblait normal... quelle époque !

M— Je ne me suis jamais habituée à voyager de cette façon.

R— Moi non plus. Dis donc, il est déjà dix heures. Allons chercher les bagages à la consigne et prenons un taxi car le temps d'arriver, et il sera onze heures.

M— Bon. Eh bien allons-y. Il ne faudrait pas que nous manquions le train.

1. **«¿A qué hora tiene la salida?»**, tournure équivalente au français : *à quelle heure part-il ?*

2. **A las once quince, a las veintiuna,** en langage administratif : *à 11 h 15, à 21 h.* Mais : **tengo cita esta noche a las nueve,** *j'ai rendez-vous à 21 heures.*

3. **Nos da tiempo** (usuel), *nous avons le temps de faire quelque chose.* **Me dan ganas de,** *j'ai envie de, l'envie me prend de... Dar una vuelta, un paso,* faire un tour, quelques pas. Voir dans le dialogue : « **Nos darán las 11** ».

4. **Por «los madriles»,** *dans Madrid.* **Por** introduit un mouvement ou déplacement à l'intérieur d'un espace déterminé ; *viajamos por toda España* **el verano pasado,** *l'été dernier, nous avons voyagé à travers toute l'Espagne, nous avons parcouru l'Espagne.*

5. **En esas literas,** *ces couchettes* (dont on parle). Mais : **en estas literas se duerme bien,** *dans ces couchettes-ci* (où l'on est) *on dort bien.*

6. **pasó, dijo, hicimos,** etc., TEMPS DU PASSÉ. Quand il s'agit d'un fait ponctuel, révolu, dans le passé, l'espagnol utilise le PASSÉ SIMPLE : **hicimos** un viaje inolvidable *el año pasado,* nous avons fait un voyage inoubliable l'an dernier.

7. **al salir de S. Sebastián,** *en sortant de* ; valeur de temps ; *au moment où... = **al** + infinitif.* **Ten cuidado al bajar,** *fais attention en descendant.* Mais : **Viaje descansando en coche-cama,** *voyagez en vous reposant en wagon-lit,* le gérondif exprimant alors la manière.

8. **a media tarde,** *au milieu de l'après-midi* ; **a media mañana, a media noche, a media semana,** *au milieu de la matinée, de la nuit, de la semaine* ; et aussi : **a mediados de mes, de año, de siglo,** *au milieu du mois, de l'année, du siècle* ; **a media estación,** *à la mi-saison* ; **a mediados de septiembre,** *à la mi-septembre.*

9. **qué pronto pasa el tiempo,** *comme le temps passe vite.* Il s'agit de la phrase exclamative ; **qué** + adjectif ou adverbe + verbe + sujet : *¡Qué rápido es este tren! Que ce train est rapide.*

10. **Iba lleno el tren,** *le train était plein.* **Ir,** valeur de semi-auxiliaire **(estar)** avec notion de mouvement : **Se va muy bien en el Talgo,** *on est très bien dans le Talgo.*

11. **Iba tanta gente... como,** *autant de monde... que.* **Tanto** → adjectif devant un nom, s'accorde : **tantos trenes, tantas personas,** *autant de trains, autant de personnes.*

12. **Vamos a por...** ou **vamos por el equipaje,** *allons chercher les bagages.* Très usuel : **Ir por,** *aller chercher.*

13. **«No vaya a ser que perdamos el tren,** *il ne faudrait pas que nous manquions le train.* **No vaya a ser que** + subj. : *il ne faut pas que* (mise en garde, non obligation).

Esp	Fr	Hisp-am
el automotor	*l'autorail*	**el autoferro**
el interventor	*le contrôleur*	**el cobrador**
el bocadillo	*le sandwich*	**el sandwich**
		el bocadito *(Cuba)*
el dulce de fruta	*la pâte de fruit*	**el bocadillo** *(Colombie)*
el trozo de pollo	*le morceau de poulet*	**la presa de pollo**

En el tren

En muchos países de Hispanoamérica ya no se utiliza el tren (por ejemplo en Colombia) o casi nunca se ha utilizado (en Venezuela). En otros, se viaja mucho menos en tren que en avión o en bus (México, países andinos). En Argentina siguen circulando trenes. El más turístico de éstos es, probablemente, el de Arequipa-Cuzco, en el Perú. Le sigue de muy cerca el de Cuzco-Machupicchu. El primero es temible para los delicados del corazón pues sube a unos cuatro mil metros : por los pasillos, no se ofrece cocacola sino « aire, aire » por si acaso hay alguien ahogándose. El segundo es esencialmente para turistas y si éstos no quieren tomarlo tienen que madrugar mucho para subir en el tren de los trabajadores. Cuando se para un tren andino, mujeres y niños acuden a vender frutas, empanadas, bocadillos o presas de pollo. A veces, ponchos, gorros y objetos de cuero.

Dans le train

Dans bien des pays hispano-américains on n'utilise plus le train (par exemple en Colombie) ou on ne l'a presque jamais utilisé (au Venezuela). Dans d'autres, on voyage beaucoup moins en train qu'en avion ou en autocar (Mexique, pays andins). En Argentine des trains continuent à circuler. Le plus touristique de ceux-ci est, probablement, celui d'Arequipa à Cuzco, au Pérou. Il est suivi de très près par celui de Cuzco à Machupicchu. Le premier est redoutable pour les malades du cœur car il monte à environ quatre mille mètres : dans les couloirs, on n'offre pas du coca-cola mais « de l'air, de l'air » au cas où quelqu'un serait en train d'étouffer. Le second est essentiellement pour touristes et, si ceux-ci ne veulent pas le prendre, ils doivent se lever de très bonne heure afin de monter dans le train des travailleurs. Lorsqu'un train andin s'arrête, des femmes et des enfants se précipitent pour vendre des fruits, de petits pâtés, des pâtes de fruits ou des morceaux de poulet. Quelquefois des ponchos, des bonnets et des objets en cuir.

La RENFE (Red Nacional de Ferrocarriles Españoles) es la compañía que tiene el monopolio del transporte por tren en España. La Red de Ferrocarriles es totalmente insuficiente para las necesidades internas, lo que ha provocado el desarrollo del transporte por carretera. Si últimamente se están modernizando muchas líneas, todavía existen muchos trayectos de vía única, lo que dificulta mucho el tráfico. Las tres principales estaciones de Madrid son las del *Norte, Chamartín* y *Atocha*. La primera enlaza con el norte por Avila y Valladolid. La de Chamartín es muy moderna y de ella salen trenes más rápidos, también hacia el norte, pero que van directamente a Burgos, ahorrando así más de cien kilómetros. De la estación de Atocha salen los trenes hacia el sur.

El Talgo es un tren rápido, moderno, con aire acondicionado, en servicio desde 1950. Existe una nueva versión : El Talgo Pendular. Tres trenes enlazan directamente París y la península : El « *Catalán Talgo* » con Barcelona ; el « *Puerta del Sol* » (1ª y 2ª clase y literas) y el « *Madrid Talgo* » (Talgo Pendular con coches cama) con Madrid. A pesar de la diferencia de ancho de vía (1 m 44 en Francia y 1 m 68 en España) un dispositivo en la frontera hace que estos trenes puedan pasar de un país al otro.

La RENFE (Réseau National de Chemins de Fer Espagnols) est la Compagnie qui détient le monopole du transport ferroviaire en Espagne. Le réseau ferroviaire est nettement insuffisant pour les besoins intérieurs, ce qui explique le développement du transport routier. Bien que depuis peu beaucoup de lignes soient en cours de modernisation, il en existe encore beaucoup à une seule voie, ce qui rend le trafic très difficile. Les trois gares les plus importantes de Madrid sont celles du Nord, de Chamartin et d'Atocha. La première relie le nord via Avila et Valladolid. De Chamartin, gare très moderne, partent des trains plus rapides, toujours vers le nord, mais qui vont directement vers Burgos, gagnant ainsi plus de cent kilomètres. De la gare d'Atocha partent les trains vers le sud.

Le *Talgo* est un train rapide, moderne, à air conditionné, en service depuis 1950. Il existe une nouvelle version plus récente : le Talgo Pendular. Trois trains relient Paris et la péninsule directement : le « *Catalan Talgo* » à Barcelone, le « *Puerta del Sol* » (1ʳᵉ et 2ᵉ classe et couchettes), et le « *Madrid-Talgo* » (Talgo Pendular avec des wagons-lits) à Madrid. Malgré la différence d'écartement des voies (1,44 m en France et 1,68 m en Espagne), un dispositif à la frontière permet le passage de ces trains d'un pays à l'autre.

1. « Estación de Venta de Baños. El tren expreso, procedente de Madrid, con destino a Hendaya, estacionado en vía tercera, andén segundo, va a efectuar su salida ».
2. Para facturar su equipaje tendrá que acercarse a aquella ventanilla.
3. ¡ Qué lleno va este tren ! Los departamentos hasta los topes y los pasillos abarrotados.
4. Lo malo es que tendrá que hacer trasbordo en Zaragoza.
5. Claro que tienen las literas ochenta y cuatro y ochenta y cinco, pero del coche veinticuatro y éste es el veintidós. Se han confundido.
6. Como este tren no lleva vagón restaurante te tendrás que bajar en una de las paradas y comprar un bocadillo en la cantina de la estación.
7. Este es un tren rápido ; por eso le tengo que cobrar el suplemento de velocidad, pues su billete no lo lleva.
8. Mira a ver si encuentras a un mozo porque yo ya no puedo más con las maletas ; ¡ cómo pesan !
9. ¡ No te asomes a la ventanilla, niño, que te puede pasar algo !
10. ¿ Para sacar los billetes ? Vaya a las taquillas, allí al fondo, a mano derecha. Al lado de la sala de espera.

1. « Gare de Venta de Baños. Attention, voie trois, quai n° 2, le train express en provenance de Madrid à destination de Hendaye va partir ».
2. Pour enregistrer vos bagages, vous devrez vous rendre à ce guichet-là.
3. Ce train est bondé, les compartiments sont archi-pleins et les couloirs encombrés.
4. L'ennui, c'est que vous devrez changer de train à Saragosse.
5. Bien sûr, vous avez les couchettes quatre-vingt-quatre et quatre-vingt-cinq ! mais de la voiture vingt-quatre, et ici c'est la voiture vingt-deux, vous faites erreur.
6. Ce train ne comportant pas de wagon-restaurant, tu devras descendre à l'un des arrêts et t'acheter un sandwich au buffet de la gare.
7. Vous êtes dans un rapide, je dois donc vous faire payer le supplément de vitesse, car il n'est pas inclus dans votre billet.
8. Regarde si tu trouves un porteur, car je n'en peux plus avec les valises ; qu'elles sont lourdes !
9. Ne te penche pas à la fenêtre, mon petit, parce qu'il peut t'arriver quelque chose.
10. Pour prendre les billets, allez au guichet là-bas au fond, sur votre droite, à côté de la salle d'attente.

la salida, le départ
la llegada, l'arrivée
las literas, les couchettes
el revisor, le contrôleur
el empleado, l'employé
el almuerzo, le déjeuner
el coche-bar, le bar *(d'un train)*
el retraso, le retard
el departamento, le compartiment
la reserva, la réservation
los pasillos, les couloirs
apearse, descendre
un chiste, une histoire drôle
los reclutas, les jeunes recrus (les « bleus »)

el equipaje, les bagages
la consigna, la consigne
perder, manquer (un train)
de sobra, amplement, largement

EXPRESSIONS

¡No me voy a acordar! et comment, si je m'en souviens !
a las tantas, à une heure impossible
si mal no recuerdo, si mes souvenirs sont exacts
¡Vaya viaje! quel voyage ! (drôle de voyage !)
menos mal, heureusement

Vocabulaire complémentaire

la vía, la voie
el andén, le quai
la sala de espera, la salle d'attente
la locomotora, la locomotive
el apeadero, la halte
el coche-cama, le wagon-lit
el vagón-restaurante, le wagon-restaurant
el túnel, le tunnel
el ancho de vía, l'écartement des voies
la facturación, l'enregistrement
la fonda, le buffet
el mozo, le porteur
el talón de equipaje, le récépissé des bagages
el paso a nivel, le passage à niveau

el tren de mercancías, le train de marchandises
el tren de cercanías, le train de banlieue
la portezuela, la portière
el interventor, le contrôleur
el enlace, la correspondance
la validez, la validité
la ida, l'aller
la vuelta, le retour
el baúl, la malle
la maleta, la valise
los bultos, les colis
asomarse, se pencher
sellar el billete, tamponner le billet
descarrilar, dérailler
revisar, vérifier
facturar, enregistrer

¡Viajeros al tren! Messieurs les voyageurs, en voiture !

A ■ **Traduire**

1. L'année dernière, nous sommes allés en train en Espagne.

2. Nous avons fait la même année un voyage à travers la Nouvelle-Castille.

3. Le train était bondé et avait deux heures de retard. Quel voyage !

4. Nous enregistrerons les bagages en arrivant à la gare.

5. A la mi-août, il y a autant de touristes qu'au début de septembre.

6. En raison de l'horaire d'été, le Talgo part une heure plus tôt.

B ■ **Traducir**

1. Voy por las maletas a consigna mientras tu sacas los billetes en aquella ventanilla.

2. Daremos una vuelta rápida por Madrid hasta media tarde, pues el tren sale a las seis, ¡ No vaya a ser que lo perdamos !

3. Su tren sale a las catorce, coche dieciocho, asientos quince y dieciséis, andén tercero.

4. Se prohibe asomarse a la ventanilla.

5. ¡ Qué pesado fue el viaje ! ¡ Menos mal que teníamos asiento !

Corrigé

A ■ 1. El año pasado fuimos a España en tren.

2. El mismo año hicimos un viaje por Castilla la Nueva.

3. El tren iba abarrotado y con dos horas de retraso ¡ Vaya viaje !

4. Facturaremos el equipaje al llegar a la estación.

5. A mediados de Agosto hay tantos turistas como a principios de Septiembre.

6. Con motivo del horario de verano, el Talgo sale una hora antes.

B ■ 1. Je vais chercher les valises à la consigne pendant que tu prends les billets à ce guichet.

2. Nous ferons un tour rapide dans Madrid, jusqu'au milieu de l'après-midi car le train part à 18 h. Il ne faudrait pas que nous le manquions !

3. Votre train part à 14 h, voiture 18, places n°s 15 et 16, quai $n° 3$.

4. Il est interdit de se pencher au-dehors.

5. Que ce voyage a été pénible ! Heureusement que nous avions des places assises !

M = Manuel   A = Antonia   C = Carlos   S = Sofía

(Una pareja de turistas visita a otra en su tienda)

M— ¡ Buenos días !

C— ¡ Hombre[1] ! Buenos días. ¡ Qué sorpresa ! Ya se han decidido a venir a vernos. ¿ eh ?

M— Pues sí. El otro día quedamos en[2] que vendríamos a verles[3] para charlar un rato y aquí estamos[4]. Lo que veo es que están en un buen sitio, a la sombra, tranquilos.

C— Sí, todos los años, reservamos. Es mejor que andar buscando[5] nada más llegar para luego terminar en cualquier sitio. Las vacaciones son demasiado importantes para no tomárselas[6] en serio.

A— Lleva toda la razón[7]. Es lo que nos pasa todos los años. Por más que queremos[8] no nos decidimos ningún año a hacer planes con antelación. ¡ Con decirle[9] que hay años en que la víspera de cerrar las maletas no sabemos todavía adónde vamos a ir !

C— Pero no se queden[10] ahí parados. Siéntense por favor. Mire, señora, coja ese silletín y acérquese a la mesa, que mi mujer está preparando una barbacoa y nos vamos a comer unas chuletas... ¡ No ! y no me digan[10] que no porque voy a insistir. Y ya saben que donde comen dos...

A— Bien, pero a la próxima vienen a comer a nuestra caravana.

C— De acuerdo. Una cosa que quería preguntarle : ¿ Está contento con la caravana ? Porque yo comienzo un poco a cansarme de la tienda. Es todo un lío, montarla y desmontarla. Además no se puede acampar en todas partes.

M— Pues mire, sí que es verdad que se está más cómodo. Lleva[7] calefacción y por lo tanto podemos utilizarla cuando queremos. Y como estamos jubilados, nos viene muy bien. Además tenemos la ventaja de poder utilizarla incluso en las etapas. Pero no se crea[10], que también tiene sus desventajas.

C— Pues yo cuantas más vueltas le doy, más decidido estoy[11] a comprarme una caravana. Porque últimamente todos los cámpings están acondicionados con la toma de luz, de agua, el desagüe. Enfín, que yo sólo[12] veo ventajas.

S— Bien, pues brindemos por que el año que viene nos veamos aquí pero en su caravana.

A— Eso. Y a comer las chuletas que si no se enfrían.

M = Manuel   A = Antoinette   C = Charles   S = Sophie

(Un couple de touristes rend visite à un autre sous la tente)

M— Bonjour.

C— Tiens ! Bonjour. Quelle surprise. Vous vous êtes enfin décidés à venir nous voir, hein !

M— Eh bien oui. L'autre jour, on avait dit qu'on viendrait vous voir pour parler un moment et nous voici. Je vois que vous avez un bon emplacement, à l'ombre, et que vous êtes au calme.

C— Oui, tous les ans, nous faisons une réservation. C'est mieux que de chercher dès l'arrivée pour finir ensuite n'importe où. Les vacances sont trop importantes pour ne pas les prendre au sérieux.

A— Vous avez tout à fait raison. C'est ce qui nous arrive tous les ans. On a beau vouloir, on ne s'est jamais décidé à faire des projets à l'avance. Si on vous disait qu'il y a des années où à la veille de boucler les valises, nous ne savons pas encore où nous allons !

C— Mais ne restez pas là debout. Asseyez-vous, s'il vous plaît. Tenez, Madame, prenez ce siège et approchez-vous de la table ; ma femme prépare un barbecue et nous allons manger quelques côtelettes... Non ! Ne refusez pas parce que je vais être obligé d'insister. Et vous savez que, quand il y en a pour deux...

A— C'est bon, mais la prochaine fois, c'est vous qui viendrez manger dans notre caravane.

C— D'accord. Au fait, je voulais vous demander : vous êtes content de votre caravane ? Je commence à en avoir assez de la tente. C'est toute une affaire que de la monter et de la démonter. En plus, on ne peut pas camper partout.

M— Eh bien, écoutez, il est vrai qu'on y est mieux. Elle a le chauffage et nous pouvons donc l'utiliser quand nous voulons. Et comme nous sommes à la retraite, c'est parfait pour nous. Et puis, nous avons l'avantage de pouvoir nous en servir même aux étapes. Mais n'allez pas croire, elle a aussi ses inconvénients.

C— Eh bien, plus j'y pense, plus je suis décidé à acheter une caravane parce que, depuis peu, tous les campings sont équipés d'une prise électrique, d'une arrivée d'eau et de l'évacuation des eaux usées. Bref, je n'y vois que des avantages.

S— Bon, eh bien buvons à nos retrouvailles ici l'année prochaine mais dans votre caravane.

A— C'est ça. Et mangeons les côtelettes, sinon elles vont refroidir.

1. **¡hombre!** cf. III—3,2. Quelques équivalents français : *tiens ! dis donc ! ça alors !* etc.

2. **Quedamos en,** voir II—3, 8.

3. **Venir a verles,** tout verbe de mouvement suivi d'un infinitif entraîne la préposotion **a** ; *vamor a viajar, nous allons voyager.* Verles → *vous voir* (a ustedes). On vouvoie et il s'agit donc du pronom personnel de la 3e personne : *voy a hablarles, je vais vous parler.*

4. **Y aquí estamos,** *et nous voici* (voir II—3, 5).

5. **Andar buscando,** *chercher. Andar :* semi-auxiliaire, connotation de mouvement, activité. Il remplace *estar* + gérondif ou adjectif : **Anda preparando las vacaciones desde el mes pasado,** *il prépare ses vacances depuis le mois dernier.*

6. **Tomárselas en serio,** *les prendre au sérieux* (voir XX—3, 12).

7. **lleva toda la razón,** *il a tout à fait raison. Llevar,* semi-auxiliaire pour *tener, avoir, porter.*

8. **Por más que queremos,** *nous avons beau vouloir.*

9. **Con decirle...** *si je vous disais.* Con + infinitif (très usuel) = français : *il suffit de, il n'y a qu'à.* **Con llegar temprano, tendremos buen sitio,** *il n'y a qu'arriver de bonne heure et nous aurons une bonne place.*

10. **No se queden ahí...** «**no me digan**», de que*darse, de*cir ; il s'agit bien de l'impératif négatif (défense...) rendu en espagnol par la personne correspondante du subjonctif présent.
    ATTENTION (cf. impératif) : **dime,** *dis-moi* ; **no me digas,** *ne me dis pas...*

11. «**Cuantas más vueltas le doy, más decidido estoy**», *plus j'y pense, plus je suis décidé :* c'est la phrase corrélative : attention à la construction et à l'accord en espagnol devant un nom ; **cuantos más campistas hay, más animación hay.**

12. **Sólo,** voir II—3, 9 : trad. usuelle du français *ne... que.* **Sólo quiero tranquilidad,** *je ne veux que le calme.*

Esp	Fr	Hisp-am
la tienda	*la tente*	**la carpa**
la gira campestre	*le pique-nique*	**el piquete**
el cochinillo	*le cochon de lait*	**la lechona**
		(Colombie)
la carne asada	*la viande grillée*	**el churrasco**
		(Arg., Urug.)

¿ Camping en Latinoamérica ?

En cierto modo, los amerindios comenzaron su vida acampando, como cualquier hijo de vecino. Y, al llegar al Nuevo Mundo, los descubridores y los conquistadores también acamparon. Durante las Guerras de Independencia florecieron los campamentos y las innumerables guerras civiles decimonónicas fueron, a menudo, algo como paseos de exploradores a pie, a caballo o a lomo de mula. Y el gaucho, argentino o uruguayo, y el llanero colombiano o venezolano pasaban la vida al aire libre.

Hoy en día, los bichos, desde el mosquito hasta el alacrán, la inseguridad de los campos y las condiciones climáticas son elementos de disuasión. Lo que no quita que muchos jóvenes salgan con su morral a instalar la carpa.

Faire du camping en Amérique latine ?

En un sens, les Amérindiens ont commencé leur vie en faisant du camping, comme n'importe qui. Et, en arrivant au Nouveau Monde, les hommes de la découverte et de la conquête ont campé, eux aussi. Au cours des guerres d'Indépendance, les campements ont fleuri et les innombrables guerres civiles du XIXe siècle ont ressemblé, souvent, à des randonnées d'éclaireurs à pied, à cheval ou à dos de mule. Et le *gaucho,* argentin ou uruguayen et le *llanero,* l'homme des plaines colombo-vénézuéliennes, passaient leur vie en plein air.

De nos jours, les bêtes, du moustique au scorpion, l'insécurité dans les campagnes et les conditions climatiques sont des facteurs de dissuasion. Ce qui n'empêche pas bien des jeunes de partir, leur sac sur leur dos, pour dresser leur tente.

Hay en España unos seiscientos cámpings clasificados, en atención a sus instalaciones y servicios, en cuatro categorías : la tercera parte son de categoría « Lujo » o de 1era clase. La mitad de segunda clase, y el resto de tercera ; el 80 % de ellos se encuentra en el litoral. Para usar de los cámpings españoles no se necesita carnet especial de ninguna clase, basta con el documento oficial que acredite la identidad o la exhibición del pasaporte. Todo cámping, cualquier categoría a la que pertenezca, deberá estar completamente cercado, tener agua potable sin limitaciones de caudal, luz eléctrica, recepción, bar, servicios higiénicos, fregaderos y lavaderos, recogida de basuras, botiquín de primeros auxilios, recogida de correspondencia, protección contra incendios y servicios de vigilancia diurna y nocturna.

Hay igualmente lugares de acampada autorizados y otros de acampada libre tolerados. Lo único que se pide a los campistas es que no acampen a menos de 1 km de un cámping, de núcleos úrbanos o lugares concurridos (playas, parques, etc.) o que no se instalen cerca de lugares de captación de agua potable para abastecimiento de núcleos urbanos.

Il y a en Espagne environ six cents campings classés, suivant leurs équipements et services, en quatre catégories : le tiers d'entre eux sont classés « Luxe » ou 1re catégorie ; la moitié sont de 2e catégorie et le reste de 3e catégorie ; 80 % d'entre eux se trouvent sur le littoral. Pour avoir accès aux campings espagnols, il ne faut aucune carte spéciale, il suffit d'avoir une pièce d'identité (carte ou passeport). Tout camping, quelle que soit la catégorie à laquelle il appartient, doit être entièrement clos, avoir de l'eau potable sans limitations dans le débit, éclairage et prises de courant électrique, réception, bar, installations sanitaires, éviers, lavoirs, enlèvement des ordures, infirmerie pour premiers soins, ramassage du courrier, protection contre les incendies, et des services de surveillance de jour et de nuit.

Il existe par ailleurs des aires de camping autorisé et de camping « sauvage » toléré. La seule chose que l'on demande aux campeurs est de ne pas s'installer à moins d'un kilomètre d'un camping, d'agglomérations ou lieux fréquentés (plages, parcs), ou de ne pas s'installer près des lieux de captage d'eau potable destinés aux agglomérations.

1. Cierra la tienda que esos nubarrones no me gustan nada.
2. Pueden instalarse donde quieran.
3. En toda esta zona está prohibido acampar.
4. Esa es la caravana que ando buscando.
5. ¡ Qué sucio está este sitio !
6. Cuando estemos jubilados nos compraremos una caravana.
7. Los niños, a partir de trece años, cuentan como un adulto.
8. Ese remolque entorpece el paso de los coches : ¿ podría quitarlo, por favor ?
9. No se pueden fregar los platos en los lavaderos.
10. El dueño de este terreno no quiere campistas.
11. A la salida del pueblo hay un terreno comunal donde se suele instalar la gente.
12. El reglamento del cámping estipula que no se puede entrar con el coche después de las diez. Tendrán que dejarlo a la entrada.
13. Es lógico que en un cámping ubicado en un pinar esté prohibido hacer hogueras.

1. Ferme la tente ; ces gros nuages ne me disent rien qui vaille.
2. Vous pouvez vous installer où vous voudrez.
3. Dans toute cette zone, il est interdit de camper.
4. Voilà la caravane que je recherche.
5. Que cet emplacement est sale !
6. Quand nous serons à la retraite, nous achèterons une caravane.
7. Les enfants, à partir de treize ans, ils comptent pour un adulte.
8. Cette remorque gêne le passage des voitures : pourriez-vous la déplacer s'il vous plaît ?
9. On ne peut pas faire la vaisselle dans les lavoirs.
10. Le propriétaire de ce terrain ne veut pas de campeurs.
11. A la sortie du village, il y a un terrain communal où les gens s'installent souvent.
12. Le règlement du camping indique qu'il n'est pas possible d'entrer avec la voiture après 22 heures. Vous devrez la laisser à l'entrée.
13. Il est normal que dans un camping situé dans une pinède il soit interdit de faire des feux.

la tienda, la tente
charlar, bavarder
un sitio, un emplacement
los planes, les projets
la víspera, la veille
el silletín, le siège de camping
la barbacoa, le barbecue
la chuleta, la côtelette
la caravana, la caravane
acampar, camper
la calefacción, le chauffage
el jubilado, le retraité
la ventaja, l'avantage
la desventaja, l'inconvénient
acondicionar, aménager
la toma de luz, de agua, la prise de lumière, d'eau

el desagüe, l'évacuation d'eau
brindar, porter un toast (trinquer)

EXPRESSIONS
con antelación, à l'avance
no me digan que no, ne me dites pas non
donde comen dos (comen tres), quand il y en a pour deux (il y en a pour trois)
es todo un lío, c'est d'un compliqué
me viene bien, cela me convient
cuantas más vueltas le doy, más...., plus j'y pense, plus...

Vocabulaire complémentaire

la cremallera, la fermeture éclair
la cuerda de nylon, la corde nylon
el remolque habitable, la caravane
el terreno de acampada, le terrain de camping
el campista }
el acampado } le campeur
la recepción, la réception
el botiquín, la trousse de secours, l'infirmerie
acampada libre, camping sauvage
prohibido, interdit
el fregadero, l'évier
el lavadero, le lavoir
la tarifa de precios, le tarif des prix
el Reglamento de Régimen

Interior, le règlement intérieur
venta de hielo, vente de glace
la papelera, la corbeille
las basuras, les ordures
el cubo de la basura, la poubelle
el suministro de electricidad, l'approvisionnement en électricité
el justificante de pagos, une pièce justificative de paiement
la cantimplora, la gourde (d'eau)
la bota, la gourde (de vin)
la mochila, le sac à dos
la hoguera, le feu (de camp)
el pinar, la pinède

A Traducir

1. Anda buscando un cámping bien acondicionado para este verano ; siempre lo hace con mucha antelación ; tiene la ventaja de estar seguro de encontrar buen sitio.

2. Dijimos que este año no haríamos acampada libre ; tiene sus ventajas pero ¡ Cuántas desventajas !

3. Lleva Vd razón ; es mejor que reservemos antes ; ¡ con decirle que el año pasado no encontramos ningún sitio a la sombra !

4. Por más que se lo digo no comprende que su coche entorpece el paso.

B Traduire

1. Il est normal qu'il soit interdit de faire le feu sous les arbres.

2. Nous viendrons vous voir quand nous aurons monté la tente.

3. Nous allons manger chez eux demain.

4. Ne restez pas debout ; asseyez-vous et mangez, je vous en prie.

5. Nous aimons le calme et puis, plus il y a du monde, plus le camping est sale.

Corrigé

A 1. Il cherche un camping bien amenagé pour cet été ; il le fait toujours très à l'avance. L'avantage c'est qu'on est sûr de trouver un bon emplacement.

2. Nous avons dit que cette année nous ne ferions pas de camping sauvage ; cela a ses avantages mais que d'inconvénients !

3. Vous avez raison ; il vaut mieux que nous réservions avant ; si je vous disais que l'année dernière nous n'avons trouvé aucune place à l'ombre !

4. J'ai beau le lui dire, il ne comprend pas que sa voiture gêne le passage.

B 1. Es lógico que esté prohibido hacer hogueras debajo de los árboles.

2. Vendremos a verles cuando hayamos montado la tienda.

3. Vamos a comer a su casa mañana.

4. No se quede de pié, siéntese y coma, por favor.

5. Nos gusta la tranquilidad y luego, cuanta más gente hay, más sucio está el cámping.

P = Pedro   R = Recepcionista   T = Taxista   J = Julia

(En el hotel, en Recepción)

P— ¿ Nos puede pedir un taxi, por favor ?

R— Ahora mismo, señor. *(El recepcionista al teléfono)*
¡ Oiga ! ¿ Me pueden mandar un taxi al hotel Colón ?
¿ Cuánto ?... Vale, gracias. *(A los clientes)* Llega ense-
guida.

P— Estupendo. Lo esperaremos fuera.

R— Adiós, Señores. Que lo pasen bien[1].

(En el taxi)

T— ¡ Buenos días ! ¿ Adónde vamos ?

P— Al Rastro, por favor.

J— ¡ Qué tráfico hay[2] !

T— Y que lo diga Vd. Cada día se circula peor en Madrid.
¿ Por dónde quieren pasar ?

P— Pues mire, la verdad, hace mucho tiempo[3] que no venimos por Madrid[4]...

J— El Rastro no está lejos[5] del centro, según creo.

T— Sí, señora, pero si cruzamos el centro ahora creo que
tardaremos más. Los semáforos no funcionan esta mañana
y hay más atascos que nunca...

J— Pues entonces, por donde le parezca[6] mejor.

T— Lo mejor será por el Palacio Real ; hay que dar un rodeo
pero llegaremos antes.

J— ¡ Lo cambiado que está Madrid[7] ! Direcciones prohibidas,
parquímetros por todas partes...

P— Ayer estuvimos aparcados media hora más de la cuenta en
la Plaza de España y cuando volvimos, el coche, se lo
había llevado la grúa[8]...

T— Mala suerte. Cinco mil pesetas, ¿ verdad ?

P— Eso mismo. Total que mientras que estemos[9] en Madrid, el
coche no se mueve del aparcamiento del hotel.

T— Hace Vd bien. Yo, cuando estoy de descanso, no lo cojo...
Ya estamos llegando... Si les da igual[10] les dejaré en este
cruce. No tienen más que subir esa calle de dirección
prohibida.

P— Vale, aquí. ¿ Qué le debo ?

T— Pues, la bajada de bandera 50 pesetas más 225 que marca
el taxímetro... 275.

P— Tenga. Quédese con la vuelta.

T— Muchísimas gracias señores.

P = Pierre   R = chef de réception
T = chauffeur de taxi   J = Julie

(A l'hôtel, à la réception)

P— Pouvez-vous nous demander un taxi, s'il vous plaît ?

R— Tout de suite, Monsieur. *(Le réceptionniste au téléphone)* Allô, vous pouvez m'envoyer un taxi à l'hôtel Colon ? Combien ? Ça va, merci. *(Aux clients)* Il arrive immédiatement.

P— Formidable. Nous allons l'attendre à l'extérieur.

R— Au revoir, Madame et Monsieur, passez une bonne journée.

(Dans le taxi)

T— Bonjour. Où allons-nous ?

P— Au Marché aux Puces, s'il vous plaît.

J— Quelle circulation !

T— Vous pouvez le dire. On circule chaque jour un peu plus mal à Madrid. Par où voulez-vous passer ?

P— Eh bien, en vérité, cela fait longtemps que nous ne sommes pas venus à Madrid.

J— Le Marché aux Puces n'est pas loin du centre, je crois.

T— Oui, Madame, mais si nous traversons le centre à cette heure-ci, je crois que nous mettrons plus longtemps. Les feux de signalisation ne marchent pas ce matin et il y a plus d'embouteillages que jamais.

J— Eh bien, par où cela vous semblera le mieux.

T— Le mieux, ce sera par le Palais Royal ; il faut faire un détour, mais nous arriverons plus tôt.

J— Comme Madrid a changé ! Des sens interdits, des parcmètres partout !

P— Hier, nous sommes restés garés une demi-heure de trop sur la place d'Espagne et, quand nous sommes revenus, la grue avait enlevé la voiture.

T— Pas de chance. Cinq mille pesetas, n'est-ce pas ?

P— Tout juste. Bref, tant que nous serons à Madrid, la voiture ne bougera pas du garage de l'hôtel.

T— Vous avez raison. Moi, quand je suis de repos, je ne la prends pas. Nous arrivons... Si cela ne vous dérange pas, je vous laisserai à ce croisement. Vous n'avez plus qu'à monter cette rue en sens interdit.

P— Ici, c'est bien. Je vous dois combien ?

T— Eh bien, 50 pesetas de prise en charge plus 225 au compteur... 275.

P— Voici, gardez la monnaie.

T— Merci infiniment, Madame et Monsieur.

1. « **Que lo pasen bien** », *amusez-vous bien ! bonne jour-née !* et aussi selon le contexte : *Bon séjour ! Bonnes vacances !* Remarquez bien la construction de cette tournure très usuelle, exprimant un souhait en style direct : Que + *lo* (invariable) + subjonctif présent.
   Mais aussi : **Que tengas buen viaje !** *fais un bon voyage !* **Que descanses !** *repose-toi*, etc.

2. « **¡ Qué tráfico hay !** m. à m. *qu'est-ce qu'il y a comme circulation !* Cf. IV—3, 9.

3. **Hace mucho tiempo**, *il y a longtemps.*
   La forme impersonnelle *il y a, il y avait* + complément de temps se rend en espagnol par **hace, hacía**, etc. *Había* **menos tráfico** *hace* **un año**, *il y avait moins de circulation il y a un an.*

4. **Por Madrid**, *à Madrid,* connotation : *du côté de...* aspects de **por** : voir I—3, 1 et IV—3, 4.

5. **No está lejos del centro**, *ce n'est pas loin du centre.* Voir traduction d'ÊTRE — II—3.

6. **Por donde le parezca mejor**, m. à m. *par où il vous semblera le mieux.* Action envisagée (futur en français) rendue par le subjonctif présent en espagnol. Voir II—3, 10.

7. **¡ Lo cambiado que está Madrid !** *Que Madrid a changé !* 1) variante de la phrase exclamative : ¡ *Qué* **cambiado está Madrid !** Cf. IV—3, 9 ; 2) utilisation du neutre *lo*, cf. I—3, 12.

8. ... « **se lo había llevado la grúa** », *la grue l'avait enlevée* ; « **quédese con la vuelta** », *gardez la monnaie* ; **llevarse**, *emporter avec soi.* On reporte sur le sujet les effets de l'action. Ex. : *se le* **cerró la puerta**, *sa portière s'est fermée* ; *se le* **averió el coche**, *sa voiture est tombée en panne.* On peut constater que l'espagnol remplace souvent le possessif français (sa portière, sa voiture) par un pronom personnel : **le**, dans les exemples précités, cf. XX—3, 12.

9. « **Mientras que estemos en el hotel** », *tant que nous serons à l'hôtel.* Dans une surbordonnée temporelle dépendant d'une principale au futur ou à valeur de futur, l'espagnol utilise le subjonctif présent là où le français emploie le futur. **Cuando** *quieras*, **iremos a España**, *quand tu voudras, nous irons en Espagne* et (langue parlée) **vamos** *cuando quieras*, *nous y allons quand tu veux.* Pour ce subjonctif correspondant au futur français, voir aussi II—3, 10 et XX—3, 15.

10. **Si les da igual**, *si cela vous est égal.* (Particularités de **dar** cf. IV—3, 3.)

Esp	Fr	Hisp-am
la acera	le trottoir	el andén
la banda (de autopista)	la voie (autoroute)	el carril
el autocar	l'autocar	el camión (Mexique)
el coche de línea		la flota (Colombie) el bus
la estación de servicio	la station-service	la gasolinera
la preferencia	la priorité	La prelación
el carné	le permis	el pase

NOTES

la cuadra : distance d'environ 100 mètres qui va d'un coin de rue à un autre (Colombie).

la carrera : à Bogota, avenue allant du nord au sud, la *calle* étant perpendiculaire, donc est-ouest.

el colectivo : le taxi collectif (à itinéraire fixe).

la buseta : le minibus (Colombie).

el micro : le minibus (Pérou).

Por la ciudad

Principiamos a caminar calle abajo. Yo llevaba el niño, pese a que Josefa se había opuesto porque de golpe me caía. No quise hacerle caso ; quería llevarlo. Mi mano izquierda iba cogida a la de Josefa. Caminábamos a pasos largos, rápidos, casi corriendo. A través de los pañales me llegaba el calor del niño que se quemaba de fiebre. Cinco, diez, más cuadras. Ya íbamos corriendo. A Josefa se le había olvidado que yo era ciego y a mí también. Corríamos por la calzada, por el andén, tropezando con piedras, cayendo, dando traspiés. Con el corazón apretado.

(Fernando Ponce de Léon, *Matías,* Instituto Colombiano de Cultura, Bogotá, 1978, p. 282).

À travers la ville

Nous avons commencé à marcher en descendant la rue. Je portais l'enfant malgré l'avis contraire de Josefa, car selon elle je risquais de tomber. Je n'ai pas voulu lui obéir ; je voulais le porter. De ma main gauche, je tenais la main de Josefa. Nous marchions à grands pas, rapidement, presque en courant. A travers les couches me parvenait la chaleur de l'enfant qui brûlait de fièvre. Cinq, dix rues, davantage. Nous courions à présent. Josefa avait oublié que j'étais aveugle ; moi aussi. Nous courions sur la chaussée, sur le trottoir, trébuchant sur des pierres, tombant, faisant des faux pas. Le cœur serré.

Los taxis españoles, como todos los taxis en el mundo, cobran cierto dinero por su « carrera ». Ahora bien, si la mayoría de ellos tienen taxímetro en ciertas regiones algunos taxistas suelen fijar ellos mismos los precios : conviene ponerse de acuerdo de antemano para evitar sorpresas. De todas formas el taxi en España, a pesar de las subidas incesantes de las tarifas, es mucho más accesible y utilizado que en otros países europeos. Se identifican con gran facilidad gracias a los colores con que están pintados que pueden incluso tener una relación con los colores de las banderas regionales : amarillo en Barcelona, verde en Andalucia, rojo en Castilla, etc. De noche llevan una luz verde que indica que van libres. Al precio que indica el taxímetro hay que añadir algunos suplementos si es el caso : bultos, subida en estación, o salida del casco urbano. Para solventar el problema de aparcamiento en Madrid, se ha creado la O.R.A. sistema por el cual, a la hora de aparcar, hay que dejar en el coche, y de manera bien visible, unas tarjetas compradas de antemano en las que se escribe la hora de llegada y de salida. Una vez utilizados ya no sirven para otra vez, lo que también supone una fuente de ingresos para el Ayuntamiento de Madrid, sin necesidad de instalar parquímetros.

Les taxis espagnols, comme tous les taxis au monde, perçoivent une certaine somme d'argent en échange d'une « course ». Cela dit, si la plupart ont un compteur, dans certaines régions certains chauffeurs de taxi fixent souvent eux-mêmes les prix ; il est bon de se mettre d'accord avant pour éviter les surprises ! Quoi qu'il en soit, malgré les hausses continues des tarifs, le taxi en Espagne est beaucoup plus abordable et utilisé que dans d'autres pays européens. Ils sont facilement identifiables grâce aux couleurs dont ils sont peints ; couleurs qui peuvent rappeler les couleurs du drapeau régional : jaune à Barcelone, vert en Andalousie, rouge en Castille, etc. La nuit, une lumière verte indique qu'ils sont libres. Selon le cas il faut ajouter certains suppléments au prix marqué au compteur : colis, prise en charge dans une gare, sortie des limites d'une agglomération. Pour résoudre le problème du stationnement à Madrid, il a été créé l'O.R.A., système selon lequel, au moment de se garer, il faut laisser dans la voiture, bien en évidence, des cartes achetées à l'avance où l'on doit écrire l'heure d'arrivée et de départ. Une fois utilisées, elles ne sont plus valables, ce qui représente une source de revenus pour la Mairie de Madrid ; ce système rend inutile l'installation des parcmètres.

1. En la esquina de esta avenida hay un depósito de gasolina.
2. Más allá del casco urbano la tarifa no es la misma : en las afueras es más caro.
3. Antes de torcer a la izquierda o a la derecha hay que dar al intermitente.
4. ¡ Cuánto coche ! Está abierto el semáforo y no nos movemos.
5. Si aparcas el coche ahí se lo va a llevar la grúa o te ponen el cepo.
6. En toda la manzana no hay ni un sitio para aparcar.
7. Pare en la próxima calle y dígame cuánto le debo.
8. Puede que no encontremos un taxi.
9. Si no os importa prefiero llevar el coche yo mismo.
10. Se me ha pinchado una rueda : ¿ dónde habrá un taller de reparaciones ?
11. Quizá no pueda arreglarlo hasta mañana.
12. ¿ Pero cómo se le ocurrió poner piezas de recambio usadas ?
13. Lo que puedo hacer es alquilarles un coche mientras arreglo éste.
14. Lleno, por favor.

1. Au coin de cette avenue il y a un poste d'essence.
2. Au-delà de la zone urbaine le tarif n'est pas le même : en banlieue, c'est plus cher.
3. Avant de prendre à gauche ou à droite, il faut mettre le clignotant.
4. Qu'est-ce qu'il y a comme voitures ! Le feu est vert et nous ne bougeons pas !
5. Si tu gares ta voiture là, la grue va l'enlever ou on va te mettre un sabot.
6. Il n'y a pas une place pour se garer dans tout le pâté de maisons.
7. Arrêtez-vous à la prochaine (rue) et dites-moi combien je vous dois.
8. Il se peut que nous ne trouvions pas de taxi.
9. Si cela ne vous gêne pas, je préfère conduire la voiture moi-même.
10. J'ai crevé : où peut-il bien y avoir un garage ?
11. Probablement je ne pourrai la réparer avant demain.
12. Mais qu'est-ce qui vous a pris de mettre des pièces de rechange déjà usagées.
13. Ce que je peux faire, c'est vous louer une voiture pendant que je répare celle-ci.
14. Le plein, s'il vous plaît.

el tráfico, la circulation
el semáforo, le feu de signalisation (feu rouge)
los atascos, les embouteillages
la dirección prohibida, le
sens interdit
el parquímetro, le parcmè-
tre
aparcarse, se garer
la grúa, la grue
el aparcamiento, le parking
el descanso, le repos
la bajada de bandera, la
prise en charge (taxi)
el cruce, le croisement

el taxímetro, le compteur
la vuelta, la monnaie (à
rendre)

EXPRESSIONS

ahora mismo, tout de suite
y que lo diga Vd, je ne vous
le fais pas dire
según creo, d'après moi
no funciona, en panne, ne
marche pas
dar un rodeo, faire un détour
quédese con la vuelta,
gardez la monnaie

Vocabulaire complémentaire

la dirección única, le sens
unique
el pinchazo, la crevaison
el patinazo, le dérapage
la calzada ⎫
el firme ⎬ la chaussée
el klaxon, l'avertisseur
el cepo, le sabot de Denver
el intermitente, le clignotant
el punto muerto, le point
mort
la marcha atrás, la marche
arrière
la directa, la quatrième
la manzana, le pâté de
maisons
las afueras, la banlieue
el casco urbano, le centre
ville (≠ las afueras)
la bujía, la bougie
la palanca, le levier
el gato, le cric
el depósito de gasolina, le
réservoir d'essence
el tubo de escape, l'échap-
pement
el consumo, la consomma-
tion

el arranque, le démarrage
el recambio, la pièce (de
rechange)
la correa, la courroie
la portezuela, la portière
el acelerador, l'accélérateur
el embrague, l'embrayage
el parabrisas, le pare-brise
el limpiaparabrisas, l'essuie-glace
los pilotos, les feux arrière
la matrícula, la plaque mi-
néralogique
prohibido aparcar, interdit
de stationner
estacionamiento vigilado,
aire de stationnement
surveillée
ceda el paso, vous n'avez
pas la priorité
**la documentación del co-
che,** les papiers de la
voiture
el paso cebra, le passage
clouté (paso de peato-
nes)
la señal de tráfico, le pan-
neau de signalisation

A ■ Traduire

1. Reviens avant l'heure de pointe !
2. Il y a autant de monde qu'il y a un an.
3. Tant que nous serons à Madrid, nous ne bougerons pas la voiture.
4. Que je suis fatigué ! J'ai passé une journée dans les embouteillages.
5. Ils m'ont dit que nous pourrons aller chercher la voiture quand nous voudrons.

B ■ Traducir

1. Daremos un rodeo : aunque está más lejos por aquí, hay menos semáforos y tardaremos menos.
2. Como quiera, me da igual por un sitio o por otro.
3. Cuando esté arreglado el auto, llámeme al hotel.
4. Más vale aparcarse en esta calle, aunque tengamos que andar un poco.
5. Páreme en esa esquina. Vuelvo en seguida. Puede dar la vuelta a la manzana mientras tanto.

Corrigé

A ■ 1. ¡ Que vuelvas antes de las horas punta !
2. Hay tanta gente como hace un año.
3. Mientras estemos en Madrid no moveremos el coche.
4. ¡ Qué cansado estoy ! ¡ Me he pasado el día en los atascos !
5. Me han dicho que podremos ir por el coche cuando queramos.

B ■ 1. Nous ferons un détour ; bien que ce soit plus long par ici, il y a moins de feux et nous mettrons moins de temps.
2. Comme vous voudrez. Par un endroit ou par l'autre, ça m'est égal.
3. Quand l'auto sera réparée, appelez-moi à l'hôtel.
4. Il vaut mieux se garer dans cette rue même si nous devons marcher un peu.
5. Arrêtez-moi là au coin. Je reviens tout de suite. Vous pouvez faire le tour du pâté de maisons en attendant.

S = la señorita   C = el cliente

(Tras[1] el mostrador de la agencia una amable señorita contesta a un cliente)

S— Para Canarias tenemos varias posibilidades. Aquí tiene[2] los folletos de varios mayoristas que proponen programas en los que todo va incluido, la estancia, el vuelo ida y vuelta, las excursiones, e incluso un seguro de cancelación caso de que Vd tenga[3] algún problema a última hora y deba[3] renunciar a su viaje.

C— Pero es que a mí[4] lo único que me interesa es el viaje, ya que una vez allí me las arreglaré[5] yo solo.

S— No se lo aconsejo porque como estamos en plena temporada no encontrará nada ; todo está ya reservado desde hace mucho tiempo[6].

C— ¡ Qué faena ! Bueno, pues si no hay más remedio... ¿ Y a cómo sale ese viaje[7] ?

S— Pues barato, porque Canarias es siempre uno de los destinos que resulta mejor. Una persona sola con habitación individual, con cuarto de baño, en hoteles de tres estrellas, visitas y un pequeño circuito... son... 27 500 pesetas.

C— Veintisiete mil quinientas... ¿ Por persona ?

S— ¡ Claro ! ¡ Qué cosas tiene !

C— ¿ Y no me saldrá más barato[8] ir a Baleares ? O a lo mejor[9] uno de esos programas que tienen para ir a Marruecos, o...

S— Mire señor, como no le veo muy decidido todavía le voy a dar estos folletos, y los consulta en su casa. Aquí tiene[2] también la relación de los viajes que organizamos nosotros mismos. Cuando se decida y esté[10] seguro de lo que quiere, se pasa por aquí[11] y ya hablaremos.

C— Es que con tanto folleto no hay quien se decida[12]. Mejor será que me aconseje.

S— ¿ Por qué no se decide por un crucero ?

C— ¡ Pero eso es más caro aún ! Enfín, si lo llego a saber... Nada, que me tendré que aguantar e irme como todos los años a casa de mis primos, a Galicia ! Qué remedio !

S— Si quiere, yo puedo sacarle los billetes. Por la pantalla del ordenador puedo saber en un minuto si queda sitio y reservarlo.

C— No, gracias. Mejor déjelo para otro día. Adiós.

S— Adiós (¡ Anda que si todos los clientes fuesen así[13] !)

S = la jeune fille   C = le client

(Derrière le comptoir de l'agence, une aimable jeune fille répond à un client)

S— Pour les Canaries, nous avons plusieurs possibilités. Voici les dépliants de plusieurs voyagistes qui proposent des programmes à forfait comprenant : le séjour, le vol aller et retour, les excursions et même une assurance annulation au cas où vous auriez un problème de dernière heure et devriez renoncer à votre voyage.

C— Mais c'est que moi, la seule chose qui m'intéresse, c'est le voyage parce que, une fois là-bas, je me débrouillerai tout seul.

S— Je ne vous le conseille pas parce que nous sommes en pleine saison et vous ne trouverez rien ; tout est déjà réservé depuis longtemps.

C— C'est bien ma chance ! Enfin, s'il n'y a pas d'autre solution... Et combien coûte ce voyage ?

S— Bon marché en fait, parce que les Canaries c'est toujours un des programmes les plus avantageux. Une personne seule avec chambre individuelle et salle de bains en hôtel trois étoiles, avec les visites et un petit circuit, cela fait... 27 500 pesetas.

C— Vingt-sept mille cinq cents... Par personne ?

S— Bien sûr ! Quelle question !

C— Et ça ne serait pas moins cher d'aller aux Baléares ? Ou bien un de ces programmes que vous avez pour le Maroc, ou...

S— Écoutez, Monsieur, comme je vois que vous n'êtes pas encore bien fixé, je vais vous remettre ces dépliants et vous les consulterez chez vous. Voici également la liste des voyages que nous organisons nous-mêmes. Quand vous vous serez décidé et que vous serez sûr de ce que vous voulez, passez nous voir et nous en parlerons.

C— Mais comment voulez-vous qu'on se décide avec tous ces dépliants ? Il vaut mieux que vous me conseilliez.

S— Pourquoi ne choisissez-vous pas une croisière ?

C— Mais c'est encore plus cher ! Bref, si j'avais su... Bon, il va falloir que je me résigne et que j'aille comme tous les ans chez mes cousins, en Galice. Tant pis !

S— Si vous voulez, je peux vous établir vos billets. Grâce à l'écran de l'ordinateur, je peux savoir en une minute s'il y a de la place et vous faire la réservation.

C— Non, merci. Il vaut mieux le laisser pour un autre jour. Au revoir.

S— Au revoir. (Eh bien, si tous les clients étaient semblables !)

1. **Tras el mostrador** ou **detrás del mostrador,** *derrière le comptoir.* La préposition *tras* a aussi une valeur de temps : *tras diez años de ausencia, volvió a Madrid, après 10 ans d'absence...* valeur de **después de.**

2. **Aquí tiene,** *voici.* Voir II−3, 5.

3. **caso de que tenga,** *au cas où vous auriez un problème.* Le subjonctif présent traduit le fait éventuel (fait susceptible de se produire).

4. **a mí lo único que me interesa es el viaje,** *la seule chose qui m'intéresse, c'est le voyage.* La préposition **a** est obligatoire devant le complément d'objet direct de personne déterminée. Ici : *moi = a/mi.* Voir I−3, 11.

5. **Me las arreglaré solo,** *je me débrouillerai tout seul.* Expression pronominale courante : **arreglárse***las,* **componerse***las, se débrouiller, s'en sortir.*

6. **Desde hace mucho tiempo,** *depuis longtemps.* Ex. : *Desde hace 2 años no voy a España, je ne vais pas en Espagne depuis 2 ans.* Donc : *depuis combien de temps : desde hace.* Mais : « No hay billetes *desde la semana pasada, il n'y a pas de place depuis la semaine dernière,* c'est-à-dire *depuis quand.*

7. et 8. **¿A cómo sale ese viaje?** *ce voyage revient à combien ?* **¿Y no me saldrá más barato?** *et ne me reviendra-t-il pas moins cher ?* **Salir** = (français) *revenir* dans contexte de prix.

9. **A lo mejor uno de sus programas,** *peut-être un de vos programmes.* **A lo mejor** + indicatif (très usuel) = **A lo mejor viene mañana,** *peut-être viendra-t-il demain.* Mais : **quizás venga mañana** (voir II−3, 3).

10. **Cuando se decida y esté seguro,** *quand vous vous déciderez.* Subjonctif présent espagnol à la place du futur français dans la subordonnée. Cf. VI−3, 9.

11. **Se pasa por aquí,** *vous passez nous voir* (ici) ou *passez nous voir.*
    Aspects de **por** : voir I−3, 1 ; V−3, 4 ; VI−3, 4.

12. **No hay quien se decida,** *on ne peut pas, il est impossible de, personne ne peut se décider.* Tournure idiomatique très usuelle **No hay quien** + subjonctif présent ou, au passé : *no había quien* + subjonctif imparfait. Los viajes por avión en aquella época resultaban muy caros ; *no había quien viajara* (viajase), *à cette époque les voyages en avion revenaient très cher ; personne ne pouvait voyager.*

13. **Si todos los clientes fuesen así,** m. à m. *si tous les clients étaient comme ça !* Dans la subordonnée conditionnelle (si + imparfait de l'indicatif en français) subjonctif imparfait en espagnol. *Si tuviera la oportunidad, iría a México, si j'en avais la possibilité, j'irais au Mexique.*

Esp	Fr	Hisp-am
la estancia	*le séjour*	**la estada, la estadía**
la finca	*le domaine*	**la estancia** (*Argentine*)
		la hacienda
el visado	*le visa*	**la visa**
la oficina	*l'office*	**la corporación**
de turismo	*du tourisme*	**de turismo**
café solo	*café noir*	**tinto** (*Colombie*)

Una agencia de viajes

No hay que buscar lo típico en las agencias de viajes. En todos los países son más o menos las mismas. Sin embargo, hay tal cual particularidad. En Colombia, no es raro que el cliente, después de sentarse, vea llegar una tacita de café (« tinto ») sin haberla pedido : es una atención de la casa. En los países o regiones tropicales, puede ser un vaso de agua fresca o un jugo de fruta. Como en cualquier parte, venden billetes de avión o reservan hoteles, organizan visitas de la ciudad o excursiones de varios días. El ambiente es muy animado : se oyen timbrar los teléfonos y se ven pasar los guías locales afanados ; en las pantallas de las computadoras se estremecen cifras y letras. ¡ Qué trajín para ocuparle el tiempo libre a la gente adinerada !

Une agence de voyages

Il ne faut pas chercher l'élément typique dans les agences de voyages. Dans tous les pays ce sont plus ou moins les mêmes. Cependant, il y a de temps en temps quelque chose de particulier. En Colombie, il n'est pas rare que le client, après s'être assis, voie arriver une petite tasse de café (noir) sans l'avoir commandée : c'est une amabilité de la maison. Dans les pays ou les régions tropicaux, ce peut être un verre d'eau fraîche ou un jus de fruit. Comme partout, les agences de voyages vendent des billets d'avion ou réservent des hôtels, organisent des visites de ville ou des excursions de plusieurs jours. L'atmosphère est très animée : on entend sonner les téléphones et l'on voit passer les guides locaux pressés ; sur les écrans des ordinateurs frémissent chiffres et lettres. Quel remue-ménage pour occuper les loisirs des gens qui ont de l'argent !

Tres son los tipos de Agencias de viajes en España ; las diferencias esenciales estriban en el capital mínimo desembolsado, el número de sucursales y los servicios prestados. Los más importantes, los mayoristas, tienen su ámbito de actuación ilimitado, pero el ofrecimiento y la venta de sus servicios se realiza exclusivamente a través de otra agencia de viajes (minorista). Todas deberán hallarse en posesión del reglamentario título-licencia expedido por la Secretaría de Estado de Turismo.

Las actividades propias de dichas agencias son esencialmente la venta de billetes y reservas en toda clase de medios de transporte ; la reserva de habitaciones u otros servicios en los establecimientos hoteleros ; la organización, venta y realización de « paquetes » (o viajes « todo incluido ») ; la información gratuita y difusión de material de propaganda (folletos), venta de guías turísticas y de transporte, horarios y otras publicaciones de interés turístico ; el cambio de divisas y la venta y cambio de cheques de viajeros ; la formalización a favor de clientes de pólizas del seguro turístico[1], de pérdida o de deterioro de equipajes, etc. ; alquiler de coches con o sin conductor ; la venta de billetes de entrada a espectáculos y todo tipo de prestaciones que complementan las enumeradas anteriormente.

Il y a trois catégories d'Agences de Voyages en Espagne, les différences essentielles résident dans le capital minimum investi, le nombre de succursales et les services offerts. Les plus importantes, les voyagistes (Tours operators), ont un rayon d'action illimité, mais l'offre et la vente de leurs services se font exclusivement à travers une autre agence de voyages (détaillant). Elles doivent toutes être en possession de la licence officielle établie par le Secrétariat d'État au Tourisme.

Les activités propres à ces agences sont essentiellement la vente de billets et les réservations pour toutes sortes de moyens de transport ; la réservation de chambres ou d'autres services auprès des établissements hôteliers ; l'organisation, la vente et l'exécution des « forfaits » ; l'information gratuite et la diffusion de matériel de publicité (brochures), la vente de guides touristiques et d'indicateurs de transports, horaires et toute sorte de publications d'intérêt touristique ; le change de devises et la vente et le change de chèques de voyage ; l'établissement, au nom des clients, de polices d'assurance touristique, de perte ou de détérioration de bagages, etc., la location de voitures avec ou sans chauffeur ; la vente de billets d'entrée aux spectacles et toute sorte de prestations complétant les précédentes.

1. ASTES *(Seguro Turístico Español)* : Assurance Touristique Espagnole garantie par l'État qui couvre plusieurs risques (assistance sanitaire, rapatriement, vols, caution pénale, etc.).

1. Los precios no incluyen ni las excursiones facultativas ni los extras en los hoteles.
2. Aunque efectúe la cancelación con mucha anticipación tendrá que abonar por lo menos el 5 % del importe.
3. Las gestiones para la obtención de los visados corren a cargo de los clientes.
4. La agencia organizadora declina toda responsabilidad por los robos acaecidos durante el viaje.
5. Rogamos a los clientes que se presenten media hora antes de la salida.
6. Los precios indicados en este folleto han sido valorados de acuerdo con las cotizaciones de carburantes vigentes el 01-03-81.
7. Quisiera sacar dos billetes de tren para Madrid.
8. Esas tarifas no concuerdan con la categoría de hoteles que Vd desea.
9. Cuando haya recibido confirmación de todos sus hoteles le llamaré para que se pase por aquí y hagamos su inscripción.
10. Si prefiere habitación individual tenemos que cobrarle un suplemento de quinientas pesetas diarias.
11. Para alquilar un chalet en la costa es mejor que se dirija a esta dirección.

1. Les prix ne comprennent ni les excursions facultatives, ni les suppléments dans les hôtels.
2. Même si vous annulez longtemps à l'avance, vous devrez régler au moins 5 % de la somme globale.
3. Les démarches pour obtenir les visas doivent être effectuées par les clients eux-mêmes.
4. L'agence organisatrice décline toute responsabilité quant aux vols survenus pendant le voyage.
5. Nous prions nos clients de se présenter une demi-heure avant le départ.
6. Les prix marqués sur cette brochure ont été calculés d'après les cours des carburants en vigueur au 01-03-81.
7. Je voudrais prendre deux billets de train pour Madrid.
8. Ces tarifs ne correspondent pas avec la catégorie d'hôtels que vous souhaitez.
9. Dès que j'aurai reçu confirmation de tous vos hôtels, je vous appellerai pour que vous passiez nous voir et que nous procédions à votre inscription.
10. Si vous préférez une chambre individuelle, nous devons vous facturer un supplément de cinq cents pesetas par jour.
11. Pour louer une villa sur la côte, il vaut mieux que vous vous adressiez à cette adresse.

el mostrador, le comptoir
el folleto, la brochure
el mayorista, le voyagiste (le tour operator)
el programa « todo incluido », le voyage « à forfait »
la estancia, le séjour
el vuelo ida y vuelta, le vol aller-retour
el seguro, l'assurance
la cancelación, l'annulation
aconsejar, conseiller
la temporada, la saison
el destino, la destination, le programme
la relación, la liste
el crucero, la croisière
la pantalla, l'écran
el ordenador, l'ordinateur
el sitio, la place

EXPRESSIONS

a última hora, au dernier moment
arreglárselas, se débrouiller
hacer una faena, jouer un mauvais tour
no hay más remedio, on ne peut pas faire autrement
claro, bien sûr
¡ qué cosas tiene ! quelle question !
salir barato, revenir bon marché
merece la pena, cela vaut la peine
si lo llego a saber, si j'avais su
¡ qué remedio ! tant pis !
sacar los billetes, prendre, établir les billets

Vocabulaire complémentaire

el guía, le guide (homme)
la guía, le guide (femme)
la guía turística, le guide touristique (livre)
la guía de ferrocarriles, l'indicateur des chemins de fer
la guía de teléfonos, l'annuaire du téléphone
un « paquete », un « forfait »
el corresponsal, le correspondant
el reembolso, le remboursement
la tarifa, le tarif
el descuento, la réduction
la plaza entera, le plein tarif
la media plaza, le demi-tarif
el traslado, le transfert
la señal, l'acompte
el importe, la somme, le montant

abonar, régler, payer
el cambio de moneda, le change (devises)
compartir (una habitación), partager (une chambre)
pernoctar, passer une nuit
los efectos personales, les affaires personnelles
por su cuenta y riesgo, à vos risques et périls
la pérdida, la perte
el daño, le dommage
el robo, le vol
el visado, le visa
la vacunación, la vaccination
los requisitos, les conditions (requises)
el recorrido, le parcours
el pasaje, le billet (d'avion ou de bateau)

A ■**Traducir**

1. Caso de que tenga que cancelar el viaje, llámenos con antelación.
2. Es preferible viajar solo aunque haya que arreglárselas solo para encontrar alojamiento.
3. El vuelo ida y vuelta sale a veinticinco mil pesetas en temporada alta ; hace sólo dos meses salía más barato.
4. Con esos precios ¡ no hay quien viaje !
·5. Llévese el folleto y vuelva por aquí cuando se haya decidido.

B ■**Traduire**

1. Voici votre billet, Monsieur.
2. On m'a dit à l'agence que tout est complet depuis une semaine.
3. Depuis quelques années, il est impossible de prendre un avion en haute saison sans avoir réservé très à l'avance.
4. Et si nous prenions le train cette année ? Tu aimerais ?
5. Peut-être vous déciderez-vous quand vous aurez consulté notre brochure.

Corrigé

A ■1. Au cas où vous auriez à annuler votre voyage, téléphonez-nous à l'avance.
2. Il est préférable de voyager seul, même s'il faut se débrouiller tout seul pour trouver un logement.
3. Le vol aller-retour revient à 25 000 pesetas en haute-saison ; il revenait moins cher il y a seulement deux mois.
4. Avec ces prix-là, on ne peut pas voyager !
5. Prenez la brochure et revenez nous voir quand vous vous serez décidé.

B ■1. Aquí tiene su billete, señor.
2. Me han dicho en la Agencia que todo está completo desde hace una semana.
3. Desde hace unos años, no hay quien coja un avión en temporada alta sin reservar con mucha antelación.
4. ¿ Y si cogiéramos el tren este año ? ¿ Te gustaría ?
5. A lo mejor se decide Vd (quizás se decida Vd) cuando haya consultado nuestro folleto.

C = camarero   J = Juan   E = Enrique   S = Santiago
A = Antonio   P = Paco (segundo camarero)

C— ¿ Qué van a tomar los señores ?

J— ¿ Qué queréis beber ?

E— Una caña para mí

S— Yo, un jerez seco.

A— Un chato de clarete.

J— Yo igual.

C— O sea, dos chatos, un jerez y una caña. ¿ Qué les pongo de tapa ?

J— Pónganos[1] una (ración) de calamares a la romana y mientras van saliendo[2], unas aceitunitas[3]...

A— ¿ Qué te parecen ?

E— ¡ Buenísimos[4] ! Está visto[5] que los preparan mejor que en ninguna parte.

A— El clarete tampoco está mal[6].

S— ¿ Queréis otra o vamos a otro sitio ?

E— Vamos a dar una vuelta por[7] el barrio viejo si os parece...

J— Pues nada, vamos allá. ¿ Qué se debe aquí ?

C— Trescientas cincuenta.

J— Aquí tiene. Adiós, hasta otro día.

C— Adiós señores. Gracias.

S— Yo prefiero este tipo de tasca a las cafeterías del centro.

A— Hola, Paco ¿ qué hay[8] ?

P— Como siempre, trabajando[9]

A— Oye, danos unas copas del barril que tú sabes, y si acaso[10] unas gambas al ajillo, ¿ Qué os parece ?

P— ¿ Algo más ? Tenemos un pulpo fresquísimo[4]. Se lo recomiendo[11] a la plancha.

A— Vale, una de gambas y una de pulpo.

J— Si no os molesta, tomamos la última en Casa Curro ; quedé con[12] mi mujer a las nueve.

E— De acuerdo pero yo tendré que llamar a casa antes, se está haciendo tarde.

S— Pues dile a tu mujer donde estamos y que venga.

A— Sí, hombre, que hace mucho que no la veo. Dile que me pondré muy contento de verla y que la esperamos.

E— La llamo y cenamos juntos. Pero esta vez invito yo.

C = le garçon de café　　J = Jean　　E = Henri　　S = Jacques
A = Antoine　　P = François (2ᵉ garçon de café)

C— Qu'est-ce que ces messieurs vont prendre ?

J— Que voulez-vous boire ?

E— Pour moi, un demi.

S— Moi, un Xérès sec.

A— Un verre de vin clairet.

J— La même chose pour moi.

C— Donc deux vins, un Xérès et un demi. Qu'est-ce que je vous donne comme « tapas » ?

J— Donnez-nous une portion de calmars frits et en attendant qu'ils soient prêts, quelques petites olives...

A— Comment les trouves-tu ?

E— Excellents. Il n'y a pas à dire on les prépare ici mieux que partout ailleurs.

A— Le vin clairet n'est pas mauvais non plus.

S— Voulez-vous une autre tournée où nous allons ailleurs ?

E— Nous allons faire un tour dans le vieux quartier si vous êtes d'accord...

J— Eh bien, allons-y. Qu'est-ce que l'on vous doit ?

C— Trois cent cinquante.

J— Voici. Au revoir, à un autre jour.

C— Au revoir, Messieurs. Merci.

S— Je préfère ce genre de bistrot aux cafétérias du centre.

A— Bonjour, François. Comment ça va ?

P— Comme toujours, au travail.

A— S'il te plaît, donne-nous un verre du tonneau que tu sais, et des crevettes à l'ail peut-être, qu'en pensez-vous ?

P— Et ensuite ? Nous avons du poulpe très frais. Je vous le recommande grillé.

A— D'accord, une portion de crevettes et une de poulpe.

J— Si ça ne vous dérange pas, nous prendrons le dernier verre chez Curro ; je dois retrouver ma femme à neuf heures.

E— D'accord, mais je devrai téléphoner chez moi avant, il se fait tard.

S— Dis donc à ta femme où nous sommes et qu'elle vienne.

A— Bien sûr il y a longtemps que je ne l'ai pas vue. Dis-lui que je serai très content de la voir et que nous l'attendons.

E— Je l'appelle et nous dînerons ensemble. Mais cette fois c'est moi qui invite.

1. **Pónganos,** m. à m. *mettez-nous,* c'est-à-dire : *donnez-nous.* Observez l'enclise du pronom à l'impératif. (Cf. V—3, 10.)

2. **Mientras van saliendo,** m. à m. *pendant qu'ils sortent.* En fait : *en attendant qu'ils soient prêts.* **Mientras** + **ir** + gérondif : Expression usuelle : *en attendant que, pendant que.* **Mientras vas pidiendo, voy a llamar por teléfono,** *je vais téléphoner pendant que tu commandes.* (Cf. aussi XX—3, 16.)

3. **Unas aceitunitas,** *quelques petites olives.* — Diminutif ito - a - os - as très courant ; langue affective, familiale. **Come** *despacito* (despacio - ito), *mange tout doucement.* **Una cervecita para mí,** *pour moi, une petite bière.*

4. **Buenísimos,** *très bons, excellents.* Superlatif très usuel. **Ma***lísima, très mauvaise, infecte.*

5. **Está visto,** m. à m. *c'est vu, c'est fait.* Mais *está visto que, décidément.*

6. **tampoco está mal,** ici : *ce n'est pas mauvais non plus.* Aspects du verbe ÊTRE : **el vino es bueno en España.** Mais : *está* **bueno este vino,** *ce vin est bon.* (Voir aussi leçons II, III, V.)

7. **por el barrio viejo,** *dans le vieux quartier.* Aspects de POR : leçons I, IV, VI, VII.

8. **¿ Qué hay ?,** ici : *Comment ça va ?* Correspond au « ¡ hola ! », *salut !* familier, Dans un autre contexte : *qu'est-ce qu'il y a ? que se passe-t-il ?*

9. **« Como siempre, trabajando »,** comme d'habitude, au travail. Ellipse de **ESTAR** courante. **¿ Dónde está ?** *To-mando* **el aperitivo,** *Où est-il ? Il prend (est en train de) l'apéritif.*

10. **Si acaso,** *peut-être.* Construit sans verbe, connotation de « *à la rigueur* ». *Acaso* = quizás (voir leçon VII, 9).

11. **Se lo recomiendo,** *je vous le recommande* (a usted ou a ustedes) — Voir III—3, 7.

12. **Quedé con mi mujer a las nueve,** *j'ai rendez-vous avec (je dois rencontrer) ma femme à neuf heures.* Dans le même ordre d'idées, *quedar en* voir III—3, 8, leçon II.

VOUVOIEMENT : **¿ qué van a tomar ?** *qu'est-ce que je vous sers ?* **¿ qué les pongo ?** *que prendrez-vous ?* etc. Verbes, adjectifs, pronoms sont à la 3e personne du singulier ou du pluriel.

TUTOIEMENT : **¿ Qué quereis ?** *que voulez-vous ?* **¿ Qué os parece ?** *qu'en dites-vous ?* 2e du singulier ou 2e du pluriel — comme en français.

Esp	Fr	Hisp-am
la infusión	*la tisane*	**la aromática**
la tienda de ultramarinos,		
el colmado	*l'épicerie*	**la pulpería**

NOTES

la pulquería : débit de *pulque,* eau-de-vie tirée de l'agave comme la tequila ou le *mezcal (Mexique).*

la chichería : débit de *chicha,* boisson alcoolisée à base de maïs *(Colombie, Pérou, Équateur, Bolivie).*

el refajo : mélange de *chicha* et de *gaseosa* (limonade) ou de bière et de limonade *(Colombie).*

el milo : boisson rafraîchissante à base de lait et de malt *(Colombie).*

el agua de panela : boisson chaude à base de sucre de canne non raffiné *(Colombie).*

el guarapo : boisson à base de jus de canne à sucre *(Colombie, Équateur).*

el masato : 1. boisson à base de maïs ou de riz *(Colombie, Équateur).* 2. sucrerie à base de maïs, de noix de coco et de sucre.

el mojito : cocktail au rhum, avec des glaçons et une feuille de menthe sur le bord du verre *(Cuba).*

la changua : soupe chaude à base de lait, de coriandre, parfois avec un œuf poché *(Colombie).*

la piña colada : cocktail à base d'ananas *(Caraïbes).*

un tinto : petite tasse de café noir *(Colombie).*

¡ A echarse un trago !

Chicherías y pulquerías son esencialmente populares. Los refinados van al salón de té o a la cafetería. La mayoría de la gente bebe gaseosas o jugos de fruta al aire libre o en establecimientos minúsculos. En Colombia y en México, los jugos son una maravilla : de guayaba, de mango, de toronja, de guanábana, de papaya o de caña de azúcar. También se puede, en Cancún, chupar un coco loco, ese cóctel de ron que sirven dentro del coco o tomar en Girón, cerca de Bucaramanga (Colombia), un chocolate genuino en un patio de casa colonial.

Allons prendre un verre !

Les *chicherías* et les *pulquerías* sont essentiellement populaires. Les raffinés vont au salon de thé ou au café. La plupart des gens boivent de la limonade ou des jus de fruits en plein air ou dans des établissements minuscules. En Colombie et au Mexique, les jus sont une merveille : goyave, mangue, pamplemousse, corossol, papaye ou canne à sucre. On peut, aussi, à Cancún, sucer un « coco loco », ce cocktail au rhum servi dans la noix de coco ou prendre, à Girón, près de Bucaramanga (Colombie), un authentique chocolat dans la cour d'une maison de style colonial.

El « Chateo »

Después del trabajo y antes de ir a casa al Español le gusta ir a ciertas calles de la ciudad donde hay muchos bares, tascas, mesones y, hoy, « *pubs* », donde encuentra a sus amigos o conocidos, para beber con ellos unos vasos de vino (« *chatos* » o « *copas* »). Según la costumbre cada uno paga en un sitio diferente y se suele beber lo mismo en cada bar : pequeñas copas de vino tinto o blanco, o de cerveza *(« cañas »)* acompañados de « *tapas* ». Estas tapas sirven de acompañante sólido para que el alcohol no se suba a la cabeza : calamares fritos o en su tinta, gambas a la plancha o al « *ajillo* », mejillones, pulpo, albóndigas, pimientos rellenos, pescado frito, ensalada rusa, patatas « *bravas* », y todo tipo de mariscos, se comen de pie acodados en la barra. No le extrañe al forastero que el grupo de amigos se quede poco tiempo ; otro bar similar pero con otras especialidades tan suculentas como las que acaban de tomar les espera a 10 metros. Hay por ejemplo bares especializados en « *banderillas* » : en un palillo de madera van pinchados pepinillos, cebollitas, trozos de atún, etc. Pruebe a dejarse llevar por esta costumbre española : es una oportunidad para probar la gran variedad de especialidades gastronómicas de las regiones de España.

La tournée des bistrots

Après le travail et avant de rentrer à la maison, l'Espagnol aime à aller dans certaines rues de sa ville où il y a beaucoup de bars, bistrots, tavernes et, de nos jours, « *pubs* », où il rencontre ses amis ou ses connaissances pour boire avec eux quelques verres de vin. La coutume veut que chacun paye dans un endroit différent et que l'on boive la même chose dans chaque bar : de petits verres de vin rouge ou blanc ou de bière accompagnés des « *tapas* ». Ces « *tapas* » (amuse-gueule) servent d'accompagnement solide pour que l'alcool ne monte pas à la tête : calmars frits ou dans une sauce avec leur encre, crevettes grillées ou « *à l'ail* », moules, poulpes, boulettes de viande, poivrons farcis, poissons frits, macédoine de légumes, pommes de terre « *sauvages* » (sautées avec une sauce piquante) et toutes sortes de fruits de mer sont dégustés debout accoudé au bar. Étranger : ne soyez pas étonné de voir que le groupe d'amis reste peu de temps : un autre bar semblable mais avec d'autres spécialités tout aussi délicieuses que celles qu'ils viennent de manger les attend à 10 mètres. Il y a, par exemple, des bars spécialisés en « *banderilles* » : sur un petit bâton en bois sont piqués des cornichons, petits oignons, morceaux de thon, etc.

Laissez-vous faire par cette coutume espagnole : c'est une occasion pour goûter la grande variété et diversité des spécialités gastronomiques des régions espagnoles.

1. Tráiganos una ración de mejillones, y unas aceitunas para picar.
2. Si pueden esperar un momentito, van a salir los calamares dentro de poco.
3. Ahora me toca a mí pagar ; luego pagas tú.
4. A mí póngame un par de esas croquetitas : tienen buena pinta.
5. Quédese con la vuelta : para el bote*.
6. Prueba estos pinchos, Manolo, que están riquísimos.
7. Vayan sentándose, que ahora mismo les atiende el chico.
8. ¿ Nos puede decir cuánto le debemos, por favor ?
9. Con todas estas cosas tan apetitosas que nos estamos comiendo, luego no sé si tendremos hambre para cenar.
10. Ayer tenía unas gambas riquísimas pero hoy ya no me quedan.
11. Id pidiendo lo que queráis, mientras voy a echar una ojeada al mostrador a ver lo que tienen hoy.
12. Cerrado por descanso del personal.
13. Aquí, lo que te recomiendo son las banderillas.

1. Apportez-nous une portion de moules et quelques olives pour grignoter.
2. Si vous pouvez attendre un instant, les calmars seront prêts dans peu de temps.
3. C'est à mon tour de payer ; ensuite ce sera à toi.
4. Donnez-moi deux de ces petites croquettes-là : elles ont une bonne tête.
5. Gardez la monnaie : pour le service.
6. Goûte une de ces brochettes, Manolo : elles sont très bonnes.
7. Vous pouvez vous asseoir, le garçon s'occupe de vous tout de suite.
8. Pouvez-vous nous dire combien on vous doit, s'il vous plaît ?
9. Avec toutes ces choses si appétissantes que nous mangeons, je ne sais pas si nous aurons envie de dîner après.
10. Hier, j'avais des crevettes excellentes, mais aujourd'hui il ne m'en reste plus.
11. Commencez à commander ce que vous voulez pendant que je vais jeter un coup d'œil au comptoir (bar) voir ce qu'il y a aujourd'hui.
12. Fermeture hebdomadaire.
13. Ici, ce que je te conseille, ce sont les « banderilles ».

* Le « **bote** » est un « pot » où sont versés tous les pourboires.

la copa, verre à pied

tomar una copa, prendre un verre

la caña, le demi (de bière)

el calamar, le calmar

Jerez, Xérès *(vin de Jerez ou sherry, ville et région vinicole d'Andalousie)*

el chato, petit verre de vin

el clarete, vin rouge très clair pouvant titrer 18°

el barrio, le quartier

la tasca, bistrot, sorte de taverne

Paco, diminutif usuel de Francisco

oye, écoute, s'il te plaît

el barril, le tonneau

las gambas, les crevettes

al ajillo, à l'ail

el pulpo, le poulpe

a la plancha, grillé

Curro, diminutif de Francisco

ponerse, devenir

ponerse contento, être content

Vocabulaire complémentaire

el catavinos, le verre de dégustation

chatear, faire la tournée des bistrots

la cerveza, la bière

el vermut, vermú, le vermouth (apéritif)

el porrón, sorte de gargoulette en verre servant à boire le vin à la régalade

el mesón, l'auberge en ville, bistrot typique

la cervecería, la brasserie

la albóndiga, la boulette (de viande)

los boquerones, les anchois

los chanquetes, petite friture de la « Costa del Sol »

el palillo, le bâtonnet (servant de pique-olives)

el mejillón, la moule

los tacos de queso, les carrés de fromage

los pinchos, les brochettes

las croquetas, les croquettes

el percebe, le pousse-pied ou anatife

el camarero, le garçon

la bandeja, le plateau

el café solo, le café noir

el café cortado, le café crème

el coñac, le cognac

A ■ Donnez les diminutifs des mots suivants :

alcachofa	olor	café
cabeza	boquerón	caliente
ojo	pincho	cerca
		viejo

B ■ Traduisez

1. Je préfère aller à ce bistrot car j'ai rendez-vous avec ma femme pour aller dîner.
2. La plupart des « tapas » sont présentées sur le comptoir.
3. Commencez à manger pendant que je téléphone.
4. Qu'est-ce que tu penses de ce Xérès ?
5. Qu'est-ce que je vous dois ?

C ■ Traducir

1. Si no le queda otra cosa, póngame un tinto (en España).
2. Un tinto, por favor (en Colombia).
3. A estas horas a Manolo lo encontrarás por los bares del centro tomándose unas copas.
4. A mí no me gusta la chicha, prefiero la piña colada.

Corrigé

A ■

alcachofita	olorcito	calentito
cabecita	boqueroncito	cerquita
ojito	pinchito	viejito, viejecito
	cafecito	

B ■ 1. Prefiero ir a ese mesón (esa tasca) ya que tengo cita con mi mujer para ir a cenar.
2. La mayoría de las tapas están a la vista en el mostrador.
3. Vayan comiendo (vouvoiement) ou id comiendo (tutoiement) mientras llamo por teléfono.
4. ¿ Qué te parece este Jerez ?
5. ¿ Qué le debo ?

C ■ 1. Si vous n'avez pas autre chose donnez-moi un verre de vin rouge.
2. Un café noir, s'il vous plaît.
3. A cette heure-ci tu trouveras Manolo en train de prendre un verre du côté des bistrots du centre.
4. Je n'aime pas la « chicha » (boisson au maïs), je préfère le cocktail d'ananas.

M = el maitre   G = señor Gutierrez   P = señor Pérez
C = camarero   SG = señora de Gutierrez   SP = señora de Pérez

M— Buenas noches, Señores. ¿ Cuántos son[1] ustedes ?

G— Llamé esta tarde para reservar una mesa para cuatro.

M— Sí, ya recuerdo[2]. Sr. Gutierrez ¿ verdad ? Síganme[3] por favor... aquí estarán bien. En seguida les mando[4] el camarero.

G— ¿ Qué os parece[4] ?

SP— Muy bonito y confortable. Si se come como dices, mejor que mejor.

C— Muy buenas Señores. ¿ Han elegido ya ?

G— No, pero mientras lo hacemos tráiganos[3] una copita[5] de Jerez frío y algo para hacer boca.

C— ¿ Unos taquitos[5] de jamón serrano ?

G— Eso es y si acaso un poquito[5] de queso de Burgos y un platito[5] de aceitunas de la casa.

C— Ustedes dirán, Sres.

G— Dijimos cordero lechal para todos.

C— ¿ Y de entrada (de primer plato) ? Les recomiendo la zarzuela de mariscos, especialidad de la casa.

G— Me gusta, y además aquí la preparan muy bien pero va a ser mucho para mí. El cordero es ya un plato fuerte... A ver... ¿ Y qué tomo yo de primero ?

P— Eso digo yo. De todos modos algo ligerito[5] si no se me quitarán las ganas[6] para el cordero.

C— ¿ Qué les parece a las Sras una de entremeses de la casa para las dos ?

SP— ¿ Qué llevan ?

C— Espárragos de Aranjuez con mayonesa, alcachofitas[5], zanahorias y unas lonjas de jamón serrano.

SP— Muy bien, pues entonces una de entremeses.

G— Y para nosotros zarzuela de mariscos. De beber tráiganos[3] otra botella de Jerez frío y para la carne... ¿ Qué tal es el Rioja Alta del 75 ?

C— Muy bueno. Es una añada « fabulosa »... Lo probarán y si no les gusta no es problema, nuestra lista de vinos está bien surtida...

G— Mejor que mejor. Pónganos[3] con el cordero una ensalada de lechuga.

P— De postre, ya veremos después, gracias...

C— Bien. Que aproveche[7], Señores.

M— Mesdames, Messieurs, bonsoir, combien êtes-vous ?

G— J'ai réservé par téléphone cet après-midi une table pour quatre personnes.

M— Oui, je m'en souviens. Monsieur Gutierrez n'est-ce pas ? Suivez-moi s'il vous plaît... Vous serez bien ici. Je vous envoie le garçon tout de suite.

G— Qu'en pensez-vous ?

SP— C'est joli et on y est bien. Si on y mange comme tu dis, c'est parfait.

C— Bonsoir Mesdames, bonsoir Messieurs. Avez-vous choisi ?

G— Non, mais pendant que nous le faisons apportez-nous un petit verre de Xérès frais et quelque chose pour nous mettre en appétit.

C— Quelques petits carrés de jambon de montagne ?

G— C'est ça, et peut-être un peu de fromage de Burgos et une petite assiette d'olives maison.

C— Je vous écoute, Messieurs-Dames.

G— Nous avons dit de l'agneau pour tous.

C— Et comme entrée ? Je vous recommande la « zarzuela » de fruits de mer, spécialité de la maison.

G— J'aime ça, et de plus ici ils la font très bien mais ça va faire beaucoup pour moi. L'agneau est déjà un plat consistant... Voyons... Et moi, qu'est-ce que je vais prendre en premier ?

P— Je me le demande aussi. En tout cas quelque chose de léger, sinon je n'aurai plus faim pour l'agneau.

C— Que diriez-vous, Mesdames, d'un hors-d'œuvre maison pour toutes les deux ?

SP— Qu'est-ce qu'il y a dedans ?

C— Des asperges d'Aranjuez avec de la mayonnaise, des petits artichauts, des carottes et quelques tranches de jambon cru.

SP— Très bien, un hors-d'œuvre alors !

G— Et pour nous une « zarzuela » de fruits de mer. Comme boisson, apportez-nous une autre bouteille de Xérès frais, et pour la viande ? Comment est le Haut Rioja 75 ?

C— Très bon. C'est un millésime excellent... Goûtez-le et s'il ne vous plaît pas, ça n'a pas d'importance, notre carte des vins est très complète.

G— Tant mieux. Servez-nous avec l'agneau une salade de laitue.

P— Le dessert, nous verrons ensuite, merci...

C— Bien. Bon appétit, Mesdames et Messieurs.

1. **¿ Cuántos son ustedes ?** *Combien êtes-vous ?* Idée de nombre, quantité, *être* = **ser** (voir aussi traduction d'*être*, II—3).

2. **Sí, ya recuerdo,** *oui, je vois, je m'en souviens, je me le rappelle.* De **recordar,** *en avoir le souvenir, se le rappeler.*
   ATTENTION : **acordarse de,** *se souvenir de.*

3. **Síganme… Tráiganos… Pónganos,** *suivez-moi (si vous voulez bien me suivre)… Apportez-nous… Donnez-nous…*
   VOUVOIEMENT : l'impératif est donc à la 3e personne (voir VIII—3).
   Pour l'impératif négatif : **No nos traiga ese vino,** *ne nous apporte pas ce vin-là* (expression de la défense), voir V—3, 10.
   Recuerdo lo que comimos, *je me souviens de ce que nous avons mangé (je me rappelle ce que nous avons mangé).*
   ¿ Te acuerdas de aquel restaurante en que no tenían vino ? *Te souviens-tu de ce restaurant où ils n'avaient pas de vin ?*

4. **« Les mando »,** *je vous envoie…* Vouvoiement collectif, donc pronom personnel de la 3e personne. **¿ Qué os parece ?** *Comment le trouvez-vous ? Qu'en pensez-vous ? :* tutoiement collectif, donc, comme en français, pronom complément de la 2e personne du pluriel (voir III—3, 7 et VIII—3, 11).

5. **Una copita** (de **copa**), **unos taquitos** (de **tacos**), **un poquito** (de **poco**), **algo ligerito** (de **ligero**), **un platito** (de **plato**), **alcachofitas** (de **alcachofas**), *un petit verre, un petit peu,* etc. Ce sont là quelques exemples du diminutif, très usuel en espagnol mais à manier avec précaution, compte tenu des nuances qu'il peut présenter. D'une manière générale, il est employé dans un contexte familial, affectif : **¿ Qué vas a comer, hijito ?** *Que vas-tu manger, mon petit, mon enfant ?*

6. **Se me quitarán las ganas,** sous-entendu, **de comer,** *je n'aurai plus envie (de manger), faim.* Observez la construction **se me** et voir VI—3, 8.

7. **« Que aproveche »,** m. à m. *que cela vous profite.* En fait, expression usuelle pour *bon appétit !*

Esp	Fr	Hisp-am
las patatas	*les pommes de terre*	**las papas**
los huevos pasados por agua	*les œufs à la coque*	**los huevos tibios**
el pavo	*la dinde*	**el guajolote** *(Mexique)*
el bistec, el filete	*le bifteck*	**el bife** *(Arg., Urug., Parag.)*
la tortilla	*l'omelette*	**la omeleta** *(Mexique)*
los callos	*les tripes*	**el mondongo** *(Colombie)*
el boniato	*la patate douce*	**la batata**
la guindilla	*le piment*	**el ají**
los guisantes	*les petits pois*	**las arvejas**
el melocotón	*la pêche (fruit)*	**el durazno**
las alubias	*les haricots*	**los frijoles**
las judías verdes	*les haricots verts*	**las habichuelas**
la calabaza	*le potiron*	**la auyama** *(Colombie)*

NOTES

Quelques plats typiques

el ajiaco *(Colombie)* : plat à base de légumes, de poulet, d'avocat, de crème fraîche, de câpres. À Cuba, il comporte du piment.
el cebiche *(Pérou)* : poisson cru mariné au citron vert.
el guacamole *(Mexique)* : plat à base d'avocats et de piments.

Restaurantes hispanoamericanos

Hay gran variedad de restaurantes, no sólo por estar en países diferentes, sino también, dentro del mismo país, por su estilo. En el restaurante de categoría, se come cocina criolla, o sea típica del país, o cocina francesa, china, italiana, española. Casi siempre hay espectáculo de bailes nacionales o regionales y ambiente musical. En los restaurantes más modestos, se come todo en un plato enorme, donde viene la carne y diferentes legumbres. También existen los de libre servicio.

Restaurants hispano-américains

Il existe une grande variété de restaurants, non seulement parce qu'ils sont dans des pays différents, mais aussi à l'intérieur d'un même pays, à cause de leur style. Dans le restaurant de classe, on mange la cuisine locale, typique du pays, ou les cuisines française, chinoise, italienne, espagnole. Il y a presque toujours un spectacle de danses nationales ou régionales et une ambiance musicale. Dans les restaurants plus modestes, on mange tout dans une très grande assiette, où sont servis la viande et différents légumes. Il existe également des établissements en libre service.

Los restaurantes

En España hay varios tipos de establecimientos para comer. Además de los que se llaman « Restaurantes » hay las fondas o los mesones u otros más simples que llevan un rótulo que dice « comidas ». Su categoría puede identificarse por el número de tenedores que podrán ver en el rótulo al exterior o en la carta impresa una vez sentados a la mesa. Equivalen un poco a las estrellas de los hoteles. En la carta se pueden leer todos los platos propuestos, a veces en varios idiomas, más el menú del día o el menú turístico.

La cocina española es de una gran variedad y, según las Regiones, se pueden comer platos como el bacalao a la vizcaína, el pote gallego, la fabada asturiana, la butifarra catalana con alubias, el cordero y el cochinillo asados, el cocido, los callos a la madrileña, el pisto manchego, el gazpacho andaluz, los riñones al jerez, los huevos a la flamenca, el pollo al chilindrón y todo tipo de arroces en Levante. Son conocidos también los quesos manchego, de Burgos y Cabrales ; el jamón es ante todo andaluz (Trévelez y Jabugo). Y todo ello se puede regar con algunos de los mejores caldos del mundo : Rioja, Valdepeñas, Priorato, Cariñena (tintos), Ribeiro (blanco) y para el aperitivo los de Montilla y Jerez.

Les restaurants

En Espagne, il y a plusieurs sortes d'établissements pour manger. Outre ceux qui s'appellent « *Restaurantes* », il y a les « *fondas* », les « *mesones* » ou d'autres plus simples qui portent un écriteau qui dit « *Repas* ». Leur catégorie se remarque au nombre de fourchettes que vous verrez sur l'enseigne à l'extérieur ou sur la carte imprimée, une fois assis à table. C'est un peu comme les étoiles des hôtels. Sur la carte on peut lire tous les plats proposés, parfois en plusieurs langues, en plus du menu du jour ou du menu touristique.

La cuisine espagnole est d'une grande variété et selon les régions on peut manger des plats tels que la morue « *à la biscaïenne* », le « *pot* » galicien (soupe-pot-au-feu), la « *fabada* » des Asturies (sorte de cassoulet), le saucisson catalan aux haricots, l'agneau et le cochon de lait rôtis, le « cocido » (sorte de pot-au-feu), les tripes à la madrilène, la ratatouille de la Mancha, le « *gazpacho* » andalou (soupe froide ou salade liquide), les rognons au Xérès, les œufs à « *la flamenca* » (dans une sauce tomate), le poulet au « *chilindron* » (sauce à la tomate et aux poivrons) et toutes sortes de plats au riz dans le Levant. Très réputés sont les fromages de la Mancha, de Burgos et Cabrales ; le jambon est avant tout andalou (Trévélez et Jabugo). Et tout cela arrosé avec quelques-uns des meilleurs crus du monde : Rioja, Valdepeñas, Priorato, Cariñena (rouges), Ribeiro (blanc) et pour apéritif ceux de Montilla et de Xérès.

1. Aquí tienen la carta (la minuta), detrás tienen el menú del día.
2. En seguida les traigo la lista de los vinos.
3. ¿ Qué tal es el vino de la casa ? Es un Rioja suave y algo afrutado : le gustará.
4. ¿ Cuántos serán ? Seremos sólo cuatro, pero si está libre resérvenos la mesa que hace esquina en la terraza.
5. Deme para empezar una ensalada mixta y luego una carne poco hecha.
6. ¿ Nada más ? Pues mire, como los Franceses, hoy tomaré un poquito de queso.
7. ¿ De Burgos ? No. Aunque sé que es buen queso fresco de oveja, prefiero el manchego y añejo.
8. ¿ Qué tomarán de postre ? De fruta, tenemos melón, sandía, melocotones, manzanas... Y flan de la casa, tarta helada, y helados.
9. Para acabar 3 cafés solos y un coñac por favor.
10. Tráigame la cuenta cuanto antes, tenemos prisa.

1. Voici la carte, vous avez le menu du jour au dos.
2. Je vous apporte tout de suite la carte des vins.
3. Comment est le vin de la maison (la réserve du patron) ? C'est un Rioja léger et un peu fruité. Il vous plaira.
4. Combien serez-vous ? Nous ne serons que 4 mais réservez-nous la table de la terrasse qui fait le coin, si elle est libre.
5. Donnez-moi pour commencer une salade (tomate et laitue) et ensuite une viande saignante.
6. Rien d'autre ? Eh bien écoutez, comme les Français, donnez-moi aujourd'hui un peu de fromage.
7. De Burgos ? Non. Je sais bien que c'est un bon fromage de brebis frais, je préfère le « Manchego » fait.
8. Que prendrez-vous comme dessert ? Comme fruits, nous avons du melon, de la pastèque, des pêches, des pommes... et la crème caramel maison, du gâteau glacé et des glaces...
9. Pour terminer, trois cafés et un cognac, s'il vous plaît !
10. Apportez-moi l'addition dès que possible, nous sommes pressés.

señores, mesdames et messieurs ou madame et monsieur

recordar, se rappeler

mandar, envoyer

mejor que mejor, c'est parfait (tant mieux)

muy buenas (*usuel*), bonjour !

hacer boca, se mettre en appétit

los taquitos (de **tacos**), petits carrés

el jamón serrano (de **sierra**), jambon de montagne cru

si acaso, peut-être

el queso, le fromage

las aceitunas, les olives

cordero lechal (mouton), agneau de lait

la zarzuela, plat de poissons avec une sauce relevée

los mariscos, les fruits de mer

una de..., une portion de...

los entremeses, les hors-d'œuvre

llevar (*ici*) comporter

los espárragos, les asperges

las alcachofitas (de *alcachofas*), les petits artichauts

las zanahorias, les carottes

las lonjas, les tranches

la añada, le millésime, l'année

probar, goûter

surtida, complète, fournie

el postre, le dessert

Vocabulaire complémentaire

el maitre (*prononcer* **métré**), le maître d'hôtel

el jefe de comedor (*dans le restaurant d'un hôtel*), le maître d'hôtel

el jefe de cocina, le chef

el pinche, le marmiton

la propina, le pourboire

el dueño, le propriétaire

el encargado, le gérant

los servicios, los aseos, les toilettes

el plato fuerte, le plat de résistance

el plato, l'assiette

la fuente, le plat

la servilleta, la serviette de table

el cubierto, le menu et le couvert

el vino de la tierra, le vin du pays

A ■ Mettre à l'impératif les verbes entre parenthèses
1. Camarero, (traernos) . . . la lista de los vinos.
2. (Tomar) . . . Ustedes el vino de la casa ; es bueno.
3. (Darnos) . . . tres de entremeses.
4. No (preocuparse) . . ., señor ; la carne es buena.
5. (Seguirme) . . . Señora.

B ■ Traducir
1. Se nos quitarán las ganas de comer si tomamos muchas tapas.
2. Tráigame de postre un flan de la casa.
3. ¡ Está riquísimo ! ¿ Es un Rioja ?
4. Deme una ensalada de primero.
5. Tomaremos un vino suave con los entremeses.
6. Tráiganos la cuenta con los cafés, por favor.
7. Prueben el vino de la tierra ; verán como les gusta.
8. ¿ Son Ustedes cuatro ? Estarán bien en esta mesa.
9. Aquí tienen la fuente de ensalada, en seguida les traigo lo demás.

Corrigé

A ■ 1. tráiganos
2. tomen
3. denos
4. se preocupe
5. sígame

B ■ 1. Si nous prenons beaucoup de « tapas », nous n'aurons plus faim.
2. Comme dessert, apportez-moi une crème caramel maison.
3. Il est très bon ! C'est un Rioja ?
4. Donnez-moi une salade en premier.
5. Nous prendrons un vin léger avec les hors-d'œuvre.
6. Apportez-nous l'addition avec les cafés, s'il vous plaît.
7. Goûtez le vin du pays ; vous verrez, vous l'aimerez.
8. Vous êtes quatre ? Vous serez bien à cette table.
9. Voici le plat de salade ; je vous apporte le reste tout de suite.

M = Sr Martínez   SM = Sra Martínez
G = Sr Gutiérrez   SG = Sra Gutiérrez

M— ¿ A qué hora quedamos con[1] los Gutiérrez ?

SM—A las diez, en la cafetería que está frente al teatro.

M— Pues vamos entonces si estás lista[2].

SM—Ya estoy. Cuando quieras[3] ¿ Te dieron en Recepción las entradas ?

M— No, pero están reservadas a nuestro nombre ; butacas en la 5ª fila, basta con[4] recogerlas en taquilla un cuarto de hora antes de que empiece la función[5].

SM—Espero que les guste la obra. Si mal non recuerdo, ella no es muy aficionada al teatro.

M— Pues que se aguante[6]. No siempre va a ser lo que diga ella : o comedia ligera, por lo general de mal gusto o « tablao flamenco »... y además ya sabes que no quería perderme el estreno[7] en Madrid de « El Adefesio » ; con un reparto así y con la presencia del autor, es más que un acontecimiento...

SM—Llevas toda la razón.

SM—Ha sido un exitazo[8]. Esas ovaciones con el público en pie me han emocionado tanto como[9] la obra.

G— Y a mí, lo reconozco ; ¡ lo bien que trabajan todos[10] ! Hiciste bien en empeñarte en que viniéramos[11].

M— Consuela ver que con tanto cine malo y tanta novela de importación en Televisión, se puede llenar hasta los topes un teatro con una obra que es ya un clásico.

SM—Y eso que estamos fuera de temporada[12].

G— Bueno, ¿ nos damos una vuelta por los mesones a tomar una copa ?

SG—Pero ¿ Tú no querías ir a bailar a una sala de fiestas ?

G— Bueno, a bailar y a ver el espectáculo... En « el Mambo » tienen un ilusionista fuera de serie y un cuerpo de ballet.

SG—Ya sé por donde vas. Pues hijo mío, otra vez será ; son ya más de la una y el último pase era a la una...

M— Pues nada, a los mesones. En « los Austrias » siempre hay ambiente. Lo pasaremos bien.

G— Y luego si os parece y si tenéis el gusanillo, chocolate con churros en un sitio que yo me sé...

SG—Pues adelante, la noche es nuestra y... ¡ Un día es un día !

M— A quelle heure avions-nous rendez-vous avec les Gutierrez ?

SM—A dix heures, à la cafétéria qui est en face du théâtre.

M— Eh bien allons-y alors si tu es prête.

SM—Me voilà. Quand tu voudras. As-tu pris les billets à la
réception ?

M— Non, mais les places sont réservées à notre nom ; nous
avons des fauteuils d'orchestre au cinquième rang, il
suffit de les prendre au guichet un quart d'heure avant le
début de la séance.

SM—J'espère que la pièce leur plaira. Si je me souviens bien,
elle n'aime pas beaucoup le théâtre.

M— Eh bien, tant pis pour elle. On ne va pas toujours faire ce
qu'elle veut ; ou une comédie de boulevard, en général
de mauvais goût ou alors le spectacle de flamenco... et
puis tu sais bien que je ne voulais pas manquer la
première à Madrid de « Repoussoir » ; avec une distribution pareille et en présence de l'auteur, c'est plus qu'un
événement...

SM—Tu as tout à fait raison.

SM—Cela a été un gros succès. Ces ovations, avec le public
debout m'ont émue tout autant que la pièce.

G— Et moi aussi, je le reconnais ; comme ils jouent bien,
tous ! Tu as bien fait d'insister pour que nous venions.

M— Il est réconfortant de voir que malgré tant de mauvais
films, et tant de feuilletons d'importation à la télévision,
on peut remplir à craquer un théâtre avec une pièce qui
est déjà un classique.

SM—Et encore nous sommes hors saison.

G— Bon. Est-ce que l'on fait un tour pour prendre un verre
dans le quartier des tavernes ?

SG—Mais ne voulais-tu pas aller danser dans une boîte de
nuit ?

G— Enfin, danser et voir le spectacle... Au « *Mambo* » il y a
un illusionniste formidable et un corps de ballet.

SG—Je te vois venir... Eh bien mon vieux, ce sera pour une
autre fois ; il est déjà plus d'une heure et la dernière
séance était à une heure...

M— Aux tavernes alors. Aux « *Austrias* » il y a toujours de
l'ambiance. Nous nous amuserons bien.

G— Et ensuite, si cela vous dit, et si vous avez un creux, nous
prendrons un chocolat avec des « *churros* » dans un
endroit que je connais bien...

SG—En avant donc, la nuit est à nous et... Pour une fois.

1. **¿A qué hora quedamos con los Gutiérrez?** *à quelle heure devions-nous rencontrer les Gutierrez ?* Voir II—3, 8 et VIII—3, 12.

2. **Si estás lista,** *si tu es prête* ; mais : **ser listo,** *être malin, intelligent.* Voir II—3 et VIII—3.

3. **Cuando quieras,** *quand tu voudras, quand tu veux.* Subjonctif présent à la place du futur français. Voir VI—3, 9.

4. **basta con,** *il suffit de, il n'y a qu'à* : construction invariable, forme impersonnelle. **Con esto me basta,** *cela me suffit.* **¡Basta!** *assez !* — **¡Basta de cine malo!** *le mauvais cinéma ça suffit !*

5. **Antes de que empiece la función,** *avant que la représentation ne commence, avant le début.* **Antes de que salgamos,** *avant que nous sortions* — Aussi : **antes del verano,** *avant l'été* (connotation de temps) et **llegaremos antes que ellos,** *avant eux* (connotation d'ordre, priorité, classement).

6. **Pues que se aguante,** *tant pis pour elle !* (aguantarse, supporter, subir une situation : « se faire une raison ») — Ici **(que** + subjonctif présent). **Si no le gusta, que no venga,** *elle n'a qu'à ne pas venir si ça ne lui plaît pas.*

7. **perderme el estreno,** *manquer la première* ; **perder el avión,** *manquer l'avion.*

8. **Un exitazo,** *un gros succès.* Suffixe augmentatif **azo,** familier.
   — Correspond assez souvent au français : *coup de.*
   — **un codazo** (de **codo**), *un coup de coude,* **un timbrazo** (de **timbre**) *coup de sonnette.*

9. **tanto como la obra,** *autant que la pièce.* C'est le comparatif d'égalité. Attention à l'accord de l'adjectif *autant de* en espagnol : **había tanta gente como hoy,** *il y avait autant de monde qu'aujourd'hui.* Voir IV—3, 11.

10. **«¡Lo bien que trabajan todos!»** *Qu'est-ce qu'ils jouent bien, tous !* Phrase exclamative, voir IV—3, 9 et VI—3, 7.

11. **Hiciste bien en empeñarte en que viniéramos,** *tu as bien fait (tu as eu raison) d'insister pour que nous venions.* Concordance de temps à respecter : temps du passé suivi du subjonctif imparfait. Au présent : **haces bien en empeñarte en que vengamos,** *tu as raison (tu fais bien) d'insister pour que nous venions.*

12. **Y eso que estamos fuera de temporada,** *et encore, nous sommes hors saison... !* Idée d'insistance : **Está lleno y eso que es lunes,** *c'est plein et encore nous sommes lundi.*

Esp	Fr	Hisp-am
el club de noche	*le cabaret*	**el gril, el cabaret, la boite** (*Argentine*)
tarde (teatro)	*deuxième matinée*	**vespertina**
patio	*orchestre (places d')*	**platea**
el director	*le réalisateur, le metteur en scène*	**el realizador**
el salón de cine	*la salle de cinéma*	**el teatro, la sala de exhibición**
los subtítulos	*les sous-titres*	**los letreros**

Espectáculos

En todos los países la gente puede ir a espectáculos muy variados, siendo las capitales más animadas de noche Ciudad de México y Buenos Aires. También son las que tienen un teatro nacional más desarrollado, con Santiago de Chile. Pero, en los últimos tiempos el teatro se ha desarrollado en Bogotá, Caracas, La Habana o Lima. Los horarios varían de ciudad a ciudad : es frecuente la vespertina, sesión entre tarde y noche, hacia las 7 u 8 p.m. Mucho concierto se da a las 6.30 p.m. Lo mismo pasa con las conferencias o los recitales poéticos. El espectáculo más concurrido es el cine, siempre en versión original con letreros. Pocos países tienen un cine nacional importante : México, Argentina, Cuba, desde hace 20 años, Chile en los años 70. Los otros realizan esporádicamente algunas películas.

Spectacles

Dans tous les pays, les gens peuvent assister à des spectacles très variés, Mexico et Buenos-Aires étant les capitales les plus animées la nuit. Ce sont également, avec Santiago du Chili, celles qui ont un théâtre national plus développé. Mais, ces derniers temps, le théâtre a pris de l'importance à Bogota, Caracas, La Havane ou Lima. Les horaires varient de ville à ville : la *vespertina* est fréquente ; c'est une séance entre l'après-midi et le soir, vers 19 ou 20 heures. Beaucoup de concerts ont lieu à 18 h 30. Il en est de même pour les conférences ou les récitals de poésie. Le spectacle le plus fréquenté est le cinéma, toujours en version originale sous-titrée. Peu de pays ont un cinéma national important : le Mexique, l'Argentine, Cuba, depuis 20 ans, le Chili des années 70. Les autres réalisent, sporadiquement, quelques films.

En todas las ciudades de España por la noche hay muchos espectáculos y muy variados ; en Madrid y Barcelona la cartelera anuncia cines, teatros, salas de fiesta, conciertos, conferencias y cafés teatro.

Dentro de los teatros los hay de dos clases : nacionales (subvencionados) y privados. Normalmente la función comienza a las 7 de la tarde ; suele haber dos funciones los viernes y sábados a las 7 y a las 11.

En los cines también encontramos dos clases : la llamada « sesión numerada » que propone películas de estreno. Cada vez hay más películas en versión original subtituladas ; la « sesión contínua » propone reestrenos o reposiciones y, a veces, incluso dos películas en la misma sesión ; muchas veces la hora de los pases no está especificada, pero los horarios habituales son : 4, 7 y 10 de la tarde.

Si en las salas de fiesta, se puede asistir desde hace pocos años a espectáculos cómico-eróticos, existen también salas de cine de arte y ensayo y cine-clubs en los que se pueden ver las películas españolas y extranjeras de valor. A este respecto recordemos la importancia que tiene el Festival Cinematográfico de San Sebastián que otorga la « *Concha de Oro* » a las películas que sobresalen en dicho certamen.

Dans toutes les villes espagnoles, le soir, il y a beaucoup de spectacles très divers ; à Madrid et à Barcelone il y a à l'affiche des cinémas, des théâtres, des cabarets, des concerts, des conférences et des cafés-théâtres.

Il y a deux sortes de théâtres : nationaux (subventionnés) et privés. Normalement le spectacle commence à 19 h ; d'habitude le vendredi et le samedi il y a deux représentations : à 19 h et à 23 h.

On trouve aussi deux sortes de cinémas : les cinémas avec places réservées (louées à l'avance comme au théâtre) proposent des films en première exclusivité. Il y a de plus en plus de films en version originale sous-titrés. Les cinémas permanents proposent tous les autres films, et même parfois deux films au cours de la même séance ; très souvent l'heure de projection du film n'est pas précisée, mais les horaires habituels sont : 16 h, 19 h et 20 h.

Si, depuis quelques années, on peut voir dans les cabarets des spectacles comico-érotiques, il y a aussi des cinémas d'art et d'essai et des ciné-clubs où l'on peut voir de bons films espagnols ou étrangers. A ce sujet, rappelons l'importance du Festival cinématographique de San Sébastian qui décerne la « *Concha de Oro* » (coquillage d'or) aux meilleurs films de ce festival.

1. Date prisa, mujer, que vamos a llegar tarde.
2. Anoche fuimos a ver « La Verbena de la Paloma » : los cantantes eran tan malos que el público pateó toda la zarzuela*.
3. Autorizada mayores de 16 años.
4. No he podido sacar entradas para el teatro ; nos tendremos que conformar con una buena película.
5. Cuando dan una película de Saura no me la pierdo.
6. Aunque estábamos en el gallinero oíamos perfectamente.
7. Me gusta esa actriz por lo bien que trabaja.
8. Yo prefiero las películas en versión original : tienen más sabor a pesar del inconveniente de tener que leer los subtítulos.
9. Lo siento pero tendrán que cambiar de butacas ; éstas están reservadas para las autoridades.
10. Fue un éxito tan grande que salieron a saludar por lo menos diez veces.
11. Pero yo, donde prefiero ver las obras de teatro es desde bastidores.
12. Mi mujer piensa que el ballet es un espectáculo un poco cursi, pero a mi me entusiasma.

1. Dépêche-toi, ma chérie, nous allons être en retard.
2. Hier soir nous sommes allés voir « *La Verbena de la Paloma* », les chanteurs étaient si mauvais que le public a sifflé toute la zarzuela.
3. Interdit aux moins de 16 ans.
4. Je n'ai pas pu acheter des billets pour le théâtre, nous devrons nous contenter d'un bon film.
5. Quand on passe un film de Saura, je ne le rate jamais.
6. Bien qu'assis au poulailler nous entendions parfaitement.
7. J'aime cette actrice parce qu'elle joue très bien.
8. Je préfère les films en version originale ; ils sont plus authentiques malgré l'inconvénient d'avoir à lire les sous-titres.
9. Je regrette mais vous devrez changer de fauteuils ; ceux-ci sont réservés aux officiels.
10. Cela a été un tel succès qu'ils ont eu au moins dix rappels.
11. Mais moi, c'est depuis les coulisses que je préfère voir les pièces de théâtre.
12. Ma femme pense que le ballet est un spectacle snob, mais moi, j'adore.

* **Zarzuela** : sorte d'opérette espagnole ; l'une des plus connues est justement « **la Verbena de la Paloma** » qui se passe dans le vieux Madrid à la fin du siècle dernier.

quedar (con alguien), prendre rendez-vous (avec quelqu'un)
frente a, en face de
estar listo, être prêt
ser listo, être intelligent
las entradas, les billets
las butacas, les fauteuils
la taquilla, le guichet
la función, le guichet
si mal no recuerdo, si je me souviens bien, si mes souvenirs sont exacts
el aficionado, l'amateur
el tablao flamenco, le spectacle de flamenco
el estreno, la première
el reparto, la distribution
un acontecimiento, un événement
un éxito, un succès
en pie, debout
la obra, la pièce (de théâtre)
trabajar, jouer (une pièce)
empeñarse, insister, s'entêter
consolar, réconforter
el cine, le cinéma
la novela, le roman, le feuilleton (à la télévision)
llenar hasta los topes, remplir à craquer
la temporada, la saison (de théâtre, touristique)
dar una vuelta, faire un tour
los mesones, bistrots typiques situés généralement par quartiers
la sala de fiestas, cabaret, boîte de nuit
fuera de serie, hors pair, sensationnel
el pase, la séance
el gusanillo, le petit ver
tener el gusanillo, avoir un creux
los churros, sorte de beignets de forme allongée

Vocabulaire complémentaire

el papel, le rôle
la cartelera, la liste des salles de spectacles
sala refrigerada, salle climatisée
la zarzuela, l'opérette espagnole
la actriz, l'actrice
los bastidores, les coulisses
el apuntador, le souffleur
los focos, les projecteurs
las tablas, les « planches »
el telón, le rideau
la acomodadora, l'ouvreuse
hacer cola, faire la queue
sacar las entradas, acheter, prendre les billets
la película, le film
el descanso, l'entracte
el palco, la loge
el escenario, la scène
el guión, le scénario
el cine profesional, le cinéma professionnel
el cine « amateur », le cinéma amateur
el documental, le film documentaire
los dibujos animados, les dessins animés
la pantalla, le petit écran
hasta los topes, bondé, plein à craquer
abarrotado, bondé
aplaudir, applaudir
colarse, resquiller
el empresario, l'imprésario
el payaso, le clown
el bailarín, un danseur (de ballet)

A ■ Utilisez le suffixe augmentatif AZO **pour traduire les mots ou les expressions suivantes**

a) un coup de tête f) un coup de livre
b) un coup de téléphone g) un coup de coude
c) des grands yeux h) des grandes mains
d) un coup de porte i) un coup de marteau
e) un grand doigt j) un (homme) très bon

B ■ Traduire

1. Généralement j'aime autant le cinéma que le théâtre.
2. Cette actrice est très intelligente et joue très bien.
3. Tu as eu tort de ne pas venir avec nous.
4. Pour connaître les horaires des séances, il suffit de regarder la liste des salles de spectacles.
5. Dépêche-toi, je veux arriver avant le début du documentaire.

C ■ Traducir

1. Pude sacar las entradas porque me colé.
2. Iremos a ver a los payasos cuando venga el circo.
3. Nos quedamos todos varios minutos aplaudiendo en pie.
4. Si no le da tiempo para llegar, que no venga.
5. Es una película estupenda.

Corrigé

A ■

a) un cabezazo f) un librazo
b) un telefonazo g) un codazo
c) unos ojazos h) unas manazas
d) un portazo i) un martillazo
e) un dedazo j) un buenazo

B ■

1. Generalmente me gusta tanto el cine como el teatro.
2. Esta actriz es muy lista y trabaja muy bien.
3. Hiciste mal en no venir con nosotros.
4. Para conocer los horarios de los pases basta con mirar la cartelera.
5. Date prisa, quiero llegar antes de que empiece el documental.

C ■

1. J'ai pu acheter les billets parce que j'ai resquillé.
2. Nous irons voir les clowns quand le cirque viendra.
3. Nous sommes tous restés plusieurs minutes debout à applaudir.
4. Elle n'a qu'à ne pas venir si elle n'a pas le temps d'arriver.
5. C'est un film formidable.

R = Ramón   F = Felipe   L = el lotero

(10 de la mañana. Dos oficinistas están desayunando[1] en una cafetería. Es lunes[2])

R— ¿ Cuántos acertaste[3] ayer ?

F— ¡ No me hables ! ¡ Trece ! ¡ Y por ponerle[4] un 2 al Real que no hizo más que empatar en Valencia ! Si no, ¡ los catorce !

R— Sí que es mala suerte, pero algo es algo porque lo que es yo… ¡ Me salieron diez !

F— En fin. Otra vez será porque lo que es en ésta, no me hago millonario. Los de trece no saldremos ni a mil pesetas.

R— ¡ Hala ! Olvídalo. ¿ Hacemos un par de columnas juntos esta semana ?

F— Bueno, sí. Esta tarde rellenamos los boletos o si no mañana, tenemos tiempo.

R— Mira, ahí viene el lotero. El sábado ni miré[5] la lista del sorteo de la lotería. Llevaba dos décimos.

F— A mí me tocó perder[6], como siempre…

L— ¡ Señores ! ¡ Muy buenos días ! ¿ Quieren un numerito ? Sr. Suárez, llevo un 47, de los que le gustan.

R— Sí, hombre. Pero, si llevas la lista del sábado, mírame esto antes *(le da el décimo).*

L— Pues termina en siete como « el gordo » ; el reintegro.

R— Vaya, menos mal.

L— ¿ Se lo pago o le doy un 47 ?

R— Pues dame un 47.

L— Aquí tiene. Señores hasta luego. ¡ Que haya suerte[7] !

R— Oye ¿ Y tú no juegas ?

F— Esta semana, no. Ya está bien con los ciegos y las quinielas, además quiero reservarme para el viernes. Tenemos pensado mi mujer y yo ir al Bingo con unos amigos. A mí me va ¿ sabes ? Aunque poco, casi siempre salgo ganando.

R— A mí, no tanto. Eso de quedarse sentado[8] en una mesa venga a esperar[9] a que salgan tus números no lo aguanto. Ahora, el casino sí, por lo menos puede uno[10] moverse.

F— Pues yo me siento más a gusto en el Bingo. Lo bueno es echar un rato con los amigos, charlar, tomarse una copa o comer algo y, de paso, el aliciente de cantar un Bingo.

R— Sí, ya veo, la cosa es pasarlo bien y sí además cae algo…

(10 heures du matin. Deux employés de bureau prennent leur petit déjeuner dans une cafétéria. C'est lundi)

R— Combien en as-tu eu d'exacts hier ?

F— Ne m'en parle pas ! Treize ! Et tout ça parce que j'ai mis un 2 au Réal qui n'a fait qu'un match nul à Valence ! Sinon j'avais les quatorze !

R— Quelle malchance ! Mais c'est déjà quelque chose car en ce qui me concerne... J'en ai eu dix !

F— Enfin. Ce sera pour une autre fois car en tout cas, pour cette fois-là, je ne deviendrai pas millionnaire. Ceux qui ont fait treize ne gagneront même pas mille pesetas.

R— Allez ! n'y pense plus. Veux-tu faire avec moi une ou deux grilles cette semaine ?

F— Bon, d'accord. On remplit les bulletins cet après-midi, ou sinon demain, nous avons le temps.

R— Tiens, voilà le vendeur de loterie. Samedi, je n'ai même pas regardé le tableau du tirage de la loterie. J'avais deux dixièmes.

F— J'ai perdu, comme toujours...

L— Bonjour messieurs. Voulez-vous un petit billet ? M. Suarez, j'ai un de vos numéros préférés, un 47.

R— Oui mon vieux. Mais si tu as le résultat de samedi, regarde-moi cela avant *(il lui donne le dixième).*

L— Il se termine par un sept comme le gros lot, il est remboursé.

R— Bon, c'est toujours ça !

L— Je vous le paye ou je vous donne un 47 ?

R— Bon, donne-moi un 47.

L— Le voici. A bientôt messieurs ! Bonne chance !

R— Et toi, tu ne joues pas, dis ?

F— Non, pas cette semaine. Cela suffit avec les aveugles et les paris du football, en plus je veux me réserver pour vendredi. Ma femme et moi, nous avons prévu d'aller au « *Bingo* » avec des amis. Moi, j'aime bien, tu sais ! Même si c'est peu, je gagne toujours quelque chose.

R— Moi, je n'aime pas tant que cela. Avoir à rester assis à une table à attendre et à attendre que sortent tes numéros, je ne le supporte pas. Par contre, je préfère le casino, au moins on peut bouger.

F— Je me sens plus à l'aise au Bingo. Ce qu'il y a de bien, c'est de passer un moment avec les amis, de bavarder, de prendre un verre ou de manger quelque chose, et au passage, l'attrait de « *chanter un Bingo* ».

R— Oui, je vois, il s'agit de passer un bon moment et si en plus on gagne quelque chose...

1. **están desayunando,** *prennent (sont en train de prendre) leur petit déjeuner. Estar* + gérondif : l'action en train de se faire. Très usuel : *¿ Qué está haciendo Vd ?, que faites-vous ?*

2. **Es lunes,** *c'est lundi,* mais : *estamos a lunes quince, nous sommes le lundi 15.*

3. **¿ Cuántos acertaste ayer ?** sous-entendu : *¿ Cuántos partidos de fútbol ?* (matches de football). *Acertaste, de acertar, réussir, voir juste, « avoir ». Combien en as-tu eu de justes ?* Remarquez l'utilisation du passé simple **(acertaste)** pour désigner une action ponctuelle au passé.

4. **Y por ponerle un 2 al Real Madrid,** *parce que j'ai mis un 2 au Réal Madrid.*
    a) *Por* + infinitif : *car, parce que* + indicatif. *Se arruinó por gustarle demasiado el juego, il s'est ruiné parce qu'il aimait trop le jeu.*
    b) *Ponerle... al Real Madrid,* le pronom *le* « annonce » en quelque sorte le complément d'objet indirect **al Real Madrid.** *Le di un billete a tu hermano,* ayer, *j'ai donné un billet à ton frère, hier.*

5. **ni miré** ou **ni siquiera miré,** *je n'ai même pas regardé...*

6. **me tocó perder,** jeu de mots entre « *tocar* » la loterie, « *toucher », gagner à la loterie* et **tocar a,** *être le tour de de,* donc *ça a été mon tour (j'ai touché...) de* perdre, *je n'ai rien touché.*

7. **¡ Que haya suerte !** *bonne chance !*
    Ex. : **¡ Que descanses !** *repose-toi bien !* **¡ Que te mejores !** *meilleure santé !* **¡ Que lo pase bien !** *amusez-vous bien !* Voir aussi VI—3, 1 et IX—3, 7.

8. **Eso de quedarse,** *avoir à, devoir rester.*

9. **Venga a esperar,** *à attendre et encore attendre.* **Venga** + infinitif rend une idée d'impatience, de contrariété comme c'est le cas ici. Aussi, idée de répétition, entêtement. Ex. : « *Siempre pierdes y sin embargo tú, venga a jugar* », « *Tu perds toujours et pourtant tu joues et tu joues encore* ».

10. **... puede uno moverse,** *on peut bouger.* Quand celui qui parle se sent directement concerné par l'action exprimée par le verbe avec l'impersonnel : *On,* l'espagnol utilise *uno* ou *una.* **¡ Uno no puede decir nada en esta casa !** *On ne peut rien dire dans cette maison !* (Voir aussi III—3, 6.)

Esp	Fr	Hisp-am
el cubilete	*le cornet à dés*	**el cacho** *(Colombie)*
jugar limpio	*jouer franc-jeu*	**jugar a la buena**
jugar sucio	*jouer en trichant*	**jugar a la mala**

NOTES   *Quelques jeux*
el cucunubá : jeu avec des boules à mettre dans des cases (Colombie).
el tele : jeu réalisé avec les cartes de poker (Colombie).
el chance : jeu proche du loto ou du « bingo ».
la quinela clandestina : pari clandestin sur les courses de chevaux (Colombie).

El juego, una pasión nacional

Para los pudientes constituye una pasión solitaria. Para los pobres representa una expectativa dentro de su oceánica indigencia. Y para Colombia significa uno de los síntomas más graves de la crisis social a que se está precipitando el país. Es el juego. Y casi todos juegan. Se calcula que por lo menos noventa de cada cien Colombianos « prueban suerte » a diario. De acuerdo con estudios sociológicos, aproximadamente el 70 por ciento de los Colombianos consideran que sólo un golpe de suerte puede producir la solución paliativa o definitiva para su incertidumbre económica. Que más de quince millones de personas condicionen su destino a una carambola del azar es ya algo más que inquietante.
(Germán Santamaría, *Crónicas,* Instituto Tolimense de Cultura, Ibagué, Colombia, 1981, p. 173)

Le jeu, une passion nationale

Pour les nantis, il constitue une passion solitaire. Pour les pauvres, il représente un espoir au sein de leur océan d'indigence. Et pour la Colombie, il signifie un des symptômes les plus graves de la crise sociale vers laquelle se précipite le pays. C'est le jeu. Et presque tout le monde joue. On calcule que, au moins quatre-vingt-dix Colombiens sur cent « tentent la chance » quotidiennement. D'après des études sociologiques, environ 70 pour cent des Colombiens estiment que seul un coup de chance peut offrir le palliatif ou la solution définitive à leur incertitude économique. Que plus de quinze millions de personnes conditionnent leur destinée à un coup de hasard est déjà plus qu'inquiétant.

Los juegos

El Español es y ha sido, de siempre, un jugador empedernido, y tiene a su alcance tres tipos de juegos típicamente nacionales y muy populares :

Las *quinielas* son pronósticos sobre los partidos de fútbol. El jugador rellena unos boletos en los que hay 14 partidos : debe adivinar los resultados y para ello debe escribir « 1 » si piensa que ganará el equipo que juega en casa, « 2 » si piensa que es el visitante y « X » si piensa que el encuentro se terminará por un empate. Una quiniela de 14 resultados es más difícil de acertar que una de 13 o que de 12. Estas últimas cobran mucho menos que las de 14.

La lotería nacional tiene una pequeña competencia en el « *cupón pro-ciegos* » ; todos los días y en cada provincia española se juega una pequeña lotería local. Los cupones son vendidos por los ciegos en la calle.

Más reciente es el *Bingo*. Se juega en locales especiales. Los jugadores compran unos cartones en los que vienen escritos unos números. Si todos los números que salen del bombo están en el cartón de uno de los jugadores se dice que este « canta Bingo ».

En 1980 los Españoles gastaron 240 000 millones de pesetas en el Bingo y 45 825 millones de pesetas en las quinielas.

Les jeux

L'Espagnol est un joueur invétéré et il l'a toujours été ; il a à sa disposition trois sortes de jeux typiquement espagnols et très populaires :

Les « *quinielas* » : il s'agit de pronostics sur les matches de football. Le joueur remplit des bulletins où figurent 14 matches, il doit en deviner les résultats et pour cela il doit inscrire « 1 » s'il pense que l'équipe qui joue chez elle va gagner, « 2 » s'il pense que c'est l'équipe qui se déplace et « X » s'il pense que la rencontre finira par un match nul. Une « quiniela » de 14 bons résultats est plus difficile à deviner qu'une de 13 ou de 12. Ces dernières rapportent beaucoup moins que celles de 14.

La loterie nationale a une petite concurrente : *la loterie des aveugles* ; tous les jours et dans chaque province espagnole on joue à une petite loterie locale. Les billets sont vendus par les aveugles dans la rue.

Le *Bingo* est plus récent. Il se joue dans des locaux spéciaux. Les joueurs achètent des « cartons » qui portent des chiffres écrits. Si tous les chiffres tirés au hasard sont sur le carton de l'un des joueurs on dit que celui-ci annonce (chante) « Bingo ».

En 1980, les Espagnols ont dépensé 240 milliards de pesetas (14,4 milliards de francs français environ) au Bingo et 45 milliards 825 millions de pesetas (presque 3 milliards de francs français) aux « quinielas ».

1. Para el sorteo del sábado, los décimos son a quinientas pesetas.
2. ¿ Dónde se encuantran los boletos para las quinielas ?
3. Diríjase a cualquier estanco pero antes del sábado a las ocho de la tarde.
4. ¿ Te das cuenta ? El Barcelona volvió a perder en su casa ! Seguro que no habrá ninguna quiniela de catorce.
5. Los de trece cobrarán casi dos millones.
6. Esos loteros que van vendiendo lotería por las terrazas de los bares, suelen tener autorización para hacerlo.
7. Uno se deja picar en el juego si se descuida.
8. No creo en los juegos de azar de modo que no conseguirá venderme ningún billete.
9. Hagan juego señores ¡ No va más !... ¡ Treinta y seis !
10. Se juega 1 000 pesetas en cada sorteo y en los extraordinarios, mucho más.
11. No aceptamos cheques, señor ; sólo metálico.
12. El Bingo es mucho más popular que la Ruleta y quizás sea menos peligroso.

1. Les dixièmes pour le tirage de samedi sont à 500 pesetas.
2. Où puis-je avoir les bulletins pour les paris de football ?
3. Adressez-vous à n'importe quel bureau de tabac mais avant samedi 20 heures.
4. Tu te rends compte ? Le Barcelone a encore perdu sur son terrain ! Il n'y aura aucune « quiniela » de 14, c'est sûr.
5. Ceux qui ont eu 13 toucheront presque 2 millions.
6. Ces marchands de loterie qui vous vendent des billets aux terrasses des cafés ont généralement une autorisation pour le faire.
7. On se laisse prendre au jeu si on ne fait pas attention.
8. Je ne crois pas aux jeux de hasard, donc vous n'arriverez pas à me vendre un seul billet.
9. Faites vos jeux, Messieurs ! Rien ne va plus ! Trente-six !
10. Il joue 1 000 pesetas à chaque tirage et beaucoup plus aux tirages spéciaux.
11. Nous n'acceptons pas les chèques, Monsieur ; rien que des espèces.
12. Le Bingo est beaucoup plus populaire que la roulette et peut-être moins dangereux.

el oficinista, l'employé de bureau

la oficina, le bureau

empatar, faire match nul, égaliser *(en sport)*

la suerte, la chance

un par de, deux, un couple de *(choses ou animaux)*

la columna, la colonne *(ici grille de jeu)*

rellenar, remplir

el boleto, bulletin, imprimé

el lotero, le marchand de billets de loterie

el sorteo, tirage

un décimo, un dixième

el gordo, le gros lot

el reintegro, le remboursement *(du prix du billet)*

el ciego, l'aveugle

las quinielas, les paris sur le football

el bingo, sorte de loto

aguantar, supporter

moverse, bouger

sentirse a gusto, se sentir à l'aise

un rato, un moment

charlar, bavarder

un aliciente, un attrait

pasarlo bien, passer un bon moment, s'amuser.

Vocabulaire complémentaire

hacer tablas, faire partie nulle *(jeux de société)*

una pareja, un couple *(personnes)*

caerle (ou **tocarle**), **el gordo a alguien,** gagner le gros lot

estanco, bureau de tabac

cobrar, toucher de l'argent

dejarse picar, se laisser attraper

metálico, espèces *(argent)*

los naipes, les cartes à jouer

la baraja, le jeu de cartes

los palos, les couleurs *(des cartes)*

espadas, pique

oros, carreau

copas, cœur

bastos, trèfle

el caballo, le cheval*

el rey, le roi

la sota, le valet

el triunfo, l'atout

el ajedrez, le jeu d'échecs

el tablero, l'échiquier, le damier

jaque mate, échec et mat

el alfil, le fou

el dado, le dé

la ficha, le jeton

el peón, le pion

el mus
el tute } jeu de cartes

---

* **El caballo** est l'équivalent de la dame. Les figures des jeux de cartes français et espagnols ne correspondent pas absolument.

A ■ **Avec les verbes à l'infinitif complétez les phrases proposées exprimant un souhait ou un ordre et les traduire**

Modèle : « ¡ Que haya suerte ! » : Bonne chance !

1. ¡ Que (tener) .... buen viaje !
2. ¡ Que (no jugar) .... tanto !
3. ¡ Que (no picarse) .... con la ruleta !
4. ¡ Que (pasarlo bien) .... en el Bingo !
5. ¡ Que (no comprar) .... mas fichas !
6. ¡ Que (no volver) .... nunca al casino !

B ■ **Traduire**

1. Il joue généralement à la loterie chaque semaine.
2. Nous sommes lundi, le tirage a lieu samedi, vous avez le temps de remplir les imprimés des paris sur le football.
3. Je n'ai eu que 10 pronostics sur 14, je ne peux pas dire que j'aie touché le gros lot !

Corrigé

A ■ 1. **Tengas** ou **tengáis, tenga, tengan.** Faites (ou fais) un bon voyage !

2. **No juegues** ou **no juguéis, no juegue, no jueguen.** Ne joue pas tant.

3. **No te piques.** Ne te laisse pas attraper à la roulette !

4. **Lo pases** ou **lo paséis, lo pase, lo pasen.** Amuse-toi (amusez-vous) bien au Bingo !

5. **No compres.** N'achète plus de jetons !

6. **No vuelvas.** Ne retourne jamais au Casino !

B ■ 1. Suele jugar a la lotería cada semana.

2. Estamos a lunes, el sorteo es el sábado, tiene tiempo de rellenar los boletos de las quinielas.

3. Solo he acertado diez resultados de los catorce ; ¡ No puedo decir que me ha tocado el gordo !

J = Joaquín L = Lucía F = Paco P = Patricio A = Andrés

J— ¡ Lucía ! ¿ Por qué no vas a abrir la puerta ? Están llamando desde hace un momento[1]. Anda corre, que a lo mejor[2] es Paco con su amigo, el Irlandés.

L— ¡ Ya voy ! Es que me estaba peinando.

F— Mira papá, te presento a Patricio. No se llama así, pero como su nombre no hay quien lo pronuncie[4], hemos decidido llamarle así. Además a él no le molesta ; lo encuentra divertido.

J— Pues, encantado, Patricio.

P— Mucho gusto[5]. Estoy muy contento de poder visitar a una familia española y de ver cómo vive.

J— De momento vamos a sentarnos a tomar café. Vas a conocer a toda la familia. Después te enseñaremos la casa. Como verás, hay un poco de desorden, pero es que en esta casa estamos más fuera que dentro. Cosas de los Españoles[6]. Nos apetece más[7] estar paseando con los amigos por ahí[8] que quedarnos encerrados viendo la tele[9].

L— Para lo que dan, además.

J— Oye Lucía, ya que estás ahí, anda, vete a la cocina y di a mamá que ya puede traernos el café.

P— Tiene Vd una casa muy bonita.

J— Oye, no ; tutéanos[10]. Si nosotros hacemos igual. Aquí no estás de cumplido[11]. Bueno, y ¿ qué impresión tienes de España ?

P— Pues, francamente, todavía no lo sé. ¡ Estoy tan aturdido[12] ! Es probable que lo que más impresione sea el aire. El calor, ciertos aromas desconocidos...

J— Nada, hombre, que has descubierto el buen tiempo. Y ya verás como dentro de poco, cuando mis hijos te hayan llevado unos días a la piscina, se te habrá quitado[13] ese color de aspirina que tienes. Te gustará nadar, ¿ no[14] ?

P— Ya lo creo. Es verdad que aquí estáis muy morenos[15].

J— ¡ A ver !... ¡ Hombre, mira !, ya han vuelto mis hijos de la academia. Es que les quedó el inglés para septiembre ¿ sabes ?

A— ¡ Hola ! Tú eres Patricio ¿ no ? Encantado.

P— Sí, mucho gusto. Vuestro padre me ha contado lo del inglés. Si queréis, por las mañanas os hablo en inglés y por las tardes me habláis en español, ¿ de acuerdo ?

A— ¡ Vale ! ¡ Jo, qué bien !, así no tendremos que ir a la academia y podremos estar más tiempo en la piscina.

— *(La madre, entrando con una bandeja)* ¡ El café !

J— Lucie ! Pourquoi ne vas-tu pas ouvrir la porte ? Cela fait un moment qu'on frappe. Allez, cours, c'est peut-être Paco avec son ami, l'Irlandais.

L— J'y vais ! C'est que j'étais en train de me peigner.

F— Tiens papa, je te présente Patrick. Il ne s'appelle pas comme ça, mais comme son nom est impossible à prononcer, nous avons décidé de l'appeler ainsi. En plus, cela ne le dérange pas ; il trouve cela amusant.

J— Eh bien, enchanté, Patrick.

P— Très heureux. Je suis très content de pouvoir rendre visite à une famille espagnole et de voir comment elle vit.

J— Pour l'instant, nous allons nous asseoir pour prendre le café. Tu vas faire la connaissance de toute la famille. Ensuite nous te montrerons la maison. Comme tu verras, il y a un peu de désordre, mais c'est que, dans cette maison, nous sommes plus souvent dehors que chez nous. C'est très espagnol, nous préférons nous promener avec les amis par-ci par-là que de rester enfermés à regarder la télévision.

L— Pour ce qu'ils présentent, en plus !

J— Écoute, Lucie, puisque tu es là, allez, va donc à la cuisine et dis à Maman qu'elle peut nous apporter le café.

P— Vous avez une très jolie maison.

J— Écoute, non ; tutoie-nous. Nous, nous faisons la même chose. Ici tu n'as pas à faire de façons. Bon, et quelle impression as-tu de l'Espagne ?

P— Eh bien, franchement, je ne sais pas encore, je suis tellement étourdi ! Il est probable que ce qui impressionne le plus c'est l'air. La chaleur, certains parfums inconnus...

J— Eh bien, tu as tout simplement découvert le beau temps. Et tu verras comme dans peu de temps, quand mes enfants t'auront amené quelques jours à la piscine, tu auras perdu cette couleur d'aspirine que tu as. Tu dois aimer nager, n'est-ce pas ?

P— Bien sûr. C'est vrai qu'ici vous êtes très bronzés.

J— Eh oui ! Tiens, regarde, mes enfants sont revenus du collège. C'est qu'ils doivent repasser l'anglais en septembre, tu sais ?

A— Salut ! c'est toi Patrick, n'est-ce pas ? Enchanté.

P— Oui, très heureux. Votre père m'a parlé de votre problème d'anglais. Si vous voulez, le matin je vous parle en anglais et l'après-midi, vous me parlez en espagnol, d'accord ?

A— C'est entendu ! O.K. ! formidable ! de cette façon nous ne serons pas obligés d'aller au collège et nous pourrons rester plus longtemps à la piscine.

— *(La mère entre avec un plateau)* Le café !

1. **desde hace un momento,** *depuis un moment.* Traduction de *depuis,* voir VII—3, 6.
2. **a lo mejor,** *peut-être.* VII—3, 9.
3. **A** devant un complément de personne (I—3, 11 ; VII—3, 4).
4. **no hay quien lo pronuncie,** *est impossible à prononcer* (VII—3, 12).
5. **« Mucho gusto »,** m. à m. *beaucoup de plaisir* (de vous connaître), usuel pour *enchanté, très heureux.*
6. **Cosas de los Españoles,** *les Espagnols sont comme ça.* Son cosas de tu padre, *c'est bien ton père. Cosas de la vida* ou *¡ la vida ! c'est la vie. Es cosa de* importancia, *c'est une affaire d'importance.*
7. **Nos apetece más,** m. à m. *il nous plaît davantage* — en fait : *nous préférons* — de apetecer variante *de gustar.* Par extension : *¿ Te apetece una copa de Jerez ? ça te dit un verre de Xérès ? ¿ Te apetece ir al cine esta tarde ?* etc.
8. **por ahí,** *par là, ici* ; dehors. *Por aquí, par ici, de ce côté-ci* ; por allí, *par là-bas, de ce côté-là.*
9. **quedarnos viendo la tele,** *rester à regarder la télé...* Dans le même ordre d'idées voici d'autres constructions verbales avec le gérondif : pasarse, estarse. Se pasó el domingo *durmiendo, il a passé son dimanche à dormir.*
10. **tutéanos** (de tutear, *tutoyer), tu peux nous tutoyer, nous dire « tu »* (hablar de tú) ; *vouvoyer :* hablar de usted.
11. **de cumplido,** m. à m. *de politesse* ; hacer cumplidos, *faire des façons, des manières.* Sin cumplidos, *sans façons, sans cérémonies.* Visita de cumplido, *visite de politesse.*
12. **¡Estoy tan aturdido !** *je suis étourdi* (par le bruit, le changement, etc.) mais : lo olvida todo, es muy aturdido, *il oublie tout, il est très étourdi* (par sa nature, son caractère, etc.).
13. **¡cuando mis hijos te hayan llevado... se te habrá quitado !..** *Quand mes enfants t'auront amené... tu auras perdu (tu perdras).* Pour le subjonctif dans la subordonnée, voir II—3, III—3, VI—3, VII—3, X—3.
14. **Te gustará nadar ¿ no ?** *tu dois aimer nager, n'est-ce pas ?* Il s'agit du futur de conjecture, de probabilité : estará en su casa (présent), *il doit être chez lui* ou du conditionnel : serían las dos (passé), *il devait être 2 heures.*
15. **estáis muy morenos,** *vous êtes bronzés.* Mais : es moreno, *il est brun.*

Esp	Fr	Hisp-am
tutearse	*se tutoyer*	**decirse de hala** *(Col.)*
el regalo	*le cadeau*	**la cuelga**
de cumpleaños	*d'anniversaire*	*(Col.) (Ven.)*
la techumbre	*la toiture*	**el enranchado**
		(Équateur)
una nada	*un petit peu*	**un tris**
¡ pase !	*entrez !*	**¡ siga !**

Casas y visitas

La familia hispanoamericana sigue siendo muy numerosa : entre las ratas demográficas más elevadas están las de México y de Colombia. Por eso se prefiere la casa al apartamento, en lo posible. De ahí la extensión considerable de las ciudades, con sus casas de uno o dos pisos, agrupadas en barrios y que tienen, por lo general, jardín y patio. En las familias de la clase media, la sirvienta suele tener su ducha y su baño personal. Cuando llega la visita, se le sirve, casi automáticamente, un tinto, o sea un café, en tierra fría, un refresco, jugo de fruto o cocacola en tierra caliente. El Hispanoamericano, sobre todo el de los países tropicales y andinos, se levanta y se acuesta temprano, se come un buen desayuno (huevos, a veces carne y legumbres) y le gusta agasajar a familiares y amigos.

Maisons et visites

La famille hispano-américaine est toujours très nombreuse : parmi les taux démographiques les plus élevés se trouvent ceux du Mexique et de la Colombie. C'est pourquoi, dans la mesure du possible, on préfère la maison à l'appartement. De là, l'étendue considérable des villes, avec leurs maisons d'un ou deux étages, groupées en quartiers et qui ont, en général, un jardin et une cour. Dans les familles de la classe moyenne, la domestique a généralement sa douche et ses toilettes personnelles. Lorsque le visiteur arrive, on lui sert, presque automatiquement, un café noir, dans les régions froides, un rafraîchissement, jus de fruit ou coca-cola dans les régions chaudes. L'Hispano-Américain, surtout celui des pays tropicaux et des pays andins, se lève et se couche de bonne heure, prend un solide petit déjeuner (des œufs, parfois de la viande et des légumes) et il aime fêter et recevoir ses parents et ses amis.

La familia española solía ser hasta hace poco bastante numerosa, con un número medio de 3 o 4 niños. Hoy este número comienza a disminuir. Es la razón por la cual los pisos españoles suelen ser muy amplios y contener muchas habitaciones.

Es proverbial la hospitalidad del Español que abre sus puertas al forastero sin esperar compensación alguna y que entabla amistad con gran facilidad. Por esa razón el tuteo es más habitual que en Francia. No es obligatorio avisar por teléfono antes de llegar a ver a un amigo y es muy habitual llegar a casa de un Español en cualquier momento (con tal de no llegar a horas intempestivas).

En verano, en Madrid y en otras zonas del centro, las ciudades no están tan vacías como en otras partes de Europa. Hace calor, e incluso « bochorno », como dicen en Madrid y a la gente le gusta « darse un chapuzón » en las piscinas. Muchos estudiantes van con sus libros antes o después de pasar por las « academias », pequeñas escuelas privadas donde van para repasar las asignaturas no aprobadas en junio y pasarlas en la sesión de septiembre. Por eso se pueden ver a niños pasearse con libros y carteras escolares en pleno agosto.

Hier encore la famille espagnole était une famille nombreuse ; une moyenne de 3 ou 4 enfants. Aujourd'hui ce chiffre commence à diminuer. C'est la raison pour laquelle les appartements espagnols sont souvent vastes et ont beaucoup de pièces.

La réputation d'hospitalité de l'Espagnol n'est plus à faire : il ouvre ses portes aux étrangers sans attendre aucune contrepartie et il lie amitié avec une grande facilité. C'est la raison pour laquelle le tutoiement en Espagne est plus courant qu'en France. On se sent moins obligé de prévenir par téléphone avant d'arriver chez un ami, et il est très courant d'arriver chez un Espagnol à n'importe quel moment (à condition de ne pas arriver à des heures impossibles !).

En été, à Madrid et dans d'autres régions du centre, les villes ne sont pas aussi vides que dans d'autres régions d'Europe. Il fait chaud, et même « lourd », comme on dit souvent à Madrid, et les gens aiment aller « piquer une tête » à la piscine. Beaucoup d'étudiants y vont avec leurs livres avant ou après les « academias », cours privés où ils vont réviser les matières où ils n'ont pas été reçus en juin et les repasser à la session de septembre. C'est la raison pour laquelle on peut voir des enfants se promener avec livres et cartables en plein mois d'août.

1. ¿ No te molesta que te tutee ? Con personas de más o menos la misma edad solemos hacerlo en España.
2. Créame, no es descortesía en nuestra tierra tutear.
3. Será una visita de cumplido ; más valdrá que me ponga el traje.
4. Nos encantaría que vinieran Ustedes a casa a cenar mañana.
5. ¡ Con mucho gusto ! ¿ A qué hora les conviene ?
6. Venid a la hora que queráis pues estaremos en casa toda la tarde.
7. Dile a tu mujer que no prepare postre ; lo llevaremos nosotros.
8. ¡ Cuánto me alegra volver a verte ! Y conocer a tu mujer. Tus hijos ¿ Cómo siguen ?
9. ¡ Pero sentaros ! Ponéros a gusto, estáis en vuestra casa.
10. ¡ Qué cerámica tan bonita ! ¿ De dónde es ?
11. Os hemos preparado una sangría pero si os apetece otra cosa decírnoslo.
12. Hemos pasado una velada inolvidable, de verdad. Os esperamos en casa para Navidad ¿ Nos lo prometéis ?

1. Cela ne te dérange pas que je te tutoie ? Nous le faisons toujours en Espagne avec les personnes d'à peu près le même âge.
2. Croyez-moi, ce n'est pas discourtois dans notre pays de tutoyer.
3. Ce sera une visite de politesse : il vaudra mieux que je mette mon costume...
4. Nous serions enchantés que vous veniez dîner à la maison demain.
5. Avec plaisir ! A quelle heure voulez-vous ?
6. Venez à l'heure que vous voudrez, nous serons à la maison tout l'après-midi.
7. Dis à ta femme de ne pas préparer de dessert, nous l'apporterons.
8. Que je suis content de te revoir et de connaître ta femme ! Et tes enfants, comment vont-ils ?
9. Mais asseyez-vous ! Mettez-vous à l'aise, faites comme chez vous.
10. Quelle jolie poterie ! D'où vient-elle ?
11. Nous vous avons fait une sangria mais si vous préférez autre chose, dites-le-nous.
12. Nous avons passé une soirée inoubliable, vraiment. Nous vous attendons chez nous pour Noël. C'est promis ?

llamar a la puerta, frapper à la porte
molestar, déranger, ennuyer
encontrar, trouver
divertido, amusant
enseñar, montrer
apetecer, faire envie, plaire
pasearse, se promener
encerrar, enfermer
traer, apporter
tutear, tutoyer
estar de cumplido, faire des cérémonies
aturdido, étourdi
envolver, envelopper
el aroma, le parfum
desconocido, inconnu
descubierto, participe passé de **descubrir,** découvrir
dentro de poco, d'ici peu
conceder, accorder
academia, collège privé
¡ **vale !** bon, d'accord
bandeja, plateau

Vocabulaire complémentaire

hablar de Usted, vouvoyer
cumplido, poli, bien élevé
portarse bien, savoir bien se tenir
los conocidos, les relations
llevarse bien, s'entendre (avec quelqu'un)
el ramo de flores, le bouquet de fleurs
el regalo, le cadeau
las presentaciones, les présentations
el huésped, l'hôte
el recibimiento, l'accueil
los criados, les domestiques
el trato, les relations
gracioso, drôle, amusant
estar enfadado, être fâché
la criada, la bonne
el portero, le concierge
la cita, le rendez-vous

trabar amistad con, se lier d'amitié avec
despedirse, prendre congé
la despedida, les adieux
saludar, dire bonjour
el hogar, le foyer
el ama de casa, la maîtresse de maison
mal educado }
mal criado } mal élevé
descortés, discourtois
la velada, la soirée, la veillée
convidar, inviter
dar las gracias, remercier
el piso, l'appartement
los modales, les manières
aburrido, ennuyeux
desavenirse, se brouiller
el chiste, le bon mot, la plaisanterie

A ■ **Traduire**
   1. Nous ne nous voyions pas depuis 2 ans. 2. Nous sommes très contents de vous revoir. 3. Je voudrais que vous veniez chez nous. 4. Quand vous viendrez nous voir, je vous tutoierai, je vous le promets ! 5. Il est impossible de s'habituer à tutoyer quelqu'un tout de suite ! 6. Cela vous dit de prendre le café dehors, avant le spectacle ? 7. Prendrez-vous un verre avant dîner ? Avec plaisir !

B ■ **Traducir**
   1. Se llevan bien con todos ; no están desavenidos con nadie.
   2. Nos hicieron un recibimiento fuera de serie ; entiendo por qué tienen tantos conocidos.
   3. ¡ Cuánto me gustaría trabar amistad con esa familia !
   4. Antes de despedirnos nos tomaremos una copa ; te gustará el coñac ¿ Verdad ?
   5. ¡ Qué bien se han portado ! Cuando vayamos a despedirnos, les llevaremos un regalo.
   6. Casi nunca hablan de usted ; cosas de los Españoles.

Corrigé

A ■ 1. No nos veíamos desde hacía dos años.
   2. Nos alegramos mucho de volverles a ver.
   3. Quisiera que vinieran a casa.
   4. Cuando vengan a vernos les tutearé ; ¡ Se lo prometo !
   5. ¡ No hay quien se acostumbre (es imposible acostumbrarse) a tutear a alguien enseguida !
   6. ¿ Les apetece tomar café fuera, antes del espectáculo ?
   7. ¿ Se tomará Vd una copa antes de cenar ? ¡ Con mucho gusto !

B ■ 1. Ils s'entendent bien avec tout le monde ; ils ne sont brouillés avec personne. 2. Ils nous ont réservé un accueil hors du commun ; je comprends pourquoi ils ont tant de relations. 3. Comme j'aimerais me lier d'amitié avec cette famille ! 4. Avant de nous dire au revoir, nous prendrons un verre ; tu dois aimer le cognac, n'est-ce pas ? 5. Comme ils ont été gentils ! Quand nous irons leur dire au revoir nous leur apporterons un cadeau. 6. Ils ne vouvoient presque jamais ; les Espagnols sont comme ça.

T1 = primer turista   E = un empleado   T2 = segundo turista

T1— Muy buenas.

E— Buenos días, señor.

T1— Venía a cambiar estos cheques de viaje.

E— Como no, caballero. Vaya firmándolos mientras[1] termino de despachar a esta señora y enseguida estoy con Vd[2].

(El empleado, volviéndose hacia la extranjera)

E— Perdone, señora, pero como soy nuevo no conocía muy bien este sistema de la tarjeta internacional.

T2— Pues sí, mire. Yo le firmo cheques en francos franceses por un importe de quinientos francos cada uno y Vd me los cambia en pesetas. Y no se preocupe que mi cuenta corriente[3] tiene provisión suficiente.

(El joven consulta en una carpeta con sus instrucciones)

E— Sí, aquí viene todo explicado. Además le hacemos un cambio más ventajoso para Vd que si fuesen billetes[4]. Mientras voy rellenando[1] los impresos para la transacción, ¿ puede Vd extender el cheque ? Póngalo a nombre del banco sin ninguna otra especificación.

T2— Qué prácticas son todas estas nuevas invenciones[5], ¿ eh ? Fíjese que antes había que andarse con todos esos billetes, con lo peligroso que es[6]. Hoy, con tener una o dos tarjetas, vale[7].

E— Lo malo es cuando en informática se declaran en huelga. Los ordenadores no funcionan y nos quedamos empantanados. ¿ Me permite su talonario, por favor ?... Bien, ya está. Acérquese a esa ventanilla y después pásese por caja.

T2— Muy agradecida, caballero. Adiós.

E— Adiós, señora ; y que tenga muy buen viaje[8].

(El otro turista se acerca al mostrador)

T1— Quería cobrar estos cheques de viaje. Ya los he firmado.

E— ¡ Pero la firma no corresponde !

T1— Ay, sí, mire, perdone. Es que no son míos. Me los ha dado un amigo para que los cobre en su nombre.

E— Es que yo no puedo hacer efectivos cheques de viaje que estén firmados por otra persona. Normalmente es la misma persona la que firma[9] aquí arriba y aquí abajo. ¡ Fíjese mi responsabilidad si fuesen robados !

(El cliente se sonroja y se va sin decir palabra)

T1 = premier touriste E = un employé T2 = deuxième touriste

T1— Bonjour !

E— Bonjour, Monsieur.

T1— Je suis venu changer ces chèques de voyage.

E— Bien sûr, Monsieur. Signez-les pendant que je finis de m'occuper de cette dame et je suis à vous aussitôt.

(L'employé se tournant vers l'étrangère)

E— Excusez-moi, Madame, mais je suis nouveau et je ne connais pas très bien ce système de la carte internationale.

T2— Mais si, voyons. Je vous signe des chèques en francs français d'un montant de cinq cents francs chacun et vous me les changez en pesetas. Et ne vous faites pas de souci car mon compte courant est suffisamment approvisionné.

(Le jeune homme consulte ses instructions dans un dossier)

E— Oui, tout est expliqué ici. En outre nous vous faisons un taux de change plus avantageux que si c'étaient des billets. Pendant que je remplis les imprimés pour la transaction, voulez-vous établir le chèque ? Mettez-le au nom de la banque sans aucune autre spécification.

T2— Que ces nouvelles inventions sont pratiques, n'est-ce pas ? Rendez-vous compte qu'avant il fallait porter sur soi tous ces billets alors que c'est si dangereux ! Aujourd'hui, il suffit d'avoir une ou deux cartes.

E— L'ennui c'est quand l'informatique est en grève. Les ordinateurs ne fonctionnent pas et nous restons en plan. Voulez-vous me remettre votre carnet de chèques, s'il vous plaît ? Bien, c'est fait. Allez à ce guichet et ensuite passez à la caisse.

T2— Je vous suis très reconnaissante, Monsieur, au revoir.

E— Au revoir, Madame, bon voyage !

(L'autre touriste s'approche du comptoir)

T1— Je voudrais encaisser ces chèques de voyage. Je les ai déjà signés.

E— Mais la signature ne correspond pas.

T1— Ah, oui, voilà ! Excusez-moi. C'est qu'ils ne sont pas à moi. C'est un ami qui me les a donnés pour que je les touche en son nom.

E— C'est que je ne peux pas payer des chèques de voyage signés par une autre personne. Normalement c'est la même personne qui signe en haut et en bas. Rendez-vous compte de ma responsabilité s'ils étaient volés !

(Le client rougit et s'en va sans dire un mot)

1. **Vaya firmándolos mientras,** *signez-les* (au fur et à mesure). *Pendant que...* « **Mientras voy rellenando** », *pendant que je remplis.* **IR** + gérondif : forme progressive très usuelle (voir VIII—3, 2 et plus loin XX—3, 16).

2. **estoy con Vd,** *je suis à vous* (à votre service). Attention : **esta tarjeta es mía,** *cette carte est à moi* (idée de possession *être,* **ser**).

3. **que mi cuenta corriente,** *car mon compte.* **Que** : valeur de cause, **Pues, porque** — il peut relier aussi deux propositions indépendantes : **Espere un momento que enseguida vuelvo,** *attendez un moment, je reviens tout de suite.*

4. **más ventajoso que si fuesen o fueran billetes,** *plus avantageux que (si c'étaient) des billets.* Valeur de conditionnel : si + imparfait du subjonctif = si + imparfait de l'indicatif en français (voir VII—3, 13).

5. **¡Qué prácticas son todas estas nuevas invenciones!** *que ces nouvelles inventions sont pratiques !* — (voir IV—3, 9, VI—3, 7).

6. **con lo peligroso que es,** *c'est très dangereux.* **Con lo** + adjectif **-que** + verbe : valeur d'insistance. **¡ Con lo práctico que es !** *C'est tellement pratique !*

7. **con tener una o dos tarjetas, vale,** *il suffit d'avoir.* **Vale con,** il suffit de... ou **¡ vale !,** *c'est bon, d'accord !*

8. **¡Y que tenga buen viaje !** *bon voyage !* (voir VI—3, 1, IX—3, 7, XI—3, 7).

9. **es la misma persona la que firma,** *c'est la même personne qui signe.* Attention à la concordance des temps usuelle : **Fue usted el que (quien) me dió el talonario la semana pasada,** *c'est vous (ce fut) qui m'avez donné le chéquier la semaine dernière.* **Soy yo quien, eres tú quien, es usted quien** (*c'est moi, c'est toi, c'est vous qui...*)

Esp	Fr	Hisp-am
el cheque	*le chèque*	**el cheque**
de viaje	*de voyage*	**de viajero**
el director	*le directeur*	**el gerente**
del banco	*de la banque*	**del banco**
el tipo	*le taux*	**la rata**
el cheque	*le chèque*	**el cheque**
sin fondos	*sans provision*	**chimbo**
el talonario	*le chéquier*	**la chequera**
comprobar	*vérifier*	**chequear**

Bancos en Hispanoamérica

Como en todas partes, en los diferentes países de Hispanoamérica, hay un banco nacional y bancos privados. Por lo
general el sector privado es más importante y, en cada país, los
diferentes bancos están muy vinculados con la banca internacional y especialmente la estadounidense. Un banco venezolano o colombiano suele estar avalado por un banco norteamericano. En ciertos países, el sector nacional tiende a crecer : es
el caso de México. Muchos bancos privados patrocinan funda-
ciones artísticas o científicas, crean museos o salas de
concierto. Entre los medios de pago, quizás se utilice más la
tarjeta de crédito que el cheque. Este inspira cierta descon-
fianza en algunos países. El cambio de divisas europeas no
siempre es fácil en los bancos de Hispanoamérica. Se trata, a
menudo, de cierto temor a los billetes falsos.

Les banques en Amérique hispanique

Comme partout, dans les différents pays d'Amérique hispanique, il y a une banque nationale et des banques privées. En
général, le secteur privé est plus important et, dans chaque
pays, les différentes banques sont très liées à la banque internationale et, particulièrement, à celle des États-Unis. Une banque
vénézuélienne ou colombienne est généralement avalisée par
une banque nord-américaine. Dans certains pays, le secteur
national tend à s'étendre : c'est le cas du Mexique. De nombreuses banques privées patronnent des fondations artistiques
ou scientifiques, créent des musées ou des salles de concert.
Parmi les moyens de paiement, peut-être utilise-t-on davantage
la carte de crédit que le chèque. Celui-ci inspire une certaine
méfiance dans certains pays. Le change des devises européennes n'est pas toujours facile dans les banques hispano-améri-
caines. Il s'agit, souvent, d'une certaine crainte des faux billets.

Los bancos en España

La banca española es, ante todo, privada. Los más importantes bancos españoles son el Banco Central, el Banco Español de Crédito (BANESTO), el Banco Hispano-Americano, el Banco de Vizcaya, el Banco de Bilbao y el Banco de Santander. Todos ellos aceptan las tarjetas de crédito (muy difundidas y utilizadas en España porque significan un verdadero crédito personal abierto en permanencia). Las más corrientes son la Visa, la Master Charge y la Eurocard. Con el sistema del Eurocheque se pueden obtener pesetas contra uno o varios cheques extendidos en divisas (francos franceses con una chequera de un banco francés, por ejemplo). El importe de dichos cheques y del dinero que se puede sacar como máximo por semana cambia según la legislación vigente, pero es suficiente (2.000 FF por semana y por personna en 1982 a causa del control de cambios) como para evitar transportar mucho dinero encima ya cambiado. Además tiene la ventaja de que el cambio se hace al tipo « cheque de viaje » — más ventajoso — y no al de divisa.

El horario de apertura suele ser de 8 ó 9 h a 13 h 30 ó 14 h de lunes a sábado incluido.

Les banques en Espagne

La banque espagnole est, essentiellement, privée. Les banques espagnoles les plus importantes sont le Banco Central, le Banco Español de Crédito (BANESTO), le Banco Hispano-Americano et le Banco de Vizcaya, le Banco de Bilbao et le Banco de Santander. Elles acceptent toutes les cartes de crédit (très répandues et utilisées en Espagne parce qu'elles donnent droit à un véritable crédit personnel ouvert en permanence). Les plus courantes sont la Visa, la Master Charge et l'Eurocard. Grâce au système de l'Eurochèque on peut obtenir des pesetas en échange d'un ou plusieurs chèques libellés en devises (francs français avec un chéquier français, par exemple). Le montant maximum de ces chèques et de l'argent que l'on peut retirer par semaine change en fonction de la législation en vigueur, mais il est suffisant (2 000 FF par semaine et par personne en 1982, à cause du contrôle des changes) pour éviter de transporter beaucoup de devises sur soi. En outre, l'avantage est que le change s'effectue au taux du chèque de voyage — plus avantageux — et non plus au taux des devises.

Les heures d'ouverture sont généralement de 8 h ou 9 h à 13 h 30 ou 14 h du lundi au samedi inclus.

1. Quisiera cambiar cuatrocientos francos franceses en billetes de banco.
2. Lo siento, señor, pero en este banco no cambiamos divisas.
3. ¿ A cómo está el dólar hoy ?
4. El franco belga ha cedido casi un entero en un par de semanas.
5. Hubo una confusión en el banco y me han devuelto el cheque con la mención : « cheque sin fondos ».
6. Quisiera abrir una cuenta corriente.
7. Siéntese un momentito que ahora viene el encargado a hablar con Vd.
8. Para adquirir cheques de viaje sólo aceptamos sumas en efectivo.
9. La ventaja de los cheques es que son muy prácticos.
10. Desde que tengo la tarjeta de crédito ya no llevo casi dinero encima.
11. Yo, la verdad, esto de las tarjetas de plástico no lo entiendo, prefiero pagar en metálico.
12. Entre el alza del dólar y la devaluación de la peseta las cotizaciones están variando sin parar.

1. Je voudrais changer quatre cents francs français en billets de banque.
2. Je regrette, Monsieur, mais dans cette banque nous ne changeons pas de devises.
3. Combien vaut le dollar aujourd'hui ?
4. Le franc belge a perdu presque un point en deux semaines.
5. Il y a eu une erreur à la banque et on m'a retourné le chèque avec la mention « chèque sans provision ».
6. Je voudrais ouvrir un compte courant.
7. Asseyez-vous un instant ; le gérant vient immédiatement pour parler avec vous.
8. Pour l'acquisition des chèques de voyage nous n'acceptons que des sommes en espèces.
9. L'avantage des chèques c'est qu'ils sont très pratiques.
10. Depuis que j'ai la carte de crédit je n'ai presque plus d'argent sur moi.
11. Moi, vraiment, je ne comprends rien aux cartes en plastique ; je préfère payer en espèces.
12. Entre la hausse du dollar et la dévaluation de la peseta, les cours sont tout le temps en train de changer.

cambiar, changer

el cheque de viaje, le chèque de voyage

el caballero, le monsieur

despachar, s'occuper (d'un client)

el empleado, l'employé

volverse, se retourner

la tarjeta, la carte

un importe, un montant, une somme

preocuparse, se faire du souci

la cuenta corriente, le compte courant

la provisión, la provision

tener provisión suficiente, être suffisamment approvisionné

una carpeta, un dossier, un classeur, une chemise

hacer un cambio, faire un taux de change

ventajoso, avantageux

rellenar un impreso, remplir un imprimé

extender un cheque, établir un chèque

a nombre de, au nom de

las invenciones, les inventions

fíjese, rendez-vous compte

andarse con, porter sur soi

lo malo es...., l'ennui c'est...

la informática, l'informatique

la huelga, la grève

declararse en huelga, se mettre en grève

no funciona, en dérangement, ne fonctionne pas

empantanado, laissé en plan, paralysé

el talonario, le chéquier

acercarse, se rapprocher, aller

la ventanilla, le guichet

pasarse por caja, passer à la caisse

cobrar, encaisser, toucher de l'argent

hacer efectivo, payer, régler (un effet bancaire)

estar capacitado, être habilité

sonrojarse, rougir

Vocabulaire complémentaire

un cheque sin fondos, un chèque sans provision

una suma, une somme, une quantité

en efectivo, en espèces

en metálico, en espèces

pagar al contado, payer comptant

pagar a plazos, payer à crédit

un plazo, un délai, un terme, une échéance

el alza, la hausse

la baja, la baisse

las cotizaciones, les cours, les cotations

una deuda, une dette

la banca, le secteur bancaire

el banco, la banque

adeudar, devoir, avoir une dette

abonar, régler, payer

conceder un préstamo, accorder un prêt

solicitar un préstamo, demander un prêt

la bolsa, la bourse

soldar una cuenta, solder un compte

la transferencia bancaria, le virement bancaire

A ■ **Traducir**

1. Venía a solicitar un préstamo.
2. Estos cheques puedes hacerlos efectivo en todos los bancos.
3. Si quiere cambiar divisas es en el primer piso ; pero tendrán que subir a pie : el ascensor no funciona.
4. ¡ Qué prácticos son los ordenadores ! Se conoce en-seguida el saldo de la cuenta.
5. Fíjese cuánto trabajo nos ahorra la informática.
6. He perdido mis dólares, ¡ Con lo caros que están !

B ■ **Traduire**

1. Le secteur bancaire s'est mis en grève.
2. ... Et il y a même des chèques de voyage qui sont assurés contre le vol.
3. C'est ma femme qui est venue chercher le chéquier.
4. Un groupe de voyous m'a volé tout mon argent.
5. Pour cela, il suffit de remplir cet imprimé.
6. Signez ici, s'il vous plaît, et asseyez-vous un instant.
7. Je voudrais faire un virement en France.
8. Le taux de change des chèques de voyage est plus avantageux que celui des billets.

Corrigé

A ■ 1. Je suis venu (je voudrais) demander un prêt.
2. Tu peux te faire payer ces chèques dans n'importe quelle banque.
3. Si vous voulez changer des devises, c'est au premier étage ; mais vous devrez monter à pied : l'ascenseur est en panne.
4. Que c'est pratique les ordinateurs ! On connaît immé-diatement le solde du compte.
5. Rendez-vous compte du travail que l'informatique nous épargne.
6. J'ai perdu mes dollars alors qu'ils sont si chers !

C ■ 1. La banca se ha declarado en huelga.
2. ... Y hay incluso cheques de viaje asegurados contra el robo.
3. Es mi mujer la que ha venido a buscar el talonario.
4. Un grupo de sinvergüenzas (de golfos) me ha robado todo el dinero.
5. Para eso, basta con rellenar este impreso.
6. Firme aquí, por favor, y siéntese un momentito.
7. Quisiera (venía a) efectuar una transferencia a Fran-cia.
8. El cambio de los cheques de viaje es más ventajoso que el de los billetes.

S = una señorita   E = empleado de correos
R = recepcionista   O = operadora

(En la ventanilla de certificados)

S— Buenos días. Quisiera[1] mandar una carta certificada.

E— Rellene[2] este impreso con las señas del destinatario y del remitente... Vale. Son setenta y cinco pesetas. Si la quiere mandar urgente son veintitrés pesetas más.

S— Sí, por favor. Diga[2], ¿ le quedan sellos de la última serie del Mundial ?

E— No, lo siento. Se acabaron esta mañana, pero en los estancos del centro habrá[3].

S— Gracias. Y este paquete por correo ordinario. Ah, se me olvidaban las postales[4] ; deme[2] ocho sellos, para Francia.

E— Aquí tiene. ¿ Algo más, Señorita ?

S— Sí, ¿ Me puede decir si tengo cartas... ? ¿ Quiere el carnet de identidad ?

E— Eso en « lista de correos ». Ventanilla número seis.

S— Es verdad. ¡ Qué distraída soy !

¡ Oiga !

R— Recepción. Buenos días. ¿ Qué desea ?

S— Buenos días. Quisiera[1] llamar a un hotel de Sevilla pero no tengo el número.

R— Lo sentimos pero no tenemos la guía de Sevilla. Puede ir a la Telefónica a consultarla o si no quiere molestarse o si es urgente, tendrá que llamar a información de Sevilla.

S— Si no hay más remedio... Póngame[2] con Sevilla.

R— No cuelgue[5], enseguida le pongo[6].

O— Información. ¿ Dígame[2] ?

S— Oiga[2], Srta. ¿ Me puede dar el nº del hotel Sudán ?

O— Un momentito... el 624237, prefijo 954 si no está Vd en Sevilla.

S— Muy amable, Señorita... ¿ Recepción ? Quisiera[1] París ahora, pero en cobro revertido.

R— En ese caso tiene que llamar a Internacional[7], el 98. La telefonista (operadora) le dirá la demora. Me temo que tarde[8] sobre todo ahora, en época de vacaciones... tantos jóvenes llaman en cobro revertido, los circuitos están atascados[9]... Por eso[10] suelen tardar más las conferencias internacionales.

S— Entiendo. Pero no corre prisa. Deme[2] línea por favor...

(Más tarde)

O— ¿ Oiga[2] ? ¿ Madrid ? Tiene la conformidad del número pedido. París al habla. ¡ Hable[2] !

(Au guichet des « Recommandés »)

S— Bonjour. Je voudrais envoyer une lettre recommandée.

E— Remplissez cet imprimé avec l'adresse du destinataire et de l'expéditeur. Bien. C'est 75 pesetas. Si vous voulez l'envoyer en urgence, c'est 23 pesetas de plus.

S— Oui, s'il vous plaît. Dites-moi, est-ce qu'il vous reste des timbres de la dernière série du « Mundial » ?

E— Non, je regrette, ils sont épuisés depuis ce matin, mais il doit y en avoir dans les bureaux de tabac du centre.

S— Merci. Et ce colis par courrier ordinaire. Ah ! j'oubliais les cartes postales ; donnez-moi huit timbres, pour la France.

E— Les voici. Autre chose, Mademoiselle ?

S— Oui, pouvez-vous me dire si j'ai des lettres ? Vous voulez ma carte d'identité ?

E— Adressez-vous au guichet Poste Restante, n° 6.

S— C'est vrai, que je suis distraite !

Allô !

R— Ici la réception. Bonjour, que désirez-vous ?

S— Je voudrais appeler un hôtel à Séville mais je n'ai pas le numéro.

R— Nous regrettons mais nous n'avons pas l'annuaire de Séville. Vous pouvez aller le consulter à la Compagnie du Téléphone ou si vous ne voulez pas vous déranger ou encore si c'est urgent, vous devriez appeler les renseignements de Séville.

S— S'il n'y a pas d'autre solution... Passez-moi Séville.

R— Ne raccrochez pas, je vous le passe tout de suite.

O— Renseignements. J'écoute !

S— Allô, Mademoiselle. Pouvez-vous me donner le numéro de l'hôtel Soudan ?

O— Un instant... C'est le 624.237, indicatif 954 si vous n'êtes pas à Séville.

S— Vous êtes très aimable, Mademoiselle... La réception ? Je voudrais Paris maintenant, mais en P.C.V.

R— En ce cas, il faut demander l'International, le 98. L'opératrice vous indiquera l'attente. Je crains que ce soit long, surtout maintenant, en période de vacances... Il y a tant de jeunes qui appellent en P.C.V., les circuits sont encombrés... C'est pour cela que les communications internationales sont souvent plus longues à obtenir.

S— Je comprends, mais ce n'est pas urgent. Mettez-moi en ligne s'il vous plaît...

(Plus tard)

O— Allô ? Madrid ? Vous avez l'accord du numéro demandé. Vous avez Paris. Parlez.

1. **Quisiera,** *je voudrais.* La politesse veut cet imparfait du subjonctif (conditionnel en français) au lieu du présent : **quiero,** *je veux.* Mais : **podría decirme, podría darme,** *pourriez-vous me dire, me donner...* : conditionnel donc comme en français.

2. **Rellene, diga, deme, póngame, oiga, hable,** impératifs à la 3ᵉ personne (vouvoiement) de **rellenar, decir, dar, poner, oir, hablar,** *remplir, dire, donner, mettre, écouter, parler.* (Voir V—3, 10 ; IX—3, 3).
Diga ou **dígame,** correspond au « *allô* » de la personne qui décroche. *Oiga* correspond au « *allô* » de la personne qui appelle.

3. **en los estancos del centro habrá,** *il doit y en avoir aux bureaux de tabac du centre.* (Futur de conjecture, voir XII—3, 14).

4. **se me olvidaban las postales,** *j'oubliais (j'allais oublier) les cartes postales.* Dans la construction espagnole, **las postales** est le sujet. *Se te olvidó ir a Correos, tu as oublié d'aller à la Poste. Olvidarse ;* forme pronominale courante, invariable. Dans le même ordre d'idées, voir aussi VI—3, 8 et XX—3, 12.

5. **No cuelgue** (de **colgar**), m. à m. *ne raccrochez pas. No se retire, ne quittez pas.*

6. **le pongo** (sous-entendu **con Sevilla**), m. à m. *je vous mets (en communication) avec Séville.* Ex. : **póngame con París por favor,** *donnez-moi Paris, s.v.p.*

7. **llamar a Internacional,** *appeler l'International* ; **llamar a la oficina,** *appeler le bureau* : extension de **llamar a alguien,** *appeler quelqu'un.* Attention : *le llaman por teléfono, on vous appelle (demande) au téléphone.*

8. **Me temo que tarde,** *je crains que ce ne soit trop long.*
Me temo lo peor, je crains le pire : dans le même ordre d'idées que *je me doute.*
Tardan en llamar, ils sont longs à appeler.

9. **los circuitos están atascados,** *les lignes sont encombrées,* mais **los circuitos son modernos,** *les lignes sont modernes.*

10. **Por eso,** locution très usuelle : *c'est pourquoi, c'est pour cela que, donc.*

Esp	Fr	Hisp-am
el sello	*le timbre*	**la estampilla**
certificar	*recommander*	**recomendar**
la expendeduría	*le débit*	**el expendio**
correo urgente	*courrier exprès*	**entrega inmediata**
la conferencia	*la communication*	**la comunicación**
correos	*la poste*	**el correo**
¿ dígame ?	*allô ?*	**¿ aló ? — a la orden** (Col.)
la llamada	*le coup de fil*	**el telefonazo**
el bramante	*la ficelle*	**la pita, la cabuya**
el sobre	*l'enveloppe*	**la cubierta**

Correos y teléfonos

En las oficinas de correos hispanoamericanas, el cliente quizás tenga que hacer más operaciones por su propia cuenta. Por ejemplo, si tiene un paquete que mandar, ha de hacerlo pesar en una taquilla, comprar los sellos o estampillas correspondientes en otra y entregarlo en una tercera. Claro está que eso varía según los países y si es correo nacional, urbano o internacional. A veces el correo aéreo se envía en las oficinas de las compañías de aviación, o en ministerios, bancos, droguerías o almacenes acreditados. El teléfono se utiliza mucho, se hacen verdaderas visitas por teléfono y la cortesía con sus diferentes fórmulas es muy importante al principio de la comunicación.

Postes et téléphones

Dans les bureaux de poste hispano-américains, le client a peut-être à faire davantage d'opérations par lui-même. Par exemple, s'il a un paquet à expédier, il doit le faire peser à un guichet, acheter les timbres correspondants à un autre et remettre le paquet à un troisième guichet. Il est certain que cela varie selon les pays et s'il s'agit de courrier national, urbain ou international. Parfois, le courrier par avion est posté dans les bureaux des compagnies d'aviation ou dans des ministères, des banques, des « drugstores » ou des magasins agréés. Le téléphone est très utilisé ; on fait de véritables visites au téléphone et la politesse avec ses diverses formules est très importante au début de la communication.

Correos y telégrafos

En España hay dos administraciones bien distintas :

— En *Correos* se pueden comprar sellos, mandar cartas, telegramas, poner giros postales y telegráficos, certificar paquetes, etc. Tienen también un servicio de « lista de correos » donde el no residente en la ciudad puede retirar su correspondencia.

— La *Telefónica* es una compañía privada cotizada en la Bolsa de Madrid, y que tiene en España el monopolio de las relaciones telefónicas.

Para llamar por teléfono en España basta con marcar directamente el número deseado ya que prácticamente todas las relaciones telefónicas son automáticas :

Para el servicio internacional hay que marcar el 07, luego el indicativo del país (Francia : 33, Suiza : 41, Bélgica : 32) y al final el prefijo de la ciudad (París : 1, Lyon : 7, Bruselas : 2), seguido del número deseado.

Si desea llamar de una ciudad de España a otra debe marcar el 9 seguido del prefijo regional (ejemplo : Madrid : 1, Barcelona : 3, Alicante : 65, Málaga : 52). Las conferencias de tipo « *cobro revertido* » o aquéllas que no están automatizadas se hacen por medio de la operadora : en Madrid marque el 98, en otra ciudad marque el 91-98.

Poste et télégraphe

En Espagne il y a deux administrations bien distinctes :

— A la *Poste* on peut acheter des timbres, envoyer des lettres, des télégrammes, effectuer des virements postaux et télégraphiques, envoyer des colis en recommandé, etc. Il y a aussi un service de « Poste restante » où celui qui n'est pas résident dans la ville peut retirer sa correspondance.

— La *Compagnie du Téléphone* est une société privée cotée à la Bourse de Madrid et qui dispose en Espagne du monopole des liaisons téléphoniques.

Pour appeler par téléphone en Espagne il suffit de faire directement le numéro désiré étant donné que pratiquement toutes les liaisons téléphoniques sont automatiques :

Pour le service international il faut faire le 07, ensuite l'indicatif du pays (France : 33, Suisse : 41, Belgique : 32) et enfin l'indicatif de la ville (Paris : 1, Lyon : 7, Bruxelles : 2) suivi du numéro désiré.

Si vous voulez appeler d'une ville d'Espagne une autre ville vous devez faire le 9 suivi de l'indicatif régional (exemple : Madrid : 1, Barcelone : 3, Alicante : 65, Málaga : 52). Les communications du type « P.C.V. » ou celles qui ne sont pas automatiques s'obtiennent par l'opératrice : à Madrid faites le 98, dans une autre ville faites le 91-98.

1. Quisiera diez sellos para Francia por avión y diez más para tarjetas postales.
2. Para las cartas certificadas diríjase a la ventanilla de enfrente. Tendrá que hacer cola.
3. ¿ Cuánto suelen tardar las cartas para París ? En verano tres días por término medio.
4. ¡ Qué mal funciona el correo en España ! Lo mismo decimos nosotros de « la Poste » francesa.
5. Presente su carnet de identidad o su pasaporte si quiere que le entreguen sus cartas en lista de correos.
6. En cobro revertido suele haber mucha demora.
7. ¡ Oiga ! ¿ El hotel Victoria ? ¿ Me puedo poner con el encargado ? Llamo desde París.
8. Restaurante « Los Caracoles » ¿ Dígame ?
9. ¿ Podrían reservarme una mesa para esta noche ? Me temo que no sea posible ; ¡ No se retire ! Voy a ver...
10. Póngame con Internacional... Para una conferencia con preaviso ¿ Qué tengo que hacer ?

1. Je voudrais 10 timbres pour la France, par avion, et 10 autres pour des cartes postales.
2. Pour les lettres recommandées, adressez-vous au guichet d'en face. Vous devrez faire la queue.
3. Combien de temps met une lettre pour Paris ? En été, trois jours en moyenne.
4. Que la poste marche mal en Espagne ! Nous disons la même chose de la poste française.
5. Présentez votre carte d'identité ou votre passeport si vous voulez que l'on vous donne vos lettres à la poste restante.
6. En P.C.V. l'attente est souvent longue.
7. Allô ! Hôtel Victoria ? Pouvez-vous me passer le gérant ? J'appelle de Paris.
8. Restaurant « Les Escargots », j'écoute...
9. Pourriez-vous me réserver une table pour ce soir ? Je crains que ce ne soit pas possible ; ne quittez pas. Je vais voir.
10. Passez-moi l'International... Que dois-je faire pour un appel avec préavis ?

correos, la poste
la compañía telefónica, la compagnie du téléphone
la ventanilla, le guichet
una carta, une lettre
una carta certificada, une lettre recommandée
un impreso, un imprimé
las señas ⎫
la dirección ⎬ l'adresse
el destinatario, le destinataire
el remitente, l'expéditeur
un sello, un timbre
una (tarjeta) postal, une carte postale
el carnet de identidad, la carte d'identité
la lista de correos, la poste restante
distraído, distrait, étourdi
la guía telefónica, l'annuaire du téléphone
información, les renseignements
un remedio, une solution
poner con, mettre en communication avec
colgar, raccrocher
el prefijo, l'indicatif
en cobro revertido, en P.C.V.
la telefonista ⎫ l'opératrice
la operadora ⎬ du téléphone
atascado, encombré
conferencia telefónica, communication téléphonique
la demora, l'attente
correr prisa, être urgent
la conformidad, l'accord
estar al habla, parler, être au bout du fil, communiquer

Vocabulaire complémentaire

el correo, le courrier
echar una carta, poster une lettre (la mettre à la boîte)
el buzón, la boîte aux lettres
la recogida, la levée
hacer cola, faire la queue
entregar, remettre, donner
el cartero, le facteur
el preaviso, le préavis
el franqueo, l'affranchissement
el correo aéreo, le courrier aérien
el telegrama, le télégramme
el formulario, le formulaire
la firma, la signature
el apartado de correos, la boîte postale (B.P.)
el giro postal, le mandat postal
el giro telegráfico, le mandat télégraphique
cortar, couper
descolgar, décrocher
comunica ⎫ c'est
está comunicando ⎬ occupé
telefonear, téléphoner
marcar un número : faire un numéro
llamar por teléfono, téléphoner
la cabina telefónica, la cabine téléphonique
poner una conferencia (con París), demander une communication (pour Paris)
el sobre, l'enveloppe
pegar, coller
el papel de cartas, le papier à lettres
el membrete, le papier à en-tête
el matasellos, le cachet de la poste

A ■ Traducir

1. ¡ Oiga ! ¡ No se oye nada ! Este teléfono no funciona.
2. ¡ Le digo que no se retire ! Enseguida le pongo con Barcelona.
3. No me queda dinero, tendré que llamar en cobro revertido.
4. ¡ Oiga ! ¿ Habitación doce ? Me pidió una conferencia con Francia pero se le olvidó darme el prefijo de la ciudad.
5. A estas horas habrá mucha demora.
6. Le llaman por teléfono ; vaya a la cabina y descuelgue cuando yo se lo diga.
7. El franqueo para Europa es mucho más caro.
8. Como es domingo, habrá solo una recogida en el buzón de la plaza.

B ■ Traduire

1. Le numéro que vous m'avez demandé sonne occupé.
2. Je crains que ce ne soit trop long ; les lignes sont encombrées à cette heure-ci.
3. Envoyez-la en urgence ; ce sera moins long.
4. Donnez-moi trois timbres, du « Mundial » s'il vous en reste.
5. Excusez-moi, j'ai oublié d'indiquer l'adresse de l'expéditeur.

Corrigé

A ■ 1. Allô ! On n'entend rien ! Ce téléphone ne marche pas !

2. Je vous dis de ne pas quitter ! Je vous passe tout de suite Barcelone !

3. Il ne me reste pas d'argent ; je devrai téléphoner en P.C.V.

4. Allô ! Chambre 12 ? Vous m'avez demandé une communication pour la France mais vous avez oublié de me donner l'indicatif de la ville.

5. A cette heure-ci il doit y avoir beaucoup d'attente.

6. On vous demande au téléphone ; allez à la cabine et décrochez quand je vous le dirai.

7. L'affranchissement pour l'Europe est beaucoup plus cher.

8. Comme c'est dimanche, il ne doit y avoir qu'une levée à la boîte aux lettres de la place.

B ■ 1. El número que me pidió está comunicando. 2. Me temo que tarde ; a estas horas los circuitos están atascados. 3. Mándela urgente ; tardará menos. 4. Deme tres sellos, del Mundial si le quedan. 5. Perdone ; se me olvidó poner las señas del remitente.

H = hombre   M = mujer   G = guardia urbano   I = inspector

(Un matrimonio[1] de turistas se dirige a un guardia urbano)

H— Buenas tardes ; mire, ando preocupado[2] porque acaban de robarme la cartera[3] con todo lo que contenía.

G— ¡ Vaya, hombre !... Lo mejor[4] es que vaya directamente a Comisaría para presentar una denuncia.

M— Y, ¿ queda muy lejos[5] la Comisaría ?

G— No, mire. Bajen toda esta calle y, al llegar a la glorieta aquélla, tomen a la derecha. Luego, todo seguido y, a la tercera bocacalle a la izquierda, tienen la Comisaría a unos cien metros. No tiene pérdida.

H— *(en Comisaría)...* y resulta que, cuando fui a pagar[6], ya[7] no tenía la cartera. ¡ Me la habían robado !

I— ¿ Qué contenía su cartera ?

H— Toda mi documentación : tarjeta de identidad, carnet de conducir, tarjeta profesional y de seguridad social.

I— ¿ Llevaba dinero u otra cosa de valor ?

H— Sí, claro. A ver que me acuerde exactamente : unas diez u once mil pesetas[8], mil francos franceses, una tarjeta de crédito y cien dólares en cheques de viaje.

I— ¿ Nada más ?

H— ¿ Le parece a Vd poco[9] ?... ¡ Menos mal que mi mujer tenía una pequeña reserva y pudimos pagar la cuenta, que si no, terminamos aquí mismo, pero con las esposas puestas !

I— Vamos a ver, señora, ¿ me enseña su documentación ? La necesito para extender su declaración.

M— Aquí tiene. Pero, me puede decir : ¿ cómo va a poder circular mi marido por el país ? ¿ Hay un Consulado en la ciudad ?

I— No, pero tienen una Agencia Consular. Me van a firmar estos documentos ; les servirán para arreglar su situación[10] y para sus gestiones[10] en el banco y en su compañía[10] de seguros.

H— Lo malo es[4] que prácticamente estamos sin un duro.

M— Y... ¿ no habrás olvidado tu cartera en el hotel ?

H— No creo. Tendría gracia que después de todo este disgusto se tratara sólo de un despiste[11].

  — *(Un guardia, entrando con un taxista)* Aquí, un taxista que nos trae una cartera olvidada por un cliente.

H— ¡ Ay ! ¡ Menos mal, ya apareció ! Sí, es la mía, y está todo[12].

M— Le estamos muy agradecidos por su honradez... Y tú, a ver si pones más cuidado con tus cosas.

H = homme M = femme G = agent I = inspecteur

(Un couple de touristes s'adresse à un agent de ville)

H— Bonjour ! Écoutez, je suis très ennuyé parce qu'on vient de me voler mon portefeuille avec tout ce qu'il contenait.

G— Ah ! mon pauvre ! Le mieux est d'aller directement au commissariat pour porter plainte.

M— Et le commissariat est très loin ?

G— Non, regardez ! Descendez toute cette rue et en arrivant à ce rond-point, prenez à droite. Ensuite, tout droit et à la 3e rue à gauche, vous avez le commissariat à une centaine de mètres. Vous ne pouvez pas vous perdre.

H— *(Au commissariat)...* Et voilà que lorsque j'ai voulu payer, je n'avais plus mon portefeuille. On me l'avait volé !

I— Que contenait votre portefeuille ?

H— Tous mes papiers : carte d'identité, permis de conduire, carte professionnelle et de Sécurité sociale.

I— Vous aviez de l'argent ou autre chose de valeur ?

H— Oui, bien sûr. Voyons que je me souvienne exactement : environ dix ou onze mille pesetas, mille francs français, une carte de crédit et cent dollars en chèques de voyage.

I— C'est tout ?

H— Cela ne vous suffit pas ?... Encore heureux que ma femme ait eu une petite réserve et que nous ayons pu payer l'addition, car sinon, nous finissions ici, mais avec des menottes !

I— Voyons madame, montrez-moi vos papiers. J'en ai besoin pour établir votre déclaration.

M— Les voici. Mais pouvez-vous me dire : comment mon mari va-t-il pouvoir circuler dans le pays ? Y a-t-il un consulat en ville ?

I— Non, mais vous avez une Agence consulaire. Vous allez me signer ces documents ; ils vous serviront pour régulariser votre situation et pour vos démarches à la banque et auprès de votre compagnie d'assurances.

H— L'ennui c'est que nous sommes pratiquement sans un sou.

M— Eh... Tu n'aurais pas oublié ton portefeuille à l'hôtel ?

H— Je ne crois pas. Ce serait drôle qu'après toute cette contrariété il ne s'agisse que d'une étourderie.

— *(Un agent entre avec un chauffeur de taxi)* Voici un chauffeur de taxi qui nous apporte un portefeuille oublié par un client.

H— Ouf ! Tant mieux, on l'a retrouvé ! Oui, c'est le mien, et tout y est.

M— Nous vous sommes très reconnaissants de votre honnêteté... Et toi, fais un peu plus attention à tes affaires.

1. **un matrimonio,** *couple marié ;* **una pareja,** *un couple.*
2. **ando preocupado,** estoy preocupado.
3. **acaban de robarme la cartera,** *on vient de me voler (mon) portefeuille.* Acabar *(achever, terminer)* de + infinitif = venir de + infinitif. *Acabo de* **perder las llaves,** *je viens de perdre les clés.* Mais, **vengo** (venir) **de Francia,** *je viens de France.*
4. **Lo mejor es que/Lo malo es que,** *le mieux c'est que/ l'ennui c'est que.* **Lo mejor es ir al Consulado,** *le mieux c'est d'aller au consulat* (voir I—3, 12.)
5. **¿ queda muy lejos ?** ¿ está muy lejos ? **¿ Dónde queda la Comisaría ?** *Où se trouve le Commissariat ?*
6. **cuando fui a pagar,** m. à m. : *quand je suis allé payer.* Ici, expression courante : *quand j'ai voulu payer…* (au moment précis où…).
7. **« ya no tenía la cartera »,** *je n'avais plus mon portefeuille.* Plus (connotation de temps dans la phrase négative) = **ya. Antes venía, ahora ya no viene,** *avant il venait, maintenant il ne vient plus.* Plus (connotation de quantité) = **más.** *Je n'en veux plus* = **no quiero más.**
8. **unas diez mil pesetas,** m. à m. : *quelque 10 000 pesetas.* Dans une expression de quantité ou de nombre : *environ, à peu près.* **Hay unos doscientos kilómetros hasta la frontera,** *jusqu'à la frontière, il y a 200 kilomètres environ.*
9. **¿ Le parece a usted poco ?** m. à m. : *cela vous semble peu ?* Par extension, expression d'étonnement : *cela ne vous suffit pas ? !*
10. **su situación, sus gestiones, su compañía,** *votre situation, vos démarches, votre compagnie.* On vouvoie donc, l'adjectif possessif est à la 3e personne. *Su* **situación** peut bien sûr vouloir dire aussi : *sa situation* ou *leur situation.*
11. **« Tendría gracia… que se tratara solo de un despiste »,** *ce serait drôle qu'il ne s'agisse que d'une étourderie.* (concordance de temps : voir X—3, 11).
12. **está todo,** *tout y est.* **¿ Estamos ?,** *nous y sommes ?* **Ya está,** *ça y est !*

Esp	Fr	Hisp-am
la comisaría	*le commissariat*	**el juzgado**
el documentó de identidad	*la carte d'identité*	**la cédula de ciudadanía** *(Colombie)*
el Ministerio del Interior	*le ministère de l'Intérieur*	**el Ministerio de Gobierno** *(Colombie)*
naturalizado	*naturalisé*	**nacionalizado** *(Colombie)*
la taberna	*la buvette*	**el botiquín** *(Venezuela)*
la camarilla	*le clan*	**la mazorca** *(Argentine)*
los pasotas	*les loubards*	**los patoteros** *(Argentine)*

Llegada a la cárcel

Nos trasladaron de noche. Pasamos directamente por una puerta, del pabellón de celdas de la Intendencia al patio del Sexto. Desde lejos pudimos ver, a la luz de los focos eléctricos de la ciudad, la mole de la prisión cuyo fondo apenas iluminado mostraba puentes y muros negros. El patio era inmenso y no tenía luz. A medida que nos aproximábamos, el edificio del Sexto crecía. Ibamos en silencio. Ya a unos veinte pasos empezamos a sentir su fetidez.

Cargábamos nuestras cosas. Yo llevaba un delgado colchón de lana ; era de los más afortunados ; otros sólo tenían frazadas y periódicos. Marchábamos en fila. Abrieron la reja con gran cuidado, pero la hicieron chirriar siempre y cayó después un fuerte golpe sobre el acero. El ruido repercutió en el fondo del penal.

José María Arguedas, *El Sexto*, Populibros peruanos, Lima

Arrivée en prison

On nous transféra de nuit. Nous sommes passés directement par une porte du pavillon de cellules de la Juridiction à la cour du « Sexto » (nom d'une prison péruvienne). De loin, nous avons pu voir, à la lueur des lumières électriques de la ville, la masse de la prison, dont le fond, à peine éclairé, laissait voir des ponts et des murs noirs. La cour était immense et n'avait pas de lumière. A mesure que nous approchions, le bâtiment du « Sexto » grandissait. Nous marchions en silence. A une vingtaine de pas, nous avons commencé à sentir sa puanteur.

Nous portions nos affaires. J'avais un matelas de laine mince ; j'étais parmi les plus chanceux ; d'autres n'avaient que des couvertures et des journaux. Nous marchions en rang. On ouvrit la grille très soigneusement, mais elle grinça quand même, puis un coup sourd retentit sur l'acier. Le bruit se répercuta vers le fond de la prison.

En caso de que tenga algún problema

Normalmente en las grandes ciudades existen consulados de los países con los que España tiene más relaciones (es el caso de Francia), y si al turista le ocurre algún percance debe acercarse a ellos para solucionar los problemas que ocurren de improvisto. Ahora bien, si la ciudad donde está Vd no es muy grande puede que haya una Agencia Consular o que ésta esté en una ciudad muy cerca : en Comisaría se lo dirán.

Estos Agentes Consulares son Españoles que ejercen esa actividad sin ninguna retribución ; dependen de un consulado más importante y sirven ante todo para orientar y servir de intermediario entre la administración española y el turista en apuro. También legalizan firmas y extienden certificados de vida y residencia. En caso de que el visitante extranjero se quede sin dinero (o se lo roben), el Agente Consular le puede prestar una cantidad para que llegue hasta la frontera. Si en sus atribuciones no entra la de extender él mismo la documentación (pasaporte o documento de identidad), sirve de intermediario para su consecución.

En cas de problème

Normalement dans les grandes villes il existe des consulats des pays avec lesquels l'Espagne entretient le plus de relations (c'est le cas de la France), et s'il arrive un ennui au touriste il doit s'y rendre pour régler les problèmes qui surgissent à l'improviste. Cependant si la ville où vous vous trouvez n'est pas très grande il se peut qu'il y ait une Agence Consulaire ou que celle-ci soit dans une ville très proche : on vous le dira au commissariat.

Ces Agents Consulaires sont des Espagnols qui exercent cette activité sans aucune rétribution ; ils dépendent d'un consulat plus important et servent avant tout à renseigner et à servir d'intermédiaire entre l'administration espagnole et le touriste en difficulté. Ils légalisent également des signatures et établissent des certificats de vie et de résidence. Dans le cas où le visiteur étranger se trouve sans argent (ou qu'on le lui vole), l'Agent Consulaire peut lui prêter une certaine somme pour qu'il arrive jusqu'à la frontière. S'il n'entre pas dans ses attributions d'établir lui-même les documents d'identité (passeport ou carte d'identité), il sert d'intermédiaire pour leur obtention.

1. Lo siento, pero tendrán que acompañarme al puesto de policía.
2. Lo mejor es que presten declaración ante el agente consular de su país.
3. Cuando fui a darle al motorista la documentación del coche, no la tenía ; me había dejado el bolso en el hotel...
4. Y como hubo heridos en el accidente, nos tuvieron en comisaría cuatro horas hasta que pudimos acreditar nuestra identidad.
5. ¿ Cuánto dice que tenemos que pagar de multa ? ¡ Mil pesetas ! Unos sesenta francos...
6. Lo malo sería que el consulado estuviera cerrado.
7. Aparquen en la cuneta, por favor ; tenemos órdenes de registrar todos los coches.
8. ¡ Me quejaré a mi embajada !
9. No discuta, Señor. Si hubiera tenido que vérselas con un policía nacional habría sido peor. Se lo digo yo.

1. Je regrette, mais vous voudrez bien me suivre au poste.
2. Le mieux c'est que vous fassiez une déclaration auprès de l'agent consulaire de votre pays.
3. Quand j'ai voulu donner les papiers de la voiture au « motard », je ne les avais pas ; j'avais laissé mon sac à l'hôtel !
4. Et comme il y a eu des blessés dans l'accident, ils nous ont gardés au commissariat pendant 4 heures, jusqu'à ce que nous ayons prouvé notre identité.
5. Combien dit-il que nous devons payer comme amende ? Mille pesetas. Soixante francs environ...
6. L'ennui serait que le Consulat soit fermé.
7. Garez-vous sur le bas-côté s'il vous plaît ; nous avons l'ordre de fouiller toutes les voitures.
8. Je me plaindrai à mon Ambassade !
9. Ne discutez pas, Monsieur ! Si vous aviez eu affaire à un policier national, ça aurait été pire. C'est moi qui vous le dis.

la documentación, les papiers

dirigirse a, s'adresser à

un guardia urbano, un agent de ville

robar, voler

la cartera, le portefeuille

una denuncia, une plainte

la comisaría, le commissariat

una glorieta, un rond-point

una bocacalle, le débouché ou l'entrée d'une rue

tarjeta de identidad, carte d'identité

carnet de conducir, permis de conduire

la tarjeta profesional, la carte professionnelle

la tarjeta de seguridad social, la carte de Sécurité sociale

las esposas, les épouses, *mais aussi* les menottes

enseñar, montrer

necesitar, avoir besoin

extender un documento, établir, rédiger un document

el Consulado, le Consulat

servir para, servir à

arreglar, régulariser, arranger

una gestión, une démarche

una compañía de seguros, une compagnie d'assurances

un duro, unité de compte populaire valant cinq pesetas

estar sin un duro, être sans un sou

un disgusto, une contrariété, un désagrément

tratarse de, s'agir de

el despiste, l'étourderie

el taxista, le chauffeur de taxi

la honradez, l'honnêteté

el cuidado, le soin, l'attention

poner cuidado, faire attention

sus cosas, ses affaires

Vocabulaire complémentaire

un trámite, une démarche

una póliza de seguros, une police d'assurance

prestar declaración, faire une déclaration

un motorista

un guardia ⎫ un « motard »,

civil de ⎬ un policier

carretera ⎭ de la route

un guardia ⎰ un garde civil

civil ⎱ un gendarme

un policía, un policier

el bolso, le sac, la sacoche

acreditar, prouver, accréditer

una multa, une amende

extraviar, égarer

caducar, périmer

un adelanto, une avance d'argent

el orden, l'ordre (contraire de désordre)

la orden, l'ordre (commandement)

embajada, ambassade

un percance, un contretemps, un inconvénient

un apuro, un embarras, une difficulté

el tirón, le vol à l'arraché

A ■ Traduire

1. Je viens de perdre mon portefeuille avec tous mes papiers. Que dois-je faire ?

2. Le mieux c'est que vous vous adressiez au Consulat mais avant, faites une déclaration de perte au Commissariat.

3. Votre carte d'identité est périmée.

4. Combien as-tu payé d'amende ? 2 000 pesetas ! 120 francs environ.

5. Pouvez-vous me montrer vos papiers ? Je les ai oubliés à l'hôtel... Il n'est pas loin.

6. Le mieux c'est que nous allions les chercher ensemble.

7. Il vous faudra attendre lundi pour vos démarches auprès de votre compagnie d'assurances et de votre Consulat.

8. Je n'ai plus d'argent ; mais j'ai une police spéciale pour l'étranger. Alors à l'agence de votre compagnie on pourra vous faire une avance.

B ■ Traducir

1. Cuando fuimos a pasar la frontera, vimos que habiamos extraviado la documentación.

2. Puedo acreditarle mi identidad si me acompaña al hotel ; no queda lejos.

Corrigé

A ■ 1. Acabo de perder la cartera con toda la documentación. ¿ Qué tengo que hacer ?

2. Lo mejor es que se dirija al Consulado pero antes haga una declaración en Comisaría.

3. Su carnet de identidad está caducado.

4. ¿ Cuánto has pagado de multa ? ¡ Dos mil pesetas ! Unos ciento veinte francos.

5. ¿ Puede enseñarme su documentación ? Se me ha olvidado en el hotel... No queda lejos.

6. Lo mejor es que vayamos por ella juntos.

7. Tendrá que esperar el lunes para sus gestiones (trámites) en su compañía de seguros y en su Consulado.

8. No tengo (no me queda) más dinero ; pero tengo una póliza especial para el extranjero. Entonces podrán hacerle un adelanto en la agencia de su compañía.

B ■ 1. Quand nous avons voulu (nous allions) (au moment de) passer la frontière, nous nous sommes rendu compte que nous avions égaré nos papiers.

2. Je peux vous prouver mon identité, si vous m'accompagnez à l'hôtel ; il n'est pas loin.

H = hombre   M = mujer   A = administrador de fincas

(Un matrimonio madrileño entra en la oficina de un administrador de fincas)

H— Muy buenas ; venimos a ver qué es lo que tiene para este verano. Quisiéramos pasar un mes en la costa.

A— Siéntense. Y ¿ Qué es lo que desean exactamente ?

M— Pues mire, la verdad, nos está costando trabajo decidirnos[1] exactamente. Hemos mirado varios días los anuncios por palabras de los periódicos de Madrid y de Barcelona y estamos un poco perplejos. Además hemos pensado que Vd. nos aconsejaría y que tendríamos una garantía.

A— ¿ En qué temporada[2] desean veranear ?

H— Pues si fuera posible[3] del 15 de Julio al 15 de Agosto.

A— Temporada alta. Yo tengo varias cosas que proponerles[4], por ejemplo ¿ qué dirían Vds de un chalet en Peñíscola, en la Costa de Azahar, con vistas al mar, jardín, garage, cinco habitaciones, piscina, cuarto de baño y cuarto de aseo...

M— ¡ Huy ! Pero eso será muy caro[5] ¿ no ?

A— Doscientas mil al mes[6]. Pero si quieren algo más barato puedo ofrecerles por cincuenta mil[7] un apartamento en la Manga del Mar Menor, en la Costa Blanca. Dos habitaciones y terraza. Hay tres camas y una cuna. Por ese precio es una ganga. Dese cuenta de que[8] por toda la zona los precios son casi el doble.

M— Y ¿ Cómo es que tiene ese precio ?

A— Mire, ese apartamento es de una familia que no lo tiene para alquilarlo[9] Normalmente lo usan siempre en verano, pero este año no van a poder ir por allá y no tienen a nadie que vaya en su lugar ; entonces les interesaría que alguien usara el piso para tenerlo[4] abierto durante el verano. Como comprenderán está muy bien cuidado[10].

H— ¿ Sabe cómo se llega ? ¿ Dónde está exactamente ?

A— En la provincia de Murcia. Parece ser que está en un conjunto muy moderno y tranquilo de pequeños edificios con toda clase de servicios y tiendas. Si quieren, mientras miran estos mapas de la situación puedo comenzar el papeleo para el alquiler. Ahora, pero tendrá que ser en julio, porque en agosto ya está alquilado.

M— ¿ Qué opinas, Manolo ?

H— Pues a primera vista yo lo veo bien. Además ya me las arreglaré en la oficina para las fechas. ¡ Hala ! ¡ Hala, ya está, de acuerdo !

A— Hacen bien. No lo lamentarán.

(Un couple de Madrilènes entre dans le bureau d'un agent immobilier)

H— Bonjour ; nous sommes venus voir ce dont vous disposez pour cet été. Nous voudrions passer un mois sur la côte.

A— Asseyez-vous. Et que voulez-vous exactement ?

M— Eh bien, écoutez, en vérité, nous avons du mal à nous décider exactement. Nous avons regardé pendant plusieurs jours les petites annonces des journaux de Madrid et de Barcelone et nous sommes un peu indécis. En plus nous avons pensé que vous nous conseilleriez et que nous aurions une garantie.

A— A quelle époque désirez-vous passer vos vacances ?

H— Eh bien, si cela était possible, du 15 juillet au 15 août.

A— Haute saison. J'ai plusieurs choses à vous proposer ; par exemple, que diriez-vous d'une villa à Péniscola, sur la « Costa de Azahar », avec vue sur la mer, jardin, garage, cinq chambres, piscine, salle de bains et salle d'eau...

M— Oh ! là là ! Mais ça doit être très cher, non ?

A— Deux cent mille par mois. Mais si vous voulez quelque chose de meilleur marché je peux vous offrir pour cinquante mille un appartement dans la Manga del Mar Menor, sur la « Costa Blanca ». Deux chambres et terrasse. Il y a trois lits et un lit d'enfant. Pour ce prix c'est une affaire. Rendez-vous compte que dans toute la région les prix sont presque le double.

M— Et comment se fait-il qu'il soit à ce prix-là ?

A— Écoutez, cet appartement appartient à une famille qui ne le loue pas. D'habitude, ils l'utilisent toujours en été, mais cette année, ils ne pourront pas y aller et ils n'ont personne pour y aller à leur place ; alors cela les intéresserait que quelqu'un prenne l'appartement pour l'ouvrir pendant l'été. Comme vous comprendrez il est très bien entretenu.

H— Savez-vous comment y aller ? Où est-ce exactement ?

A— Dans la province de Murcie. Il semble qu'il se trouve dans un ensemble très moderne et tranquille de petites constructions avec toutes sortes de services et de boutiques. Si vous voulez, pendant que vous regardez ces cartes de situation, je peux commencer toutes les formalités de location. Maintenant, attention, cela devra être en juillet, parce qu'en août c'est déjà loué.

M— Qu'en penses-tu, Manolo ?

H— A première vue cela me semble bien. Par ailleurs, je me débrouillerai au bureau pour les dates. Allez, c'est bon, d'accord !

A— Vous faites bien. Vous ne le regretterez pas.

1. **nos está costando trabajo decidirnos,** *nous avons du mal à nous décider.* **Costar trabajo** ou **costar mucho** = *avoir du mal à* (usuel). Notez que l'infinitif espagnol n'est pas précédé de préposition : *Me cuesta trabajo creer que sea tan caro, j'ai du mal à croire qu'il soit si cher.*

2. **temporada,** ici *saison* (touristique). **Temporada teatral** = *saison théâtrale.* **Fuera de temporada,** *hors saison.* Mais : **las cuatro estaciones,** *les quatres saisons.*

3. **si fuera posible,** *si c'était possible...* Phrase conditionnelle (voir leçon VII—3, 11.)

4. **tengo varias cosas que proponerles,** *j'ai plusieurs choses à vous proposer.*
   a) *Tener que hacer, avoir à faire.* **Tengo algo que decirte,** *j'ai quelque chose à te dire* (à ne pas confondre avec **tener que,** *devoir* — obligation. Ex. *Tengo que irme, je dois partir).*
   b) *Proponerles, ofrecerles, tenerlo, vous proposer, vous offrir, l'avoir, m'acheter.* On rappelle ici l'enclise des pronoms (celui-ci doit « se souder » au verbe) à l'infinitif. Ainsi qu'à l'impératif (voir VIII—3, 1 et IX—3, 3) et au gérondif : *alquilándolo en invierno saldrá más barato, en le louant en hiver, il reviendra moins cher* (voir XIII—3, 1). Autres aspects des pronoms dans la phrase : voir III et V.

5. **será muy caro,** *il doit être cher,* futur de conjecture (voir XII—3, 14.)

6. **Doscientas mil al mes,** *200 000 par mois,* mais « a cien por hora », *à cent à l'heure.*

7. **por 50 000 pesetas,** *pour 50 000 pesetas.* Idée d'échange, de prix *pour* : **por** ; *lo compré por casi nada, je l'ai acheté pour presque rien.* Autres aspects de **por** (voir I, IV, VI, VII, XI, XIV).

8. **Dese cuenta de que,** m. à m. *rendez-vous compte que* ; **darse cuenta de,** *se rendre compte que.* Comme : **estar seguro de que,** *être sûr que.*

9. **para alquilarlo. Para tenerlo,** *pour le louer, pour l'avoir.* Idée de finalité : **para,** *pour ;* Le llamo para reservar (para que me reserve) un piso, *j'appelle pour louer un appartement.*

10. **está bien cuidado,** m. à m. *il est bien soigné* (en bon état). *¿ Dónde está ? Où est-il ? Está en un conjunto... Il est* (se trouve) *dans un ensemble... Ya está alquilado, il est déjà loué.* (Traduction du verbe ÊTRE : voir II—3, 6, VIII—3, 2, X—3, 12 et 15, XII—3, 2, XIII.)

Esp	Fr	Hisp-am
los servicios	*les toilettes*	**el baño, el inodoro** *(Col.)*, **el excusado** *(Col.)*
el piso	*l'appartement*	**el apartamento, el departamento** *(Arg.)*
alquilar	*louer*	**rentar** *(Mexique)*
el umbral	*le seuil*	**el quicio** *(Colombie)*
el desván	*le grenier*	**el zarzo** *(Colombie)*
las chabolas	*les bidonvilles*	**los tugurios, las barriadas, los ranchitos** *(Caracas)*, **las poblaciones** *(Chili)*, **la villa miseria** *(Arg.)*

Viviendas latinoamericanas

No sólo hay tugurios en Hispanoamérica. También hay casas, con patio y flores : es lo que prefiere la mayor parte de los Bogotanos o de los Caraqueños, sobre todo de las clases medias. Pues los más pudientes suelen preferir los apartamentos en edificios de diez o más pisos. Pero es cierto que, en todas las capitales (salvo, quizás, en La Habana, cuya población no ha aumentado mucho en los últimos veinte años), el éxodo rural ha provocado un aumento de la población urbana a menudo espectacular como en Ciudad de México, en Bogotá, en Lima o en Caracas. Esos habitantes, generalmente muy pobres, suelen invadir terrenos y desenredarse como pueden. En cuanto a pasar vacaciones... primero sobrevivir y, luego... ir a ver a algún familiar que viva en el campo.

Logements latino-américains

Il n'y a pas que des bidonvilles en Amérique hispanique. Il y a aussi des maisons, avec une cour et des fleurs : c'est ce que préfèrent la plupart des habitants de Bogota ou de Caracas, surtout ceux des classes moyennes. Car les plus riches aiment généralement mieux les appartements dans des tours de dix étages ou plus. Mais c'est vrai que, dans toutes les capitales (sauf, peut-être, à La Havane, dont la population n'a guère augmenté au cours des vingt dernières années), l'exode rural a provoqué une augmentation de la population urbaine souvent spectaculaire, comme à Mexico, à Bogota, à Lima ou à Caracas. Ces habitants, généralement très pauvres, envahissent souvent des terrains et se débrouillent comme ils peuvent. Quant aux vacances... il faut d'abord survivre et puis... aller voir un parent qui habite la campagne.

Alojarse en España

Si no quiere Vd frecuentar hoteles o pasar sus vacaciones en un cámping deberá alquilar un piso o un chalet. Los anuncios por palabras proponen muchas posibilidades : apartamentos o pisos que especifican el número de dormitorios (y no de habitaciones), chalets, o « torres » como dicen en Cataluña. También puede pasar por un administrador de fincas que le propondrá todas las posibilidades que tenga a su disposición. Aunque le salga un poco más caro, siempre encontrará más posibilidades y más garantías.

Existe igualmente la posibilidad de alquilar una casa, o un piso por la fórmula de las llamadas casas de labranza : a partir de 1967 el Estado español ha venido fomentando las vacaciones en zonas rurales en las que ha otorgado a las personas que lo solicitaron préstamos sin interés para que acondicionaran sus casas ; los beneficiarios de dichos préstamos se comprometían a poner a la disposición de los turistas casas, pisos o habitaciones para poder alquilarlas durante la temporada veraniega. Existe una « Guía de las vacaciones en casas de labranza » que se puede adquirir o que se puede consultar en las Oficinas de turismo, tanto en España como en las Oficinas en el extranjero.

Comment se loger en Espagne

Si vous ne voulez pas fréquenter des hôtels ou passer vos vacances dans un camping vous devrez louer un appartement ou une villa. Les petites annonces offrent beaucoup de possibilités : des appartements qui précisent le nombre de chambres (et non de pièces) des villas ou « torres » (tours), comme on dit en Catalogne. Vous pouvez aussi passer par un agent immobilier qui vous proposera toutes les possibilités dont il dispose. Bien que cela vous revienne un peu plus cher, vous y trouverez toujours davantage de choix et plus de garanties.

Il existe également la possibilité de louer une maison, ou un appartement grâce à la formule de ce que l'on appelle les gîtes ruraux : à partir de 1967 l'État espagnol a encouragé les vacances en zones rurales où il a accordé des prêts sans intérêt aux gens qui l'ont demandé pour qu'ils aménagent leurs maisons ; les bénéficiaires de ces prêts s'engageaient à mettre à la disposition des touristes des maisons, des appartements ou des chambres pour pouvoir les louer pendant la saison d'été. Il existe un « Guide des vacances en gîtes ruraux » que l'on peut acheter ou que l'on peut consulter dans les Bureaux de tourisme aussi bien en Espagne que dans les bureaux à l'étranger.

1. He encontrado un apartamento interesantísimo de precio en los anuncios por palabras.
2. Me gusta esta casa. Cuando uno se asoma a la ventana se ve toda la sierra.
3. « Se alquila chalet en la Costa del Sol para toda la temporada veraniega. Razón : Teléfono : 20.54.77. »
4. La semana próxima nos mudamos definitivamente a un chalet de las afueras de Madrid.
5. ¡ Qué bonito es este patio con sus azulejos y su surtidor en el centro !
6. Me voy a quejar a la agencia : todos los platos del servicio están rotos y faltan la mitad de los cubiertos.
7. Nosotros alquilamos cada año en un sitio diferente y así vamos conociendo todo el país.
8. He puesto un anuncio en el periódico para alquilar el apartamento de Benalmádena.
9. Nosotros tenemos un piso en multipropiedad, pero a Manolo no termina de gustarle la fórmula y lo usamos poco.
10. A ver si me acuerdo de avisar al portero para que me traigan la bombona de butano.

1. J'ai trouvé un appartement à un prix très intéressant par les petites annonces.
2. J'aime cette maison. Quand on se penche à la fenêtre, on voit toute la montagne.
3. « A louer : villa sur la Costa del Sol pour toute la saison d'été ; se renseigner, téléphone : 20.54.77. »
4. La semaine prochaine nous déménageons définitivement pour une villa dans la banlieue de Madrid.
5. Que ce patio est joli, avec ses carreaux de faïence et son jet d'eau au milieu !
6. Je vais me plaindre à l'agence : toutes les assiettes du service sont cassées, et il manque la moitié des couverts.
7. Nous prenons tous les ans une location à un endroit différent et ainsi nous connaissons peu à peu tout le pays.
8. J'ai passé une annonce dans le journal pour louer l'appartement de Benalmadena.
9. Nous avons un appartement en multipropriété, mais la formule n'arrive pas à plaire à Manolo et nous l'utilisons peu.
10. Il ne faut pas que j'oublie de prévenir le concierge pour qu'on me livre la bouteille de butane.

madrileño, madrilène, de Madrid

una finca, une propriété immobilière

un administrador de fincas, un agent immobilier

muy buenas, bonjour ou bonsoir

la costa, la côte (littoral)

costar trabajo decidirse, avoir du mal à se décider

los anuncios por palabras, les petites annonces

el periódico, le journal

perplejo, perplexe, indécis

aconsejar, conseiller

veranear, passer l'été

proponer, proposer

un chalet, une villa

el azahar, la fleur d'oranger

vistas al mar, vue sur la mer

el cuarto de baño, la salle de bains

el cuarto de aseo, la sàlle d'eau

barato, bon marché

la cama, le lit

la cuna, le berceau, le lit d'enfant

una ganga, une affaire (aubaine)

darse cuenta, se rendre compte

¿Cómo es que...?, pourquoi...?

el piso, l'appartement

cuidado, soigné, entretenu

un conjunto, un ensemble

el mapa, la carte (géographique)

el papeleo, les papiers, la paperasse

el alquiler, la location

Vocabulaire complémentaire

alojarse, se loger, s'héberger

el dormitorio, la chambre à coucher

la planta, la plante, l'étage

la planta baja, le rez-de-chaussée

un alojamiento, un logement

la casa de labranza, le gîte rural

asomarse a la ventana, se pencher à la fenêtre

mudarse, déménager

la compañía de mudanza, l'entreprise de déménagement

los azulejos, les carreaux de faïence

el surtidor, le jet d'eau

el portero, le concierge

a mano izquierda, à gauche

el descansillo, le palier

el cuarto, la pièce, la chambre

fomentar, encourager, développer

acondicionar, aménager

el acondicionamiento, l'aménagement

una guía, un guide (livre)

poner un anuncio, passer une annonce

la nevera, el frigorífico, le réfrigérateur

la plancha, le fer à repasser

la olla a presión, l'autocuiseur

la sábana, le drap

la manta, la couverture

la almohada, l'oreiller

amueblado, meublé

A ■ Traduire

1. La location de cet appartement coûte 50 000 pesetas par mois.
2. Pour le moment nous ne pouvons pas déménager, mais nous devrons partir de cette villa bientôt.
3. Les locations sont plus chères en haute saison.
4. Si c'est un rez-de-chaussée ce doit être humide.
5. Il ne se rend pas compte de la difficulté d'aménager cette maison !
6. Il n'y a rien à faire : tous les ans pour une raison ou pour une autre je dois me plaindre à l'agent immobilier.
7. Je vous conseille cette villa toute meublée ; c'est une bonne affaire ! Louez-la, vous en serez content(s).
8. Pourquoi tu as loué un gîte rural si grand ? Il doit être cher en plus !

B ■ Traducir

1. Quisiera que me aconsejara.
2. Si quieren pueden consultar la guía, pero no puedo prestársela o vendérsela, porque no tengo más que ese ejemplar.
3. Si vamos en otra época nos saldrá más barato.

Corrigé

A ■ 1. El alquiler de este apartamento cuesta (vale) 50 000 pesetas al mes.
2. Por ahora no podemos mudarnos, pero tendremos que irnos de este chalet dentro de poco tiempo (pronto).
3. Los alquileres son más caros en temporada alta.
4. Si es una planta baja, será húmedo.
5. No se da cuenta de la dificultad de acondicionar esta casa.
6. No hay nada que hacer : todos los años por una razón o por otra me tengo que quejar al administrador de fincas.
7. Les (ou le) aconsejo este chalet completamente amueblado, ¡ es una ganga ! Alquílenla (ou alquílela) ; quedarán contentos (ou quedará contento).
8. ¿ Cómo es que (por qué) has alquilado una casa de labranza tan grande ? ¡ Además será cara !

B ■ 1. Je voudrais que vous me conseilliez.
2. Si vous voulez vous pouvez consulter le guide mais je ne peux ni vous le prêter, ni vous le vendre ; car je n'ai que cet exemplaire.
3. Si nous allons à un autre moment (à une autre période) cela nous reviendra moins cher.

S = señora   D = doctor   M = marido

S— Pase, le esperábamos. Mi marido no se encuentra bien.

D— Veamos, ¿ qué le ocurre ?

S— Ha sido de pronto[1], Doctor. Después de cenar[2], un sudor frío y mareos...

D— Habrá comido algo que no le ha sentado bien[3]... Vamos a verlo... ¿ Se ha puesto el termómetro ?

S— Sí, Doctor. 39 tenía hace una hora.

D— Incorpórese... Así está bien. *(Reconociéndolo)* Respire... El pecho no le duele[4] ¿ verdad ?

M— No, pero lo que es la cabeza...

D— Ya... ¿ molestias en el estómago ?

M— Sí, como si no hubiera digerido[5].

D— Y por los hombros[6], veo que le ha dado bien el sol.

S— Cada año le pasa lo mismo. El primer día se pone como un cangrejo[7].

D— Pues este año además ha cogido una insolación de las buenas... Lo clásico.

S— Me lo figuraba...

D— No hay por qué alarmarse[8], pero eso sí, nada de playa[9] durante tres días ; beba mucha agua o zumos de fruta, y nada de alcohol[9]. Para la fiebre, unas pastillas, tres al día ; se lo pongo en la receta. Será mejor que vaya ahora a la farmacia de guardia, Señora. Está cerca de aquí. Así podrá tomarse ya una esta noche. Dormirá mejor, ya verá. Le receto también una pomada para las quemaduras. Le aliviará.

S— ¿ Podría Vd indicarme algo para el resfriado ?

D— De acuerdo. Se lo apunto en la receta para su marido. Es verdad que hay corrientes por todas partes en este hotel... Si no se pone mejor[10], no duden en llamarme[11]. Estoy de guardia toda la semana. O si no, por las tardes en mi consulta particular...

S— ¿ A qué hora ?

D— De cinco a ocho. Si necesitan verme les recibiré entre dos pacientes. En el membrete de la receta tienen la dirección y el número de teléfono.

S— ¡ Ah ! ¿ No le importaría hacerme un recibo con el importe de sus honorarios ? Es para la Seguridad social en Francia.

D— Desde luego que no.

S— Gracias por todo, Doctor.

S— Entrez, nous vous attendions. Mon mari n'est pas bien.

D— Voyons. Que lui arrive-t-il ?

S— C'est arrivé soudainement, Docteur. Après avoir dîné, une sueur froide et des nausées...

D— Il a dû manger quelque chose qui ne lui a pas réussi. Nous allons voir cela. A-t-il pris sa température ?

S— Oui, Docteur. Il avait 39 il y a une heure.

D— Redressez-vous... Vous êtes bien comme cela. *(En l'examinant.)* Respirez... Vous n'avez pas mal à la poitrine, n'est-ce pas ?

M— Non, mais alors la tête...

D— Bon... Avez-vous des douleurs d'estomac ?

M— Oui, comme si je n'avais pas digéré.

D— Et d'après vos épaules, je vois que vous avez bien pris le soleil.

S— Tous les ans il lui arrive la même chose. Le premier jour il devient comme une écrevisse.

D— Eh bien, cette année en plus il a eu une bonne insolation... C'est classique.

S— Je m'en doutais...

D— Il n'y a pas de quoi s'alarmer, mais par contre, pas de plage pendant trois jours ; buvez beaucoup d'eau ou des jus de fruits, et pas d'alcool. Pour la fièvre, des comprimés, trois par jour ; je vous le marque sur l'ordonnance. Il vaudrait mieux que vous alliez à la pharmacie de garde maintenant, Madame. Elle est près d'ici. Ainsi il pourra en prendre un ce soir. Il dormira mieux, vous verrez. Je lui prescris aussi une pommade pour les brûlures. Cela le soulagera.

S— Pourriez-vous m'indiquer quelque chose pour le rhume ?

D— D'accord. Je vous l'inscris sur l'ordonnance de votre mari. C'est vrai qu'il y a des courants d'air partout dans cet hôtel !... S'il ne va pas mieux, n'hésitez pas à m'appeler. Je suis de garde toute la semaine. Ou sinon, l'après-midi à ma consultation privée...

S— A quelle heure ?

D— De cinq heures à huit heures. Si vous avez besoin de me voir, je vous recevrai entre deux patients. Sur le papier à en-tête de l'ordonnance vous avez mon adresse et mon numéro de téléphone.

S— Ah ! Cela ne vous ferait rien de m'établir un reçu avec le montant de vos honoraires ? C'est pour la Sécurité sociale en France.

D— Bien sûr que non !

S— Merci pour tout, Docteur.

1. **Ha sido de pronto,** m. à m. *ça a été soudain, c'est arrivé tout à coup, brusquement. Se desmayó de pronto, il s'est évanoui tout à coup.*

2. **Después de cenar,** *après avoir dîné. Después de dormir diez horas, se despertó, il se réveilla après avoir dormi pendant 10 heures.*

3. **no le ha sentado bien,** *ne lui a pas réussi.* Sens particulier de *sentar* = *réussir,* ou *faire du bien* (pour un aliment, un médicament, un propos), en quelque sorte au corps ou à l'esprit. *La aspirina no me sienta bien, l'aspirine ne me réussit pas.* Las vacaciones *en el Norte le sentaron bien, les vacances dans le Nord lui ont fait du bien,* et aussi : *no le sienta bien que le hablen mal de su familia, il n'apprécie pas (il ne lui plaît pas) qu'on lui dise du mal de sa famille.*

4. **El pecho ¿ no le duele ?** *la poitrine ne vous fait pas mal ?* ou *vous n'avez pas mal à la poitrine ? Doler,* même construction que *gustar. ¿Dónde le duele* (a usted) ? *Où avez-vous mal ? Me duelen las muelas, j'ai mal aux dents ; un dolor de muelas, une rage de dents.*

5. **como si no hubiera digerido,** *comme si je n'avais pas digéré.* Aspects du subjonctif : *como si* + subjonctif = *comme si* + indicatif : *como si fueras un niño, comme si tu étais un enfant.*

6. **por los hombros,** *d'après vos épaules.* Aspects de *por* : voir II—3, 1.

7. **se pone como un cangrejo,** m. à m. *il devient comme un crabe.* Expression de la langue parlée. *Ponerse (devenir)* est suivi pratiquement toujours d'un adjectif (transformation soudaine ou accidentelle). *Se ha puesto triste porque mañana no puede ir a la playa, il est devenu triste parce que demain, il ne peut pas aller à la plage.*

8. **No hay por qué alarmarse,** *il n'y a pas de quoi (de raison de) s'alarmer. No tenemos por qué hacerlo, nous n'avons pas à le faire (ce n'est pas à nous de...). Está por saber, il reste à savoir.*

9. **nada de playa, nada de alcohol,** *pas de plage, pas d'alcool. Nada de ponerse al sol hoy, pas question de se mettre au soleil aujourd'hui. Nada* + adjectif = *rien de* + adjectif. *Nada grave, rien de grave. ¿Nada más ? rien d'autre ?*

10. **Si no se pone mejor,** m. à m. *s'il ne devient pas mieux,* c'est-à-dire : *s'il ne va pas mieux. Está mejor, il va mieux.*

11. **no duden en llamarme,** *n'hésitez pas à m'appeler. No hay duda, il n'y a pas de doute. No cabe duda, il n'y a aucun doute.*

Esp	Fr	Hisp-am
las medicinas	*les médicaments*	**las drogas**
el bocio	*le goitre*	**el coto**
el gripe	*la grippe*	**la gripa**
		la peste *(Col.)*
mutilado	*mutilé*	**mocho**
la esperanza de vida	*l'espérance de vie*	**la expectativa de vida**

NOTES
el maranguango : *breuvage de sorcier* (en Colombie du Nord).
la retaliación : *action de représailles, peine du talion.*

Médicos y curanderos

El gran problema médico de Hispanoamérica reside en la diferencia de asistencia médica en el campo y en las ciudades. Muy pocos médicos aceptan el trabajo en medio rural y, por ello, a menudo, la población campesina está en manos de curanderos y brujos. Además, la falta de medios técnicos modernos y las mejores condiciones económicas llevan a muchos especialistas a emigrar hacia los Estados Unidos, donde ejercen dentro de clínicas, hospitales o como investigadores. ¡ Y hasta le hacen ganar un Premio Nobel a un equipo estadounidense ! Sólo en Cuba hay bastantes médicos para la población y aun para ayudar a otros países que lo necesitan. La esperanza de vida en Cuba es de 73 años y la mortalidad infantil es una de las más bajas del mundo : 18,5 por mil en 1981.

Médecins et guérisseurs

Le grand problème médical de l'Amérique hispanique vient de la différence d'assistance médicale à la campagne et dans les villes. Très peu de médecins acceptent de travailler en milieu rural, et c'est pourquoi, souvent, la population paysanne se trouve entre les mains des guérisseurs et des sorciers. De plus, le manque de moyens techniques modernes et les meilleures conditions économiques poussent beaucoup de spécialistes à émigrer aux États-Unis, où ils exercent dans des cliniques, des hôpitaux ou comme chercheurs. Et il arrive même qu'ils fassent gagner un prix Nobel à une équipe des États-Unis ! C'est seulement à Cuba qu'il y a suffisamment de médecins pour la population et même pour aider d'autres pays qui en ont besoin. L'espérance de vie à Cuba est de 73 ans et la mortalité infantile est une des plus basses du monde : 18,5 pour mille en 1981.

Si durante su estancia en España tiene algún problema de salud o le ocurre algo que necesite la consulta de un médico, sepa que siempre hay un médico de guardia cuya dirección le podrá comunicar la policía, o la farmacia más cercana. Si es Vd francés, no existe ningún formulario especial para poder beneficiarse de los servicios de la Seguridad Social española, como en otros países de la C.E.E. ; en regla general, si Vd consulta a un médico en España deberá pedirle una factura para poder cobrar el reembolso del importe de la consulta, una vez vuelto a Francia.

Existe un sistema de farmacias de guardia : sea el día que sea de la semana, habrá siempre una farmacia abierta a cualquier hora del día y de la noche ; para conocer la dirección de estas farmacias de guardia puede consultar el periódico local. El nombre de los medicamentos en España no es siempre el mismo que en Francia, aunque existan algunos que coincidan. De todas formas, si tiene una necesidad urgente de un medicamento, o de su equivalente español que el farmacéutico le podrá indicar, sepa que a menudo, en estos casos, las farmacias españolas son algo más complacientes en la venta de medicinas que necesitan receta.

Si durant votre séjour en Espagne vous avez un problème de santé ou s'il vous arrive quelque chose qui nécessite la consultation d'un médecin, sachez qu'il y a toujours un médecin de garde dont la police ou la pharmacie la plus proche pourra vous donner l'adresse. Si vous êtes français, il n'existe aucun formulaire spécial pour pouvoir bénéficier des services de la Sécurité Sociale espagnole comme dans d'autres pays de la C.E.E. ; en règle générale, si vous consultez un médecin en Espagne, vous devrez lui demander une facture pour pouvoir vous faire rembourser le montant de la consultation, de retour en France.

Il existe un système de pharmacies de garde : quel que soit le jour de la semaine, il y aura toujours une pharmacie ouverte à toute heure du jour et de la nuit ; pour connaître l'adresse de ces pharmacies de garde vous pouvez consulter le journal local. Le nom des médicaments en Espagne n'est pas toujours le même qu'en France, même si certains coïncident. De toute façon si vous avez un besoin urgent d'un médicament, ou de son équivalent espagnol que le pharmacien pourra vous indiquer, sachez que, souvent, dans ces cas-là, les pharmacies espagnoles sont un peu plus accommodantes pour la vente des médicaments qui ne peuvent être délivrés que sur ordonnance.

1. ¿ Pueden avisar al médiço de guardia ? Me duele mucho el pecho y estoy asustado.
2. Una hora después de cenar se sintió mal de pronto.
3. Tengo punzadas por aquí, en el costado izquierdo.
4. La comida de anoche no me sentó bien ; he estado vomitando toda la noche.
5. Si le duele la cabeza y si estuvo ayer mucho al sol será una insolación y no las gambas...
6. Si no se mejora llámeme a mi casa ; no dude en hacerlo.
7. Si no tiene calentura, no tiene por qué preocuparse.
8. Señora, si no se fía de mí, podemos llamar a su médico de cabecera ; hablo algo francés.
9. Doctor ¿ Puede recetarme algo para la acidez ? Estas pastillas no me hacen nada.
10. Eres un caso. Como si no supieras que cada año te pasa lo mismo.
11. ¿ Que el dentista está de vacaciones ? ¿ Y qué voy a hacer yo con el dolor de muelas que tengo ?
12. ¿ Tendré que guardar cama mucho tiempo ? Si no toma el sol, dentro de cuarenta y ocho horas estará curado.

1. Pouvez-vous appeler le médecin de garde ? J'ai très mal à la poitrine et j'ai peur.
2. Il s'est senti mal brusquement, une heure après avoir dîné.
3. J'ai des élancements ici, du côté gauche.
4. Le repas d'hier soir ne m'a pas réussi ; j'ai vomi toute la nuit.
5. Si vous avez mal à la tête et si vous êtes resté longtemps au soleil, hier, ça doit être une insolation et pas les crevettes...
6. S'il ne va pas mieux, téléphonez-moi chez moi ; n'hésitez pas à le faire.
7. S'il n'a pas de fièvre, vous n'avez pas à vous inquiéter.
8. Madame, si vous n'avez pas confiance en moi, nous pouvons téléphoner à votre médecin de famille ; je parle un peu français.
9. Docteur, pouvez-vous me prescrire quelque chose pour les aigreurs d'estomac ? Ces pastilles ne me font aucun effet.
10. Tu es un cas ! Comme si tu ne savais pas que chaque année il t'arrive la même chose.
11. Quoi ? Le dentiste est en vacances ? Et qu'est-ce que je vais faire avec la rage de dents que j'ai ?
12. Devrai-je garder le lit longtemps ? Si vous ne vous mettez pas au soleil, vous serez guéri dans 48 heures.

de pronto, soudainement, brusquement

los mareos, étourdissements, vertiges, nausées

sentar bien, réussir

puesto (*participe de* **poner**), mettre

incorporarse, se relever, se redresser

reconocer, examiner

el pecho, la poitrine

doler, faire mal

las molestias, troubles, gênes

dar el sol, prendre le soleil

ponerse, devenir

el cangrejo, le crabe, l'écrevisse

coger, prendre, attraper

figurarse algo, imaginer, s'en douter

el zumo, le jus (*fruits ou légumes*)

las pastillas, les comprimés

poner, *ici,* marquer, inscrire

la receta, l'ordonnance

recetar, prescrire

las quemaduras, les brûlures

aliviar, soulager, faire du bien

el resfriado, le rhume

la corriente, le courant

ponerse mejor, aller mieux

dudar en, hésiter à

un recibo, un reçu

el importe, le montant

Vocabulaire complémentaire

avisar, prévenir, appeler

estar asustado, avoir peur

mejorar, aller mieux

empeorar, empirer

seguir (*santé*), aller

restablecerse, se rétablir

curar, guérir

la curación, la guérison

la cura, les soins

el paciente, le patient

el practicante, l'infirmier (*soins à domicile*)

el especialista, le spécialiste

la inyección, la piqûre

intramuscular, intramusculaire

intravenosa, intraveineuse

las medicinas
los medicamentos } les médicaments

los antibióticos, les antibiotiques

la dolencia, le mal

el costado, le côté

la espalda, le dos

la pierna, la jambe

los oídos, les oreilles

la garganta, la gorge

la cadera, la hanche

el hígado, le foie

tener mareos, avoir mal au cœur

la calentura, la fièvre.

las punzadas, les élancements

la sinusitis, la sinusite

la gripe, la grippe

el constipado
el resfriado } le rhume

la angina, l'angine

la hepatitis, l'hépatite

la picadura, la piqûre (*d'insecte*)

A ■ Complétez les phrases suivantes avec DOLER
1. A mí ..... el estómago.
2. A mi mujer ..... las muelas.
3. ..... la cabeza a todos.
4. ¿ Dónde ..... a usted ?
5. ¿ A vosotros también ..... el estómago ?

B ■ Traduire
1. Les antibiotiques ne me réussissent pas, Docteur ; pouvez-vous me prescrire autre chose ?
2. Cela ne vous ferait rien d'examiner aussi le petit, il est un peu enrhumé.
3. Vous m'avez dit trois comprimés par jour ? Oui, après les repas.
4. Il a attrapé une bonne insolation ; il est devenu rouge comme une écrevisse.
5. Passez me voir à la consultation demain matin s'il a autant de fièvre.
6. Avec mon ordonnance et la facture de mes honoraires vous serez remboursé dans votre pays.
7. Rien de grave ; par contre, pas de boissons froides pendant deux jours.

Corrigé

A ■
1. me duele
2. le duelen
3. nos ou les duele
4. le duele
5. os duele

B ■
1. Los antibióticos no me sientan (caen) bien, Doctor. ¿ Puede Usted recetarme otra cosa ?
2. ¿ No le importaría reconocer también al niño ? Está un poco resfriado.
3. ¿ Me ha dicho Usted tres pastillas al día ? Sí ; después de las comidas.
4. Ha cogido una insolación de las buenas ; se ha puesto rojo como un cangrejo.
5. Pasen (vayan) a verme a mi consulta mañana por la mañana si tiene (si sigue con) tanta fiebre (calentura).
6. Con mi receta y el recibo de mis honorarios, le reembolsarán en su país.
7. Nada grave ; pero eso sí (sin embargo), nada de bebidas frías durante dos días.

— ¿ Qué tiene, Doctor ?

— Nada grave, Señora ; pero la radiografía ha confirmado lo que le dije.

— ¿ La pierna rota ?

— En el tórax absolutamente nada, que hubiera podido ser[1] lo más grave. Tampoco tiene derrame interno[2] ; pero en la pierna tiene doble fractura... Vamos a tener que operarle...

— ¡ Ay, Dios mío !

— Se trata de una operación fácil, tranquilícese.

— Lo que me preocupa es que padece del corazón. ¿ Se lo dijeron[3] los enfermeros de la ambulancia ?

— Sí. ¿ Estuvo desmayado[3] mucho tiempo ?

— No sé... un cuarto de hora quizás... Cuando llegó[3] la ambulancia ya había recobrado el sentido.

— Ya ; además cuando le hicieron[3] la primera cura, ya se había recuperado totalmente... Fue la emoción[3].

— ¿ Cuándo lo operarán ?

— Cuanto antes, mejor. En cuanto tengamos[4] la conformidad del anestesista. ¿ Comió[3] mucho esta mañana ?

— Sólo[5] un café con leche y una tostada...

— Bien. Lo operaron[3] hace diez años de la apendicitis ¿ no ?

— Sí. La anestesia la soportó[3] bien.

— Y esta vez también, ya verá. Su marido está en buenas manos. Ande, váyase tranquila a comer algo.

— ¿ Y no puedo esperar aquí ?

— Si lo prefiere ; pero será mejor que tome Vd algo. ¡ No vaya a ser que[6] con la emoción se ponga Vd enferma ! Dentro de dos horas[7] espéreme abajo, a la salida del quirófano.

— Todo ha salido bien, Señora...

— ¿ Puedo entrar a verlo ?

— Después, Señora. Para mayor seguridad, lo tendremos 48 horas en la U.V.I.

— ¿ Y eso qué es ?

— Es verdad ; la manía de las siglas : Unidad de Vigilancia Intensiva.

— Entonces, no podré verlo mucho rato.

— Así es. Sólo[5] un momentito al mediodía y por la tarde. Pasadas las 48 horas, podrá verlo todo el tiempo que quiera[8].

— Qu'a-t-il, Docteur ?

— Rien de grave, Madame ! Mais la radiographie a confirmé ce que je vous avais dit.

— La jambe cassée ?

— Il n'a absolument rien au thorax et c'est ce qui aurait pu être plus grave. Il n'a pas non plus d'hémorragie interne ; mais à la jambe il a une double fracture... Nous allons devoir l'opérer...

— Ah ! Mon Dieu !

— Il s'agit d'une opération facile, rassurez-vous.

— Ce qui me préoccupe c'est qu'il souffre du cœur. Les infirmiers de l'ambulance vous l'ont-ils dit ?

— Oui. Est-il resté longtemps évanoui ?

— Je ne sais pas... Un quart d'heure peut-être... Quand l'ambulance est arrivée, il avait déjà repris connaissance.

— Bon, de plus, quand on lui a donné les premiers soins, il avait tout à fait récupéré... C'était l'émotion.

— Quand l'opérerez-vous ?

— Le plus tôt sera le mieux. Dès que nous aurons l'accord de l'anesthésiste. A-t-il mangé beaucoup ce matin ?

— Seulement un café au lait et une tranche de pain grillé...

— Bien. On l'a opéré il y a dix ans de l'appendicite, n'est-ce pas ?

— Oui. Il a bien supporté l'anesthésie.

— Et cette fois aussi, vous verrez. Votre mari est entre de bonnes mains. Allez, partez tranquille manger quelque chose.

— Et je ne peux pas attendre ici ?

— Si vous préférez ; mais il vaudra mieux que vous preniez quelque chose. Il ne faudrait pas qu'avec l'émotion vous tombiez malade ! Attendez-moi en bas dans deux heures, à la sortie de la salle d'opération.

— Tout s'est bien passé, Madame...

— Est-ce que je peux entrer le voir ?

— Plus tard, Madame. Pour plus de sécurité, nous le garderons 48 heures à l'« U.V.I. ».

— Et qu'est-ce que c'est que ça ?

— C'est vrai ; la manie des sigles : « Unidad de Vigilancia Intensiva » *(Unité de Soins Intensifs)*.

— Alors, je ne pourrai pas le voir longtemps.

— C'est cela ! Seulement un petit moment à midi et l'après-midi. Après 48 heures vous pourrez le voir tout le temps que vous voudrez.

1. **que hubiera podido ser...,** *qui aurait pu être* ; le subjonctif est encore employé dans le domaine de l'hypothèse (fait réalisable qui ne s'est pas réalisé) : *Hubiera debido* venir antes, *vous auriez dû venir avant.*

2. **Tampoco tiene derrame interno,** *il n'a pas d'hémorragie interne non plus.* Les mots négatifs (*Tampoco, non plus, nadie, personne, nada, rien,* etc.) placés devant le verbe annulent la négation « *no* » : *Nadie* viene, *personne ne vient,* mais aussi *no* viene *nadie.* On peut aussi dire ici : *No* tiene derrame interno *tampoco.*

3. **¿ Se lo dijeron** (de decir) **los enfermeros ?** *Les infirmiers vous l'ont-ils dit ? ¿ Estuvo desmayado* mucho tiempo ? *Est-il resté longtemps évanoui ?... Llegó, le hicieron, comió, lo operaron, la soportó.*
   On peut constater que le passé simple est de rigueur quand il s'agit d'un fait ponctuel (voir aussi I—3, 10) dans le passé, **cuando** *llegó* **la ambulancia,** *comió,* ou d'une action révolue dans le temps (hier, l'année dernière, etc.) : **lo operaron hace diez años,** *on l'a opéré, il y a 10 ans ;* **la anestesia** *la soportó* **bien,** *il a bien supporté l'anesthésie* (il y a 10 ans), mais voir plus loin : **todo** *ha salido* **bien,** *tout a bien marché* (à l'instant, ce matin, aujourd'hui...) : Passé composé comme en français. *He tenido* **un accidente esta mañana,** *j'ai eu un accident ce matin. Tuve* **un accidente el** *año pasado, j'ai eu un accident l'année dernière.*

4. **En cuanto tengamos la conformidad del anestesista,** *dès que nous aurons l'accord,* même valeur temporelle de ce subjonctif que « cuando tengamos » (voir VI—3, 9).

5. **Sólo un café con leche,** *rien qu'un café au lait.* **Sólo** *un momentito, rien qu'un petit moment. Ne... que* = no más... que, no... sino ou sólo (voir V—3, 12).

6. **No vaya a ser que,** *il ne faudrait pas que...* (voir IV—3, 13).

7. **Dentro de dos horas,** *dans deux heures. Dans* + complément de temps : *dentro de,* mais : *dans mon pays,* en mi país.

8. **todo el tiempo que quiera,** *tout le temps que vous voudrez.* Aspects du subjonctif présent espagnol dans la subordonnée à la place du futur de l'indicatif français ; voir II, VI, VII, X, XII. **Puede comer todo lo que desee,** *vous pouvez manger tout ce que vous désirerez.*

Esp	Fr	Hisp-am
los impedidos	*les handicapés*	**los minusválidos**
la reeducación	*la rééducation*	**la rehabilitación**
el dispensario	*le dispensaire*	**el centro de salud**
		la dispensaría
		(Pérou, Chili)
la policlínica	*la polyclinique*	**el policlínico**
escayolado	*plâtré*	**enyesado**
el recién nacido	*le nouveau-né*	**el neonato**

NOTE
la morbosidad, *l'état maladif.*

Salud Pública

En Hispanoamérica, la salud pública trata de preocuparse de la prevención pero, en numerosos países, el número de hospitales destinados a la mayoría de la población no logra seguir el ritmo del crecimiento demográfico. A menudo, hay más clínicas privadas pero sus precios no están al alcance de gran parte de la población, de escasos recursos económicos. Existen sistemas de previsión o de seguridad social, a cargo del Estado o de las firmas, pero no atienden sino a una parte de la población, la que tiene un trabajo fijo. Sin embargo, hay adelantos en materia de vacunas, por ejemplo. Y existen ejemplos de erradicación de una enfermedad : es el caso de la poliomielitis en Cuba. También la lepra ha retrocedido mucho en los países andinos.

La santé publique

En Amérique hispanique, les services de santé essaient de s'occuper de médecine préventive, mais, dans de nombreux pays, le nombre des hôpitaux destinés à la majorité de la population ne parvient pas à suivre le rythme de la croissance démographique. Souvent, il y a davantage de cliniques privées, mais leurs prix ne sont pas à la portée d'une grande partie de la population, dont les ressources économiques sont faibles. Il existe des systèmes de prévoyance ou de sécurité sociale, financés par l'État ou les entreprises, mais ils ne concernent qu'une partie de la population, celle qui a un travail fixe. Cependant, il y a des progrès, en matière de vaccins, par exemple. Et il existe des exemples de suppression d'une maladie : c'est le cas de la poliomyélite à Cuba. La lèpre a également beaucoup reculé dans les pays andins.

En caso de urgencia médica existen en España las llamadas
« Casas de Socorro » ; son lugares de asistencia sanitaria,
donde se administran curas a los accidentados (piernas o
brazos rotos, quemaduras, heridas y contusiones de todo tipo).
Los primeros auxilios son administrados por médicos y enfermeros* Según el estado del paciente, éste puede ser dado de
alta después de habérsele efectuado la cura y los controles
necesarios ; si su estado lo necesita, el paciente puede quedar
algunas horas en observación, o pasar directamente a un
hospital, pero no hay camas para la permanencia de los enfer-
mos. Estos centros están abiertos las 24 horas del día. La
dirección de estas Casas de Socorro (en Madrid, por ejemplo,
hay cerca de veinte) puede obtenerla en los periódicos de la
ciudad. En los casos de mayor gravedad, los heridos pasan
directamente a las Unidades de Vigilancia Intensiva (U.V.I.) de
los hospitales en donde reciben los cuidados clásicos de reani-
mación con instalaciones ultramodernas. Para los cuidados a
domicilio (inyecciones, etc.) en España la persona que se
ocupa de ello suele ser un hombre : el practicante.

En cas d'urgence médicale, il existe en Espagne ce qu'on
appelle les « Casas de Socorro » (Centres d'Urgence) ; ce sont
des lieux d'assistance sanitaire où l'on dispense des soins aux
victimes d'accidents (jambes ou bras cassés, brûlures, blessures et contusions de tous ordres). Les premiers secours sont
dispensés par des médecins et des infirmières. Selon l'état du
patient, celui-ci peut rentrer chez lui après avoir reçu les soins
et les contrôles nécessaires ; si son état le demande le patient
peut rester quelques heures en observation, ou être dirigé
directement vers un hôpital, mais il n'y a pas de lits pour le
séjour des malades. Ces centres sont ouverts 24 heures sur 24.
Vous pouvez vous procurer l'adresse de ces Centres d'Urgence
(à Madrid par exemple il y en a une vingtaine) dans les journaux locaux. Dans les cas plus graves, les blessés sont dirigés
directement vers les Unités de Soins Intensifs des hôpitaux où
ils reçoivent les soins classiques de réanimation avec un équi-
pement ultra-moderne. Généralement, en Espagne, la personne qui s'occupe des soins à domicile (piqûres, etc.) est un
homme : le « *practicante* » (l'infirmier).

* Profession très masculine en Espagne.

1. En cuanto lleguemos, avisaremos al médico.
2. Me dijeron ayer que viniera hoy a las diez para la radiografía.
3. Para los análisis (la toma de sangre) tiene que venir en ayunas.
4. Me suelo marear cuando me sacan sangre.
5. Tiéndase hasta que se ponga mejor. Tómese este café si le apetece.
6. Cuando me operé del estómago tuve una complicación de circulación.
7. Hace usted bien en decírmelo ; de todos modos se le harán los análisis que hagan falta.
8. Será mejor que llamemos a una ambulancia.
9. ¿ Todo saldrá bien, Doctor ? Porque un avión de nuestro seguro especial podría repatriarle.
10. Como quiera, Señora, pero creo que sería peligroso transportarlo.
11. La enfermera me dijo que podría entrar a verle.
12. ¿ Ha llegado el cirujano, Señorita ? Quisiera que pasara a ver a mi marido ; creo que está peor que ayer.
13. ¿ Puedo quedarme a dormir en la habitación de mi hijo ? Por lo menos la primera noche...

1. Dès que nous arriverons, nous préviendrons le médecin.
2. On m'a dit hier de venir aujourd'hui pour la radio.
3. Pour la prise de sang vous devez venir à jeun.
4. J'ai des vertiges quand on me fait une prise de sang.
5. Allongez-vous jusqu'à ce que vous alliez mieux. Prenez ce café si vous en avez envie.
6. Quand je me suis fait opérer de l'estomac, j'ai eu une complication de circulation.
7. Vous avez raison de me le dire ; de toute manière on vous fera les analyses qu'il faudra.
8. Il vaudra mieux que nous appelions une ambulance.
9. Tout ira bien, Docteur ? Car il pourrait être rapatrié par un avion de notre assurance spéciale.
10. Comme vous voudrez, Madame, mais je pense qu'il serait dangereux de le transporter.
11. L'infirmière m'a dit que je pouvais passer le voir.
12. Est-ce que le chirurgien est arrivé, Mademoiselle ? Je voudrais qu'il passe voir mon mari. Je crois qu'il va moins bien qu'hier.
13. Puis-je rester coucher dans la chambre de mon fils ? Au moins la première nuit...

la radiografía, la radiographie

rota, cassée

derrame interno, hémorragie interne

padecer del corazón, souffrir du cœur

el enfermero, l'infirmier

desmayado, évanoui

recobrar, reprendre

el sentido, la connaissance

la cura, les soins

cuanto antes, dès que possible

la conformidad, l'accord

una tostada, tranche de pàin grillé

ande, allez !

dentro de, dans (+ c. de temps)

el quirófano, salle d'opération

todo ha salido bien, tout s'est bien passé

tener, *(ici)* garder

U.V.I., Unidad de Vigilancia Intensiva : unité de soins intensifs

la vigilancia, la surveillance

Vocabulaire complémentaire

la recaída, la rechute

la herida, la blessure

el desmayo, l'évanouissement

el derrame sinobial, épanchement

el ataque, l'attaque, la crise

leve, léger, sans gravité

de cuidado, sérieux

el seguro, l'assurance

dar de alta, *donner l'autorisation de sortie*

repatriar, rapatrier

la cama supletoria, le lit supplémentaire

la camilla, brancard

camilla de ruedas, chariot

el timbre, la sonnette

llamar, sonner

el operado, l'opéré

el cirujano, le chirurgien

anestesiar, anesthésier

el hospital, l'hôpital

el sanatorio, clinique, sanatorium

la clínica, la clinique

el ambulatorio, le dispensaire

el análisis, l'analyse

la sangre, le sang

las venas, les veines

el pulmón, le poumon

los bronquios, les bronches

la mascarilla, le masque *(opératoire)*

los puntos, les points de suture

quitar, enlever

servicio de urgencias, service d'urgences

los nervios, les nerfs

el sedante, le sédatif

el síntoma, le symptôme

A ■ Mettre au passé simple les verbes à l'infinitif
1. mi hermano (desmayarse) .... cuando (llegar) .... al hospital.
2. Mi marido (marearse) .... cuando le (sacar) .... sangre.
3. El cirujano (decirme) .... que no me preocupara.
4. Yo (estar) .... en el quirófano 3 horas ; (despertarme) .... en la habitación.

B ■ Traduire
1. Madame, ne vous inquiétez pas, c'est sans gravité ; mais ça aurait pu être sérieux.
2. Quand vous aurez les résultats, prévenez-moi, Docteur, s'il vous plaît.
3. Pourrai-je le voir à la sortie de la salle d'opération ?
4. Il n'a rien de grave ; tout s'est bien passé ; il n'a pas de symptômes alarmants, pas de fièvre non plus.
5. Dans 3 jours je vous signerai votre autorisation de sortie.
6. Quand il se réveillera, ne lui donnez qu'un peu d'eau ; il ne faudrait pas qu'il ait une rechute.

Corrigé

A ■
1. Se desmayó - llegó
2. Se mareó - sacaron
3. Me dijo
4. Estuve - me desperté

B ■
1. Señora, no se preocupe ; hubiera podido ser de cuidado pero es leve.
2. Cuando tenga los resultados, avíseme, Doctor, por favor.
3. ¿ Podré verle a la salida del quirófano ?
4. No tiene nada grave ; todo ha salido bien ; no tiene síntomas preocupantes, fiebre tampoco.
5. Dentro de tres días le firmaré el alta (le daré el alta).
6. Cuando se despierte, dele solo un poco de agua ; ¡ No vaya a ser que tenga una recaída !

M = Marido　F = Mujer　P = Pescadero　C = Carnicero

F— ¡ Cuánta gente hay !

M— No me extraña. Es sábado y estamos a finales de mes[1]...

F— Mientras yo voy por pescado[2] ponte tú en la cola de la verdura. Si terminas y no he vuelto, me esperas en el puesto de la carne, el que hace esquina.

M— ¿ Qué compro de verdura ?

F— Pues zanahorias, una coliflor, 2 kilos de tomates y un par de lechugas. Los tomates mira que no te los den muy maduros...

M— Bueno, hasta ahora...

F— ¿ A cómo están hoy las sardinas[3] ?

P— A ciento veinte pero mire qué frescas.

F— Sí, lo parecen, aunque son algo caras[3]... Póngame dos kilos.

P— Asadas es como están mejor[3]... con un poquito de sal gorda... ¡ Ya me contará ! *(Pregonando)* — ¡ Hay chanquetes, mejillones, rape, pez de espada, calamares frescos ! — ¿ Algo más Sra ?

F— Deme un kilo de pez espada, en rodajas medianas por favor, y medio de calamares.

P— ¡ Eso está hecho[4] !... Tenga, un poquito de perejil y un limón, regalo de la casa.

F— Gràcias... Cóbrese[5].

P— Aquí tiene la vuelta[6]. ¡ Adiós y gracias ! ¿ A quién le toca ?

F— Huy, ¡ Qué buena cara tienen las lechugas ! ¿ Llevas mucho esperándome ?

M— No mucho. Oye, aunque todavía quedan, he comprado naranjas y plátanos canarios.

F— Has hecho bien. Mira, ve por queso[2] mientras compro yo la carne y acabamos antes ; un cuarto de manchego y uno de oveja.

C— Señora, ¿ Como siempre ? ¿ Un kilo de filetes de ternera ?

F— Sí, pero no muy gruesos. Quiero también un kilo de chuletas de cordero y medio de carne picada.

C— Un kilo y cuarto, las chuletas ¿ Quito ?

F— No, déjelas, así está bien.

C— Con la carne picada son novecientas quince pesetas.

F— Otro billete de mil... ¡ Cómo está de cara la plaza hoy[3] !

C— Si tuviera las quince, se lo agradecería[7]... Gracias. Novecientas y cien que son mil.

F— ¿ Ya está ? Pues vámonos que estoy mareada[8] con tanta gente y con los precios.

M = Mari   F = Femme   P = Poissonnier   C = Boucher

F— Qu'est-ce qu'il y a comme monde !

M— Cela ne m'étonne pas. C'est samedi et nous sommes à la fin du mois...

F— Pendant que je vais chercher du poisson, fais la queue aux légumes. Si tu as fini et que je ne suis pas revenue attends-moi à l'étal de la viande, celui qui fait le coin.

M— Qu'est-ce que j'achète comme légumes ?

F— Eh bien, des carottes, un chou-fleur, deux kilos de tomates et deux laitues. Pour les tomates, fais attention à ce qu'on ne te les donne pas très mûres...

M— Bon, à tout de suite...

F— Les sardines sont à combien aujourd'hui ?

P— A cent vingt, mais regardez comme elles sont fraîches !

F— Oui, elles en ont l'air, quoique un peu chères... Mettez-m'en deux kilos.

P— C'est grillées qu'elles sont les meilleures... Avec un peu de gros sel... Vous m'en direz des nouvelles ! *(En criant sa marchandise)* « Chanquetes », moules, lotte, espadon, calmars frais ! ! Quelque chose d'autre, Madame ?

F— Donnez-moi un kilo d'espadon. En tranches moyennes, s'il vous plaît, et une livre de calmars...

P— Voilà qui est fait !... Tenez, un peu de persil et un citron, c'est un cadeau de la maison...

F— Merci... Si vous voulez vous payer.

P— Voici votre monnaie. Au revoir et merci. A qui le tour ?

F— Ah ! quel bon aspect ont ces laitues ! Il y a longtemps que tu m'attends ?

M— Pas beaucoup. Écoute, quoiqu'il en reste encore, j'ai acheté des oranges et des bananes des Canaries.

F— Tu as bien fait. Écoute, va chercher du fromage pendant que j'achète la viande et nous terminerons plus tôt ; une demi-livre de « manchego » et une de brebis.

C— Madame, comme d'habitude ? Un kilo d'escalopes ?

F— Oui, mais pas très grosses. Je veux aussi un kilo de côtelettes de mouton et une livre de viande hachée.

C— Un kilo deux cent cinquante, les côtelettes. J'en enlève ?

F— Non, laissez-les, c'est bien comme cela.

C— Avec la viande hachée cela fait neuf cent quinze pesetas.

F— Encore un billet de mille... Comme le marché est cher aujourd'hui !

C— Si vous aviez quinze pesetas, vous seriez très gentille... Merci. Neuf cents et cent font mille.

F— Ça y est ? Eh bien, allons-nous-en parce que j'ai la tête qui tourne avec tous ces gens et avec les prix.

1. **Es sábado y estamos a finales de mes**, *c'est samedi et nous sommes à la fin du mois* (voir XI—3, 2).

2. **voy por pescado**, *je vais chercher (acheter) du poisson. Ve por queso, va chercher du fromage* (voir IV—3, 12).

3. **¿ A cómo están hoy las sardinas ?** *Elles sont à combien aujourd'hui ?* **¡ Cómo está de cara la plaza hoy !** *Que le marché est cher aujourd'hui !* La connotation de temps — **hoy** — entraîne l'usage de ESTAR, alors que d'une manière générale, une idée de nombre, de quantité se rend par SER : **¿ Cuánto es ?** *C'est combien ?* **Son doscientas pesetas**, *c'est 200 pesetas.* « **Son caras** », *elles sont chères,* mais : **¡ Qué caro está el pescado hoy !** *que le poisson est cher aujourd'hui !* (connotation de temps) et, **la vida está tan cara en España como en Francia**, *la vie est aussi chère en Espagne qu'en France* (connotation de lieu), voir II—3. « **Son del día** », *elles sont du jour* (d'aujourd'hui). « **Son de la semana pasada** », *elles sont de la semaine dernière ;* origine, provenance (lieu ou temps), appartenance : SER. **Soy de Burdeos**, *je suis de Bordeaux.* **Es un mercado del siglo pasado**, *c'est un marché du siècle dernier.* **Es del Ayuntamiento**, *il est à* (il appartient) *l'Hôtel de Ville.* « **Asadas, están mejor** », *elles sont meilleures, grillées.*
Je le sais, j'en ai l'expérience, donc ; *estar ;* mais : SER + adjectif (nature, caractéristique) : **El vino de Rioja es excelente, bueno, suave...** mais aussi (expérience par constatation) : *está bueno este vino, il est bon ce vin !*

4. « **Eso está hecho** », m. à m. *cela est fait* (tout de suite), expression courante qui traduit la diligence, l'empressement : *c'est comme si c'était fait ; mais tout de suite !*

5. « **Cóbrese** » (de *cobrar*, encaisser), *tenez,* « *payez-vous* ». « *Cobrarse* » est moins familier que *se payer*.

6. **Aquí tiene la vuelta**, *voici votre monnaie* (celle que l'on vous rend). **No me ha dado Vd la vuelta**, *vous ne m'avez pas rendu ma monnaie.*
Aussi : **¿ Tiene Vd cambio ?** *avez-vous de la monnaie ?* (en échange d'un billet) et **¿ Tiene Vd suelto ?** *avez-vous de la monnaie ?* (pour payer).

7. **se lo agradecería**, *je vous serais reconnaissant.* Expression courante correspondant au français : « *vous seriez gentil* ».

8. **estoy mareada**, *j'ai mal au cœur, j'en ai le « tournis ».*

Esp	Fr	Hisp-am
verde	*vert (pas mûr)*	**biche**
las gambas	*les crevettes*	**los camarones**
el azúcar moreno	*le sucre roux*	**la panela** *(Colombie)*
		la chancaca *(Cuba)*
el requesón	*le fromage blanc*	**la cuajada**
el aguacate	*l'avocat*	**la palta** *(Argentine)*
la mandioca	*le manioc*	**la yuca**
el saco	*le sac*	**el costal**
la carne de vaca	*la viande de bœuf*	**la carne de res**
la meseta	*le plateau*	**la sabana** *(Colombie)*

NOTES
la arracacha : *légume typique de la sabana* (Colombie)
el plátano : *banane à cuire ou à frire*
el banano, el guineo, el bocadillo : *bananes à manger crues*
la guanábana : *corossol* (variété d'anone)

Los mercados

Tan ricos como los mercados de cualquier ciudad de América, los de Ciudad Guatemala, en los días de gran comercio, nos muestran y concentran el país. Los mercados de la capital son de los mejores, pero no los más típicos. Entre los regionales los hay excelentes, como el de Quezaltenango, Momostenango, San Francisco el Alto ; el de Cobán con sus manojos de orquídeas por centavos. Un río de trópico — pájaros, peces, minerales, frutos — se enrosca en el mercado. Pero su pintoresquismo no puede ocultar la verdad : basta verlos para comprender nuestro inmenso atraso económico y social.

Luis Cardoza y Aragón, *Guatemala, las líneas de su mano,*
FCE, México.

Les marchés

Aussi riches que les marchés de n'importe quelle ville d'Amérique, ceux de Ciudad Guatemala, les jours de grandes ventes, nous montrent un condensé du pays. Les marchés de la capitale sont parmi les meilleurs, mais pas parmi les plus typiques. Parmi les marchés régionaux, il y en a d'excellents, comme ceux de Quezaltenango, Momostenango, San Francisco el Alto ; celui de Cobán avec ses bouquets d'orchidées pour quelques sous. Un fleuve tropical — oiseaux, poissons, minéraux, fruits — s'enroule autour du marché. Mais leur caractère pittoresque ne peut cacher la vérité : il suffit de les voir pour comprendre notre immense retard économique et social.

La plaza

El Mercado o Plaza de abastos de España es todo un espectáculo abigarrado lleno de colores, olores y sonidos que hunden al visitante en un mundo que le hace olvidar por un momento la sociedad de las computadoras para acercarle al mundo tradicional que, de siempre, ha estado vinculado a la tierra y a los productos que de ella salen. De todas formas todos estos mercados son cubiertos ; los mercados de productos alimenticios al aire libre están prohibidos por motivos higiénicos ; es imposible ver en España esos mercados intermitentes y al aire libre que se ven en Francia por ejemplo.

En el interior, hay sectores (carnes, pescados, fruta, verdura, ultramarinos, huevos, aceitunas, etc.) ; de cada « puesto » surgen voces pregonando la mercancía. Todos esos pescados frescos sacados del mar durante la noche, todas esas frutas maduras y esa variedad de verduras invitan a componer los apetitosos menús de la cocina española.

Si Vd pasa por una pequeña localidad y descubre un mercado de ese tipo, entre a verlo, olvide los grandes monumentos de la historia del país y acérquese a vivir unos momentos uno de los aspectos más reales de la vida actual del Español. Será éste probablemente uno de los mejores recuerdos de su viaje.

Le marché

Le marché en Espagne forme tout un spectacle bigarré, plein de couleurs, d'odeurs et de sons qui plongent le visiteur dans un monde qui lui fait oublier pour un moment la société des ordinateurs pour le rapprocher du monde traditionnel qui, de tout temps, a été lié à la terre et aux produits qui en viennent. De toute façon tous ces marchés sont couverts ; les marchés de produits alimentaires en plein air sont interdits pour des raisons d'hygiène ; il est impossible de voir en Espagne ces marchés intermittents et en plein air que l'on voit en France par exemple.

A l'intérieur il y a des secteurs (viande, poisson, fruits, légumes, épicerie, œufs, olives, etc.) ; de chaque étal sortent des cris vantant la marchandise. Tous ces poissons frais tirés de la mer pendant la nuit, tous ces fruits mûrs et cette variété de légumes invitent à composer les menus appétissants de la cuisine espagnole.

Si vous passez dans une petite localité et découvrez un marché de ce genre, entrez le voir, oubliez les grands monuments de l'histoire du pays et approchez-vous pour vivre un moment un des aspects les plus réels de la vie actuelle des Espagnols. Ce sera sans doute l'un des meilleurs souvenirs de votre voyage.

1. Si están maduros, deme tres cuartos.
2. ¿ Tiene Vd cambio de 5 000 pesetas ? Vengo del banco y no tengo suelto.
3. Vete a la pescadería mientras voy a la tienda de ultramarinos.
4. ¿ Quien tiene la vez ?
5. ¡ Oiga ! ¡ A la cola, como todo el mundo !
6. Doscientos de chorizo y trescientos de salchichón en lonchas finas.
7. Dame las bolsas de la compra ; esta vez me toca a mí ir a la plaza a por la carne.
8. No se fía.
9. Váyase tranquila a hacer el resto de la compra ; el chico le llevará a casa su pedido antes de la una.
10. Deme dos cuajadas como las de ayer.
11. Tienen buena pinta esos besugos : péseme éste a ver cuánto vale.
12. Y mira bien qué es lo que te dan y cómo te lo pesan ; que a los hombres os engañan en seguida cuando vais à la plaza.
13. No, de ese pulpo no, que es congelado. Deme del otro, del fresco.

1. S'ils sont mûrs, donnez-m'en une livre et demie.
2. Avez-vous la monnaie de 5 000 pesetas ? Je viens de la banque et je n'ai pas de monnaie.
3. Va à la poissonnerie pendant que je vais chez l'épicier.
4. Qui est la dernière ? (dans la queue).
5. Eh, là ! Faites la queue comme tout le monde !
6. Deux cents grammes de « chorizo » et trois cents grammes de saucisson en tranches fines.
7. Donne-moi les paniers des courses ; cette fois-ci c'est à moi d'aller au marché acheter la viande.
8. La maison ne fait pas de crédit.
9. Partez tranquille faire le reste de votre marché ; le garçon vous portera chez vous votre commande avant treize heures.
10. Donnez-moi deux pots de lait caillé comme ceux d'hier.
11. Ces dorades ont une belle tête : pesez-moi celle-ci pour savoir combien elle vaut.
12. Et, fais attention à ce qu'on te donne ! et à la façon dont on le pèse ; vous les hommes vous vous faites avoir très facilement quand vous allez au marché.
13. Non, pas de ce poulpe-là, il est congelé. Donnez-moi de l'autre, de celui qui est frais.

el mercado de abastos, les halles, le marché

a finales de mes, à la fin du mois

el pescado, le poisson (pêché)

la verdura, les légumes verts

el puesto, l'étal

hacer esquina, faire le coin

la esquina, le coin (convexe)

las zanahorias, les carottes

la coliflor, le chou-fleur

la lechuga, la laitue

¿A cómo está? ça vaut combien ?

los chanquetes, petits poissons minuscules que l'on mange en friture

los mejillones, les moules

el rape, la lotte

el pez espada, l'espadon

la rodaja, la rondelle, la tranche

eso está hecho, c'est comme si c'était fait

el perejil, le persil

el limón, le citron

la vuelta, la monnaie *(que l'on rend)*

me toca a mí, c'est mon tour

la naranja, l'orange

el plátano, la banane

la fruta, les fruits

el queso, le fromage

un cuarto (de kilo), 250 grammes

manchego (queso), fromage de la Mancha

la oveja, la brebis

el filete (de vaca), le bifteck

el filete de ternera, l'escalope

la ternera, le veau

la chuleta, la côtelette

el cordero, l'agneau, le mouton

picado, haché

la plaza, le marché

agradecer, remercier

marearse, être étourdi, avoir mal au cœur, ou des nausées

Vocabulaire complémentaire

la tienda de ultramarinos, l'épicerie

la carnicería, la boucherie

la huevería, le marchand d'œufs

el aceitunero, le marchand d'olives

pregonar, vanter (la marchandise en criant)

la pescadería, la poissonnerie

la vez, le tour (pour la queue)

la loncha, la rondelle (de charcuterie)

la bolsa de la compra, le panier des courses, le panier de la ménagère

el pedido, la commande

engañar, tromper, duper

el cambio, le change, la monnaie (sur un billet)

el dinero suelto, la menue monnaie

vincular, lier, relier

el atún, le thon

el bacalao, la morue

la merluza, le colin

la pescadilla, le colineau

el tendero, le commerçant

el detallista, le détaillant

el mayorista, le grossiste

al aire libre, en plein air

el pimiento, le poivron

la berenjena, l'aubergine

A ■ Traduire

1. Peux-tu m'apporter le panier pour aller faire le marché ? **2.** Une livre de poivrons et une demi-livre d'aubergines. **3.** Vous ne m'avez pas rendu la monnaie. **4.** Donnez-moi un autre fromage, celui-ci est trop fait. **5.** Donnez la liste de votre commande au garçon ; il va vous la préparer pendant que vous terminez vos courses. **6.** Je ne veux pas d'escalopes aujourd'hui. Pesez-moi plutôt quelques côtelettes d'agneau. **7.** Dans ce marché, il n'y a que des produits alimentaires ; pour d'autres achats vous devrez aller dans cette rue-là : il y a beaucoup de commerçants. **8.** Je voudrais savoir le poids de ce colin : il a un bel aspect. **9.** La maison ne fait de crédit à personne.

B ■ Traducir

1. Una lata de sardinas y un bote de espárragos.
2. Si sigue Vd vendiendo tan caro se va a quedar sin clientela.
3. Mira la mercancía de ese carnicero. Tendría que estar prohibido vender carne en esas condiciones de higiene.
4. Estaba mareada : ¡ Cuánto ruido y cuánta gente !

Corrigé

A ■ 1. ¿ Puedes traerme la bolsa para ir a la compra ?
2. Medio kilo de pimientos y un cuarto de berenjenas.
3. No me ha dado la vuelta.
4. Deme otro queso, este está demasiado hecho.
5. Dele la lista de su pedido al chico ; se la va a preparar mientras Vd termina sus compras.
6. No quiero filetes de ternera hoy, mejor péseme unas chuletas de cordero.
7. En este mercado sólo hay (o no hay más que) productos alimenticios ; para otras compras tendrá Vd que ir a aquella (o esa) calle : hay muchos comercios.
8. Quisiera saber el peso de esta merluza : tiene buena pinta.
9. No se fía a nadie.

B ■ **1.** Une boîte de sardines et une boîte d'asperges. **2.** Si vous continuez à vendre si cher, vous allez perdre toute votre clientèle. **3.** Regarde la marchandise de ce boucher. Il devrait être interdit de vendre de la viande dans ces conditions d'hygiène. **4.** J'avais la tête qui me tournait (ou j'étais étourdie). Quel bruit et quelle foule !

D = Dependiente   M = Marido   F = Mujer

D— Hola[1], buenas tardes, ¿ qué desean ?

M— Quisiéramos ver una radio-cassette que tienen en el escaparate.

D— En seguida[2]. Dígame cuál[3], por favor.

M— Aquélla del fondo, con doble antena, ¿ve la que le digo[4] ?

D— Sí ; ahora mismo les atiendo[5].

(Mientras está el dependiente en la trastienda)

F— No tiene el precio. Será cara[6].

M— Ahora lo sabremos.

(Vuelve el dependiente)

D— Aquí la tienen. Lleva frecuencia modulada, con dos altavoces y micrófono incorporados. Coge[7] emisoras extranjeras por onda media ; grabación de calidad, en fin, es un aparatito que está muy bien.

F— Bonita sí que lo es[8]. Y ¿ cómo está de precio[9] ?

D— Quince mil menos el 10 %[10] que como habrán visto[6] hacemos hasta el día 30.

F— Me lo figuraba[11]. No queríamos gastarnos[12] tanto. Además ¿ sabe ? Es para el niño que tiene sólo diez años. Sería una pena que la rompiera[13]. ¿ No tiene algo más baratito ?

D— Ya lo creo. Aquí tiene otra, más pequeña, de fácil manejo y, aunque no lleva frecuencia modulada, suena muy bien ; les pongo *Radio Nacional. (Mientras oyen.)* ¿ Qué les parece ?

M— Pues sí, ¡ no está mal !

D— Esta son diez mil, menos el descuento, claro. O sea 9000.

M— ¿ Tú que dices ? ¿ Nos la llevamos[12] ?

F— Si el señor dice que es buenecita… Yo la veo bien y a él creo que le gustará.

M— *(Al dependiente)* Pues nada, vale. Háganos un paquete de regalo si no le molesta.

D— No es molestia[14] ¿ Van a abonar con tarjeta, talón o en metálico ? Como les venga mejor[15].

M— Con VISA.

D— Pasen por caja, por favor.

F— Oye, mientras vas pagando[16] voy a echar una ojeada a los discos.

M— No tardes, ¡ que nos cierran[12] en Galerías !

D = Vendeur   M = Mari   F = Femme

D— Bonjour, que désirez-vous ?

M— Nous voudrions voir un appareil de radio à cassettes que vous avez en vitrine.

D— Tout de suite. Voulez-vous me le montrer ?

M— Celui du fond, avec une double antenne, vous le voyez ?

D— Oui, je m'occupe de vous tout de suite.
(Pendant que le vendeur est parti dans l'arrière-boutique)

F— Le prix n'est pas marqué. Il doit être cher.

M— Nous allons le savoir tout de suite.
(Le vendeur revient)

D— Le voici. Il a la modulation de fréquence, deux haut-parleurs et un micro incorporés. Vous pouvez capter des radios étrangères sur les ondes moyennes et l'enregistrement est de bonne qualité. C'est un bon petit appareil.

F— Pour être beau, il est beau... mais le prix ?

D— Quinze mille, moins 10 % que nous faisons jusqu'au 30 comme vous avez pu le voir.

F— Je m'en doutais. Nous ne voulions pas mettre autant. C'est pour le petit. Il n'a que dix ans. Ce serait dommage qu'il le casse. Vous n'avez rien d'un peu moins cher ?

D— Si, bien sûr. En voici un autre, plus petit et facile à manier. Il n'a pas la modulation de fréquence mais il a une très bonne sonorité. Nous allons mettre *Radio Nacional*. *(Pendant qu'ils l'écoutent.)* Qu'en pensez-vous ?

M— Eh bien oui, il n'est pas mal.

D— Celui-ci fait 10 000 pesetas moins la remise, bien sûr, c'est-à-dire 9 000 pesetas.

M— Qu'en dis-tu ? Nous le prenons ?

F— Si Monsieur dit qu'il est bien. Moi je ne le trouve pas mal, je crois qu'il lui plaira.

M— *(S'adressant au vendeur)* C'est d'accord. Avec un paquet cadeau, si cela ne vous ennuie pas.

D— Pas du tout. Voulez-vous régler avec votre carte de crédit, par chèque ou en espèces ? Comme cela vous arrange.

M— Avec la carte VISA.

D— Veuillez passer à la caisse.

F— Dis, je vais jeter un coup d'œil aux disques pendant que tu paies.

M— Fais vite ! les Galeries vont fermer.

1. **Hola,** n'est pas forcément familier. Le ton en décide.
2. **En seguida,** dans ce type de dialogue, l'espagnol ajoute rarement « señor, « señora ».
3. **¡Dígame cuál !** m. à m. : *dites-moi lequel.*
4. **¿ve la que digo ?** m. à m. : *voyez-vous celle dont je parle ?*
5. **les atiendo, ¿ les atienden ?,** *on s'occupe de vous ?* Par extension : « **Te atienden muy bien en esta tienda »**; *dans ce magasin, on est très bien reçu.*
6. **Será cara,** *il doit être cher.* C'est le futur de conjoncture (hypothèse). Voir plus loin : « *Como habrán visto* », *comme vous avez dû le voir.*
7. **Coge emisoras,** m. à m. : *il capte les stations de radio.*
8. **Bonita sí que lo es,** notion d'insistance dans l'affirmation. Ex : *¿ Pilas ? sí que las tengo, Des piles ? bien sûr, j'en ai.*
9. **¿ Cómo está de precio ? este aparato está muy bien...** Par extension : *¿ Cómo está de precio ?*
   Mais aussi : *¿ Cómo estás de salud ? ¿ Cómo estás (andas) de dinero ? ¿ Cómo estás de trabajo ?* etc.
10. **el 10 %,** les chiffres exprimant un pourcentage doivent être précédés de l'article indéfini ou défini : **los precios han subido en un 10 %,** *les prix ont augmenté de 10 %.*
11. **Me lo figuraba,** me lo imaginaba.
12. **gastarnos,** *dépenser.* Tournure pronominale courante. Intention de reporter sur le sujet les effets de l'action ; de même avec des verbes signifiant acquisition ou conservation. Voir plus loin : *¿ Nos la llevamos ?,* *on l'emporte ? ; nos cierran,* on va fermer.
13. **Sería una pena que la rompiera,** concordance des temps usuelle dans le domaine de l'hypothèse. Ex : *Sería una pena que llegáramos después de las ocho, il serait ennuyeux qu'on arrive après huit heures.*
14. **No es molestia,** *cela ne me dérange pas.*
15. **Como les venga mejor,** *comme cela vous arrange.* En fait : *comme cela vous arrangera.* Il s'agit de la subordonnée au futur dont l'éventualité du futur français est rendue en espagnol par le subjonctif présent.
16. **mientras vas pagando,** le français ne rend pas toujours cette idée de « progression de l'action » très courante en espagnol. *Te espero fuera mientras vas pagando, je t'attends dehors pendant que tu paies.*

Esp	Fr	Hisp-am
el escaparate	*la vitrine*	**la vitrina**
coger	*capter*	**sintonizar**
	(une émission)	
vale	*d'accord*	**bueno, conforme**
talón	*chèque*	**cheque**

Signalons également :

date prisa	*dépêche-toi*	**apúrate, muévete**
¡ ya estás con las prisas !	*te voilà encore pressé !*	**¡ qué tanto afán !**

El mercado en Latinoamérica

Un mercado latinoamericano es todo un mundo de olores, de colores, de ruidos. Está al aire libre y las mercancías están en el suelo, al lado de la vendedora, pues, con mucha frecuencia, son las mujeres las que vienen a vender sus productos. En Yucatán, los « huipiles », trajes blancos y bordados, forman contraste con las pieles cobrizas y las trenzas negras de las que los llevan. Se grita, se pregona la mercancía. Y el cliente tiene que regatear, con tiempo, con paciencia : es un juego, una costumbre. Mil golosinas, sólidas o líquidas, frescas o calientes, tientan al visitante. Los ponchos, los sombreros de paja o los amuletos, las especias, todo atrae la vista y pica la curiosidad. Animales vivos, gritos repentinos, músicas inesperadas y el sol de Mérida o el aire fresco de Cuzco.

Le marché en Amérique latine

Un marché latino-américain, c'est tout un monde d'odeurs, de couleurs, de bruits. Il est en plein air et les marchandises sont par terre, à côté de la marchande, car ce sont très souvent les femmes qui viennent vendre leurs produits. Au Yucatán, « *huipiles* », robes blanches et brodées, forment un contraste avec les peaux cuivrées et les tresses noires de celles qui les portent. On crie, on vante sa marchandise. Et le client doit discuter le prix longuement, patiemment : c'est un jeu, une coutume. Mille friandises solides ou liquides, fraîches ou chaudes, tentent le visiteur. Les ponchos, les chapeaux de paille ou les amulettes, les épices, tout attire l'œil et suscite la curiosité. Animaux vivants, cris soudains, musiques inattendues, et le soleil de Mérida ou la fraîcheur de Cuzco.

El Rastro

Cada domingo por la mañana, no lejos de la Plaza Mayor, en el casco del Madrid antiguo, tiene lugar un mercado abigarrado y único : El Rastro. Los vendedores se instalan en la Ribera de Curtidores y calles adyacentes donde disponen puestos con toda clase de géneros.

En semana el barrio tiene menos animación pero en los patios de los edificios se pueden encontrar tiendas fijas de anticuarios con gran variedad de muebles y objetos antiguos. Por sectores se ven artesanos y gremios diferentes como cesteros, ferreteros, libreros de viejo, ropavejeros, etc. También se puede ver, como en las otras ciudades españolas, todo un mundo de oficios callejeros : limpiabotas, loteros y, en esquinas, puestos de « tebeos », « pipas » y otras « chucherías » que tanto entusiasman a los niños. Otros le venderán cigarillos sueltos, cerillas, postales, sellos : como un « estanco ».

« Le Rastro »

Dans le vieux Madrid, non loin de la « Plaza Mayor », se tient tous les dimanches matin le Rastro, Marché aux Puces haut en couleur. Les vendeurs s'installent dans la « Ribera de Curtidores » et dans les rues avoisinantes où ils dressent des « étals » avec toutes sortes d'objets.

En semaine, le quartier est moins animé, mais dans les cours des immeubles on trouve des antiquaires à demeure qui offrent un grand choix de meubles et d'objets anciens. On y voit aussi, par secteurs, des artisans et des corps de métiers différents : vanniers, ferronniers, bouquinistes, fripiers. On y retrouve, ainsi que dans les autres villes d'Espagne, tout un monde de petits marchands ambulants : cireurs de chaussures, vendeurs de billets de loterie, et, au coin des rues, des marchands de bandes dessinées, de graines de tournesol et autres babioles qui font les délices des enfants. D'autres vous vendent des cigarettes à l'unité, des allumettes, des cartes postales, des timbres : tout un bureau de tabac.

1. Bébete el café, que nos cierran la tienda.
2. Por favor, quítese la chaqueta y póngase ésta.
3. Es una pena que sea tan cara la radio.
4. Sería una pena que no le gustara.
5. La próxima vez, cuando vayamos de compras, saldremos más temprano.
6. Vds pagarán cuando reciban el aparato.
7. Como quieran ; a plazos o al contado.
8. Como es sábado, estará cerrado.
9. ¿ Y si fuéramos al mercado a primera hora, antes de que haya más gente ?
10. Oiga, llevo aquí media hora y nadie me atiende.
11. Suelo ir a la compra los martes por la mañana.
12. Si pagan en metálico, les hacemos el diez por ciento de descuento.
13. ¿ No tienen otro modelo ? No, lo siento, es el único que nos queda.
14. No tienen mucho surtido. En Galerías sí que lo tendrán.

1. Bois ton café parce que le magasin va fermer.
2. S'il vous plaît, enlevez votre veste et mettez celle-ci.
3. C'est dommage que l'appareil (de radio) soit si cher.
4. Ce serait dommage qu'il ne l'aime pas.
5. La prochaine fois, quand nous ferons des courses, nous sortirons plus tôt.
6. Vous payerez quand vous recevrez l'appareil.
7. Comme vous voudrez ; à crédit ou au comptant.
8. Comme c'est samedi, il doit être fermé.
9. Et si nous allions au marché à la première heure, avant qu'il n'y ait davantage de monde ?
10. Écoutez, il y a une demi-heure que je suis ici et personne ne s'occupe de moi.
11. D'habitude, je fais mon marché le mardi matin.
12. Si vous payez en espèces, nous vous faisons un escompte de 10 %.
13. Vous n'avez pas un autre modèle ? Non, je regrette ; c'est le seul qui nous reste.
14. Ils n'ont pas un grand choix. Par contre, aux Galeries, c'est sûr, ils doivent l'avoir.

la radio, l'appareil de radio
atender, s'occuper de
el dependiente, le vendeur
la trastienda, l'arrière-boutique
aquí tienen, le voici (pour désigner)
llevar, ici : tener
el altavoz, le haut-parleur
la emisora, le poste émetteur
la grabación, l'enregistrement
gastar, dépenser

ya lo creo, bien sûr
el manejo, le maniement, la manipulation
¿Qué les parece?, qu'en pensez-vous ?
el descuento, l'escompte, la remise
o sea, es decir, c'est-à-dire
abonar, régler (payer)
la tarjeta (de crédito), la carte de crédit
la caja, la caisse
echar una ojeada, jeter un coup d'œil

Vocabulaire complémentaire

la tienda, la boutique
los almacenes, les magasins
la compraventa, l'achat et la vente
más barato, meilleur marché
más caro, plus cher
al por mayor, en gros
mayorista, grossiste
al por menor (mayorista), en gros (grossiste)
al por menor (minorista, detallista), au détail (détaillant)
horario de cierre, horaire de fermeture
horario de apertura, horaire d'ouverture
el anaquel, l'étagère
el mostrador, le comptoir
los negocios, les affaires
los géneros) les marchan-
los artículos) dises
las existencias, les stocks

el representante, le représentant
la muestra, l'échantillon
la planta baja, le rez-de-chaussée
la sección de caballeros, señoras, niños, le rayon des hommes, femmes, enfants
la mercería, la mercerie
el calzado, les chaussures
la joyería, la joaillerie
la bisutería, la bijouterie fantaisie
los artículos de regalo, les articles de cadeau
la ferretería, la quincaillerie
los electrodomésticos, l'électroménager
la relojería, l'horlogerie
el catálogo, le catalogue
envolver, envelopper
entregar, livrer
recibir, recevoir
rebajar, faire une remise
regalar, offrir

A ■ Traduire

1. Je me suis dépêchée mais ils avaient déjà fermé.
2. Sa femme fait son marché généralement de bonne heure.
3. Ne sois pas trop longue à rentrer, je t'attends.
4. Elle me plaît beaucoup mais je voudrais quelque chose de moins cher.
5. Et si nous allions tout de suite acheter tes chaussures ?
6. Je fais un chèque ou je règle en espèces ?
7. Comme tu voudras, mais ne dépense pas trop.
8. Le vendeur s'occupera de vous dès qu'il aura fini avec Madame.
9. Il est bien tard. Ils ont déjà dû fermer.
10. Elle est très belle mais elle ne doit pas être bon marché.
11. Celle-ci fait 3 000, moins 10 % de remise.
12. Bon, c'est d'accord, je la prends.

B ■ Compléter en utilisant au temps voulu le verbe adéquat

1. ¿ Dónde . . . . la sección de caballeros ?
2. Llamo al dependiente que le . . . . la semana pasada.
3. Pueden pagar como . . . ., con tarjeta o en metálico.
4. ¿ Quiere que le . . . . un paquete de regalo ?

Corrigé

A ■

1. Me di prisa pero ya habían cerrado.
2. Su mujer suele hacer la compra temprano.
3. No tardes mucho en volver que te espero.
4. Me gusta mucho pero quisiera algo menos caro.
5. ¿ Y si fuéramos ahora mismo a comprarte los zapatos ?
6. ¿ Hago un cheque (un talón) o pago en metálico ?
7. Como quieras, pero no te gastes mucho.
8. El dependiente les atenderá en cuanto haya terminado con la señora.
9. Es muy tarde ; habrán cerrado ya.
10. Es preciosa pero no será barata.
11. Esta, son tres mil menos el diez por ciento de descuento.
12. Pues nada, vale, me la llevo.

B ■

1. está
2. atendió
3. quieran - les parezca, les venga mejor
4. haga

M = Manuel   S = Santiago   T = Teresa

M— ¿ A qué hora sale la procesión del Cristo del Gran Poder ?

T— A las siete, creo.

S— Ya sabéis que no quiero perderme la salida del « Paso ».

M— ¿ Es tan interesante como dices[1] ?

S— A mí por lo menos me entusiasma[2]. Es digno de ver[3]. A las cinco ya está la plazoleta repleta de gente. Risas, chistes, vocerío de chiquillos, los bares llenos hasta los topes...

M— Ese ambiente de feria, ya lo conocemos...

S— Llámalo como quieras... A las seis y media ya está lista la banda de cornetas y tambores, empiezan a formarse las filas de nazarenos y a las siete en punto, con las campanas al vuelo, las voces se apagan como por ensalmo y... por el pórtico de la iglesia aparece el Paso mecido — es todo un arte ¿ sabéis ? — por los costaleros.

M— ¿ Le cantan saetas ?

S— A eso iba. La gente aplaude y en seguida surge la primera saeta y otra y otra. Eso es lo emocionante y lo auténtico[4] pues el que le canta a la imagen, aficionado o cantaor[5] conocido, lo haga bien o menos bien, parece contagiar al gentío[6] con su propia emoción...

M— Me estás convenciendo para que vaya...

T— Y a mí[6].

S— No lo sentiréis[7]... Lo malo[4] es que si queremos por lo menos entrar en la plazoleta tendremos que estar allí a las seis como muy tarde.

M— Pues andando entonces.

S— Para después de cenar podemos ver alguna procesión en el itinerario oficial o en el patio de los Naranjos ; merece la pena ; esta noche pasan tres...

M— Noche de procesiones pues. ¿ Conformes ?

T— Conforme. Mientras aguanten los pies[8]... Yo me he puesto zapatos cómodos, por si acaso...

S— Ah. ¡ Se me olvidaba ! A las cuatro de la madrugada[9] la Virgen de las Angustias se recoge[10]. Si no estáis muy rendidos iremos a verla volver por el barrio viejo. Veréis la diferencia con el bullicio del centro ; el mismo silencio, el mismo fervor y recogimiento que en una procesión en Castilla...

M— O que en cualquier pueblo andaluz...

M = Manuel   S = Jacques   T = Thérèse

M— A quelle heure part la procession du Christ du « grand pouvoir » ?

T— A sept heures, je crois.

S— Vous savez que je ne veux pas rater le départ du « Paso »

M— C'est aussi intéressant que tu le dis ?

S— Moi en tout cas cela m'enthousiasme. C'est à voir ! A cinq heures la petite place est déjà bondée. Des rires, des plaisanteries, des cris d'enfants, les bars pleins à craquer...

M— Cette ambiance de fête, on la connaît déjà...

S— Appelle ça comme tu voudras... A six heures et demie la fanfare de trompettes et de tambours est déjà prête, les rangs de pénitents commencent à se former et à sept heures précises les cloches sonnent à toute volée, les voix se taisent comme par enchantement et... par le portail de l'église apparaît le Paso bercé, c'est tout un art, vous savez, par les porteurs.

M— On lui adresse des « saetas » ?

S— J'y venais. Les gens applaudissent et aussitôt part la première « saeta » puis une autre et une autre. C'est ce qu'il y a d'émouvant et d'authentique, car celui qui s'adresse par son chant à la statue, amateur ou chanteur connu, qu'il chante plus ou moins bien, semble transmettre sa propre émotion à la foule...

M— Tu es en train de me convaincre d'y aller...

T— Et moi aussi.

S— Vous ne le regretterez pas... L'ennui, c'est que si nous voulons au moins entrer sur la petite place nous devrions y être à six heures au plus tard.

M— Eh bien, allons-y alors !

S— Pour après dîner, nous pourrons voir une procession sur l'itinéraire officiel ou dans le patio des Orangers ; cela vaut la peine ; cette nuit il en passe trois...

M— Nuit de processions alors ! Vous êtes d'accord ?

T— Entendu. Tant que mes pieds le supporteront... J'ai mis des souliers de marche, on ne sait jamais...

S— Ah ! J'oubliais ! A quatre heures du matin, la « Vierge des Angoisses » rentre. Si vous n'êtes pas trop épuisés, nous irons la voir revenir dans le vieux quartier. Vous verrez la différence avec le brouhaha du centre ; c'est le même silence, la même ferveur et le même recueillement qu'à une procession en Castille...

M— Ou comme dans n'importe quel village andalou...

1. **Es tan interesante como dices,** *c'est aussi intéressant que tu dis* ; phrase comparative, apocope de *tanto* devant un adjectif (voir aussi IV—3, 11 et X—3, 9).

2. **A mí, por lo menos, me entusiasma** m. à m. *moi, ça m'enthousiasme*, courant pour *moi j'adore...* observez la construction, comme *gustar :* a mí, *no me gusta* el bullicio, *moi, je n'aime pas le vacarme.*

3. **Es digno de ver,** *il faut le voir* (sens de : *cela vaut la peine d'être vu*), variante de falloir, impersonnelle, voir IV—3, 13 et XVIII—3, 6.

4. **Eso es lo emocionante y lo auténtico,** *c'est cela qui est émouvant et vrai.* Lo malo es, *l'ennui c'est... Lo* + adjectif (voir I—3, 12).

5. **Cantaor,** *chanteur* pour le flamenco (de **cantador**). *Cantante* (d'opéra, de variétés, etc.). Aussi : *cante* flamenco (*chant* flamenco) et canto (*chant*, tout court), et *bailaor, bailaora* (*danseur-euse* de flamenco) mais *bailarín, bailarina* (*danseur-euse* de ballet, etc.)

6. **Contagiar al gentío,** *contaminer la foule.* Complément d'objet direct de personne précédé de la préposition « **A** » (voir I—3, 11). **Y** *a mí, et moi* (complément).

7. **No lo sentiréis** (de sentir), *vous ne le regretterez pas.* Usuel : lo siento, *je regrette, je suis désolé.*

8. **Mientras aguanten los pies...,** *tant que mes pieds tiendront, supporteront...* Subjonctif présent de *aguantar, supporter, tenir bon,* subordonnée temporelle : voir VI—3, 9.

9. **La madrugada,** *le petit matin, l'aube, madrugar, se lever de bonne heure.* « A quien madruga, Dios le ayuda », « *aide-toi, le ciel t'aidera* ».

10. **Se recoge,** *ici, rentre,* de *recogerse* (connotation de rentrer en fin de journée ou *tard dans la nuit*). Aussi *se recueillir, recoger, récolter, ramasser.* **El que siembra, recoge,** *qui sème, récolte.*

Esp	Fr	Hisp-am
el artesonado	*le plafond à caissons*	**el alfarje**
el atril	*le lutrin*	**el facistol**
el encapuchado	*le pénitent*	**el carguero**

NOTES

el camarín, petite chapelle derrière un autel et formant une sorte de balcon sur la rue ; pièce ou l'on garde les parures des statues qui servent aux processions.

el sagrario, 1. *le tabernacle.* 2. *la chapelle à côté de* la cathédrale.

el monumento, *reposoir* (du Jeudi Saint), orné de fleurs et de fruits donne l'expression **quedar como fruta de monumento,** *demeurer bouche bée.*

payanés, *de Popayán,* ville colombienne célèbre pour sa Semaine Sainte.

Semana Santa tradicional

Los países hispanoamericanos y, en particular, Colombia y Costa Rica siguen siendo baluartes del catolicismo. En México y en el Perú se mezclan religión católica y ritos precolombinos, en el Caribe los santos católicos tienen mucho que ver con las divinidades africanas. En muchos pueblos, el drama de la Pasión de Cristo se interpreta con hombres y mujeres que desempeñan los diferentes papeles (el Cristo, la Virgen, los Apóstoles, Pilatos, Judas). « Siempre ha habido dos semanas santas. La estrictamente litúrgica y la popular, o costumbrista o pintoresca », dice el escritor colombiano Eduardo Guzmán Esponda. La payanesa es famosa en todo el continente americano.

La Semaine Sainte traditionnelle

Les pays hispano-américains et, en particulier, la Colombie et le Costa Rica sont toujours des bastions du catholicisme. Au Mexique et au Pérou, la religion catholique et les rites précolombiens sont mêlés, dans les Caraïbes, les saints catholiques ont bien des rapports avec les divinités africaines. Dans de nombreux villages, le drame de la Passion du Christ est interprété par des hommes et des femmes qui jouent les différents rôles (le Christ, la Vierge, les Apôtres, Pilate, Judas). « Il y a toujours eu deux Semaines Saintes. L'une, strictement liturgique et l'autre, populaire, traditionnelle ou pittoresque », dit l'écrivain colombien Eduardo Guzmán Esponda. Celle de Popayán est célèbre dans tout le continent américain.

Las Semanas Santas en España

Cuando llega marzo o abril, según los años, España se ve conmovida por un acceso de fiebre religiosa que se traduce en las ceremonias de la Semana Santa : Pero si las procesiones son la representación del drama de la Pasión de Cristo con todo lo que supone de tristeza, emoción y dolor, el visitante extranjero no podrá por menos de notar la diferencia de matiz entre las ceremonias que se pueden ver en el Norte (Valladolid es la más famosa) y el Sur (Sevilla es probablemente la más vistosa de toda España). Si en Valladolid le puede parecer triste a primera vista es a causa del temperamento de sus habitantes (reservados, tradicionalistas, resignados) que viven la Semana Santa como una tragedia. En cambio en Sevilla la emoción puede tomar incluso un cariz alegre que no es más que el resultado de la profunda emoción y de la necesidad de exteriorización del Andaluz. Estos días, si Castilla los vive con recogimiento y en silencio, en Andalucía se vive un gran fenómeno de exteriorización y de ruido. El visitante extranjero que comprenda toda la fe que hay en los capuchones sin pensar en todos los clichés que le vienen al ver esa silueta enmascarada, habrá dado un gran paso para conocer lo español.

Les Semaines Saintes en Espagne

Quand arrive mars ou avril, selon les années, l'Espagne est prise d'un accès de fièvre religieuse qui se traduit par les cérémonies de la Semaine Sainte : mais si les processions sont la représentation du drame de la Passion du Christ avec tout ce que cela suppose de tristesse, d'émotion et de douleur le visiteur étranger ne pourra s'empêcher de remarquer la différence de nuance entre les cérémonies que l'on peut voir dans le Nord (Valladolid est la plus célèbre) et dans le Sud (Séville est sans doute la plus attirante de toute l'Espagne). Si à Valladolid cela peut vous sembler triste à première vue c'est à cause du tempérament de ses habitants (réservés, traditionalistes, résignés) qui vivent la Semaine Sainte comme une tragédie. Par contre à Séville l'émotion peut même revêtir un aspect joyeux qui n'est que le résultat de la profonde émotion et du besoin d'extérioriser de l'Andalou. Ces jours-là, si la Castille les vit avec recueillement, et en silence, en Andalousie, on vit un grand phénomène d'extériorisation bruyante. Le visiteur étranger qui comprendra toute la foi qu'il y a chez les pénitents sans penser à tous les clichés qui lui viennent à l'esprit en voyant cette silhouette masquée aura fait un grand pas dans la connaissance de ce qui est espagnol.

1. Cuando salen (pasan) más procesiones es la noche del Jueves Santo.
2. Me han dicho que es digna de ver la procesión del Cristo de la Expiración ¿ A qué hora pasa por esta calle ?
3. Una procesión presenta tanto interés en una ciudad como en otra según la hora de la noche, el sitio por donde pasa o el público...
4. En el itinerario oficial, pueden alquilar sillas o un palco para toda la noche.
5. A mí, me interesa más verlas volver a las altas horas de la madrugada por los barrios antiguos...
6. El año pasado estuvimos en Sevilla para la Semana Santa. El alojamiento no fue de lo mejor, pero no lo sentimos.
7. ¿ Lo estético, lo religioso ? No sé, pero algo que existe y que está ahí...
8. En otros tiempos cada cofradía correspondía a un gremio.
9. Esta tradición sigue existiendo.
10. Va mucha diferencia (dista mucho) entre las procesiones de la Inquisición y las que vemos hoy...
11. El apego del pueblo a estas tradiciones lo conocen bien todos los partidos políticos.

1. C'est cependant la nuit du Jeudi Saint qu'il y a le plus de processions.
2. On m'a dit qu'il fallait voir la procession du « Christ de l'Expiration » (dernier soupir). A quelle heure passe-t-elle dans cette rue ?
3. Une procession présente autant d'intérêt dans une ville que dans une autre selon l'heure de la nuit, le lieu dans lequel elle passe ou selon le public...
4. On peut louer des chaises ou une loge pour toute la soirée, sur l'itinéraire « officiel ».
5. Moi, je préfère les voir rentrer aux premières heures de l'aube dans les vieux quartiers.
6. L'année dernière nous avons été à Séville pour la Semaine Sainte : l'hébergement n'était pas ce qu'il y avait de mieux, mais nous ne l'avons pas regretté.
7. L'esthétique ou le religieux ? Je ne sais pas mais c'est quelque chose qui existe et qui est là...
8. Jadis, à chaque corps de métier correspondait une confrérie.
9. Cette tradition existe toujours.
10. Il y a une grande différence entre les processions de l'Inquisition et celles que nous voyons aujourd'hui...
11. L'attachement du peuple à ces traditions-là, tous les partis politiques le connaissent bien...

perderse (se perdre), ici, rater, manquer

la salida, la sortie, le départ

es digno de ver, c'est à voir, il faut le voir

la plazoleta, la petite place

repleta, bondée

los chistes, plaisanteries, histoires drôles

el vocerío, cris

los chiquillos, gamins, gosses

llenos hasta los topes, pleins à craquer

la banda, la fanfare

las filas, les rangs

los nazarenos, les pénitents (avec des cagoules)

las campanas, les cloches

al vuelo, à toute volée

apagarse (s'éteindre), se taire

por ensalmo, par enchantement

mecido (de mecer), bercé

el bullicio, le bruit, le tumulte

rendidos, épuisés, « vannés »

el fervor, la ferveur

el recogimiento, le recueillement

el Paso, *sorte de char portant les statues religieuses évoquant les scènes de la Passion.*

los costaleros, les porteurs de Pasos

la saeta (m. à m. flèche), *chant profane d'inspiration religieuse et court qui surgit spontanément au passage des processions*

a eso iba, justement, j'y venais

el aficionado, l'amateur

el gentío, la foule

convencer, convaincre

sentir, regretter

andando, allons-y

los naranjos, les orangers

merecer la pena, valoir la peine

conformes, d'accord

aguantar, tenir, supporter

los zapatos, les chaussures

por si acaso, au cas où, on ne sait jamais

la madrugada, l'aube, le petit matin

recogerse, rentrer

ir de vuelta, être de retour, revenir

además, et puis...

Vocabulaire complémentaire

la hermandad } la confrérie
la cofradía

el cofrade, membre de la confrérie

los capirotes, les cagoules

el palco oficial, la tribune officielle

el gremio, le corps de métiers, la corporation

el Domingo de Ramos, Dimanche des rameaux

las pascuas de Semana Santa, Pâques

vacaciones de Semana Santa, vacances de Pâques

¡felices Pascuas! (de Navidad), Nativité), Joyeux Noël !

los cirios, les cierges

las joyas, les joyaux

A ■ **Traducir**

1. La Procesión del Viernes Santo es la que no me quiero perder.
2. Son tan dignas de ver las procesiones de Valladolid como las de Sevilla.
3. Ponte zapatos cómodos pues nos recogeremos tarde.
4. Lo emocionante también es oir una saeta al filo de la madrugada, por las calles antiguas.
5. Como por ensalmo, se apagaron las voces.
6. Lo difícil será encontrar sitio en los palcos, pero aunque estemos de pie, no lo sentiréis.

B ■ **Traduire**

1. Les rangs de pénitents suivent la fanfare.
2. Les porteurs bercent les « Pasos » au départ et au retour de la Procession.
3. Les gens en· Andalousie sont très attachés à cette vieille coutume.
4. Nous irons à Séville pour les vacances de Pâques.
5. Quand je suis rentré, j'étais épuisé mais je ne regrette pas ; c'était à voir ! (cela valait la peine).

Corrigé

A ■ 1. C'est la procession du Vendredi Saint que je ne veux pas rater.
2. Les processions de Valladolid sont à voir aussi bien que celles de Séville
3. Mets des chaussures confortables car nous rentrerons tard.
4. Ce qui est émouvant aussi c'est d'entendre une « Saeta » au point du jour, dans les vieilles rues.
5. Les voix se sont tues comme par enchantement.
6. Ce qui sera difficile ce sera de trouver de la place dans les tribunes, mais même si nous sommes debout, vous ne le regretterez pas.

B ■ 1. Las filas de nazarenos siguen a la banda.
2. Los costaleros mecen los Pasos a la salida y a la vuelta (el regreso) de la procesión.
3. La gente en Andalucía está muy apegada (le tiene mucho apego) a esta antigua costumbre.
4. Para las vacaciones de Semana Santa, iremos a Sevilla.
5. Cuando volví (me recogí), estaba rendido pero no lo siento ; era digno de ver (merecía la pena).

S = Santiago   P = Pedro   R = Remigio

S— Pedro ¿ me acompañas a dar una vuelta[1] ? Vamos a ver[2] cómo están poniendo las calles de bonitas.

P— Bueno y así aprovecharemos para ver a Fernando en la plaza. Creo que está ayudando a montar los tendidos para las novilladas.

S— Oye, a propósito ¿ conoces el recorrido del encierro de este año ? Me habían hablado[3] de que querían cambiarlo.

P— No, eso no. Los viejos no han querido. Como son casi los únicos que viven todavía en el pueblo, han dicho que no querían que se cambiase el itinerario[4]. La tradición, ya sabes. Lo que sí ha cambiado es el sitio del ferial.

S— Es que molestaba demasiado en pleno pueblo. Con esto de las fiestas no había quien parara[5] de ruido y de coches.

P— Sí, ahora en la explanada de abajo, cerca del puente, están mejor los feriantes y todos sus tiovivos ; hay más sitio y sobre todo pueden hacer todo el ruido que se les antoje[6].

S— Lo que veo es que ha venido más gente que de costumbre.

P— Y ya verás cómo se va a poner todo esto esta tarde, cuando salga la procesión. Sabes que la gente de aquí no se pierde ningún año la fiesta de la tierra. Eso tira mucho[7].

S— ¡ Mira ! por ahí viene el tío Remigio.

R— ¡ Hola muchachos ! Da gusto[8] veros por estas fechas. Aquí los que vivimos todo el año en el pueblo estamos deseando que vengan las fiestas para veros a todos vosotros ; esa es la alegría que tenemos ; porque cuando nosotros nos muramos no sé qué va a ser de todo esto[9].

S— No se ponga tan triste[10], tío Remigio, que nosotros venimos aquí a estar alegres.

P— ¿ No ha visto todas esas guirnaldas que engalanan las calles ? Está la bandera de España y la Regional. Queda de lo más bonito[11].

S— Y esta tarde, depués de la procesión vendrá Vd al baile ¿ no ?

R— Yo ya no estoy para esos trotes[12]. Después de la procesión me iré al bar a echar una partidita de dominó y después de cenar, a la cama.

S— No me diga que no va a ver los fuegos artificiales ni el toro de fuego esta noche.

R— Antes sí que me gustaba verlos, pero ya estoy viejo.

S = Jacques   P = Pierre   R = Rémi

S— Pierre, tu m'accompagnes faire un tour ? Nous allons voir comme ils décorent bien les rues.

P— Bon, et ainsi nous en profiterons pour voir Ferdinand sur la place. Je crois qu'il est en train d'aider à monter les gradins pour les « novilladas ».

S— Écoute ! A propos, connais-tu le parcours de l'« encierro » de cette année ? On m'avait dit qu'on voulait le changer.

P— Non, pas ça ! Les vieux n'ont pas voulu. Comme ce sont presque les seuls qui vivent encore au village, ils ont dit qu'ils ne voulaient pas qu'on le change : la tradition, tu sais. Par contre, ce qui a changé, c'est l'emplacement de la foire.

S— C'est que cela dérangeait trop, en plein village. Avec ces fêtes on ne pouvait pas tenir à cause du bruit et des voitures.

P— Oui, maintenant, sur l'esplanade d'en bas, près du pont, les forains et tous leurs manèges sont mieux ; il y a davantage de place et surtout ils peuvent faire tout le bruit qu'ils veulent.

S— Ce que je vois c'est qu'il est venu plus de monde que d'habitude !

P— Et tu vas voir quel monde il y aura cet après-midi, quand la procession sortira. Tu sais que les gens d'ici ne ratent pas une seule fois les fêtes du pays. C'est très attachant.

S— Regarde ! Voici le père Rémi.

R— Bonjour les enfants ! Cela fait plaisir de vous voir à cette époque. Ici, nous vivons toute l'année au village. Il nous tarde que les fêtes arrivent pour vous voir tous ; c'est notre seule joie ; parce que quand nous mourrons, je ne sais pas ce que tout cela deviendra !

S— Ne soyez pas si triste, père Rémi, parce que nous, nous sommes venus nous amuser.

P— Vous n'avez pas vu toutes ces guirlandes qui pavoisent les rues ? Il y a le drapeau espagnol et celui de la Région. Cela fait très joli.

S— Et cet après-midi, après la procession, vous viendrez au bal, n'est-ce pas ?

R— Ce n'est plus de mon âge. Après la procession j'irai au café jouer une petite partie de domino et après dîner, au lit.

S— Ne me dites pas que vous n'allez pas voir le feu d'artifice ! Ni le « toro de fuego » cette nuit !

R— Avant, bien sûr que j'aimais les voir, mais maintenant, je suis vieux.

1. **dar una vuelta,** *faire un tour* (IV—3, 3, VI—3, 10).
2. **Vamos a ver....** *allons voir.* En fait, impératif que la langue parlée ne rend pas dans des expressions usuelles : **vamos al cine, vamos a comer,** alors qu'on devrait dire : *vayamos al cine,* **a comer,** *allons au cinéma...* (pour la préposition **A,** voir en particulier V—3, 3, et pour l'impératif leçons III, V, IX et XIV—3, 2).
3. **Me habían hablado....** *on m'avait dit...* (voir III—3, 6 et XI—3, 10).
4. **no querían que se cambiase el itinerario,** *ils ne voulaient pas que l'on change l'itinéraire.* Attention à la concordance ; au présent on dirait : *no quieren que se cambie...* (voir X—3, 11, XV—3, 11).
5. **no había quien parara,** *on ne pouvait pas* (« arrêter ») *être tranquille :* observez encore une fois la concordance des temps de l'expression : **No hay quien...** (VII—3, 12).
6. **... todo el ruido que se les antoje,** *tout le bruit que vous voudrez, qu'il vous semblera.*
   1. Action envisagée, subjonctif en espagnol : voir leçons précédentes et en particulier XVIII—3, 8.
   2. Expression : *antojársele* algo a alguien, *avoir l'idée, venir à l'esprit :* **Se le antojó** ir a todas las casetas, *l'idée lui prit d'aller dans tous les stands.* ¿ **Se te antoja** ir a bailar ? *ça te dit d'aller danser ? Los antojos, les caprices d'un enfant, les envies d'une femme enceinte...*
7. **Eso tira mucho,** expression pour désigner l'attachement, particulièrement à la terre, au pays natal.
8. **Da gusto veros....** *cela fait plaisir de vous voir...* **con mucho gusto,** *avec plaisir.* **Mucho gusto,** *enchanté* (de vous connaître).
9. **no sé qué va a ser de todo esto,** *je ne sais pas ce que tout cela va devenir.* Très usuel : **ser de,** *devenir.* ¿ **Qué es de tu** familia ?, *que devient ta famille ?*
10. **No se ponga tan triste.,..** m. à m. *ne devenez pas si triste...* Devenir + adjectif : XVII—3, 7.
11. **Queda de lo más bonito,** *cela fait très joli.* Particularité de *quedar* + adjectif ou adverbe ; idée de *s'avérer, résulter.* **Queda muy bien la calle con las flores y sin coches,** *cela fait bien* (elle est bien), *la rue, avec les fleurs et sans voitures...*
12. **Yo ya no estoy para esos trotes,** m. à m. « *je ne suis plus* (en forme, en état) *pour ces agitations, allées et venues ».* C'est-à-dire : *ce n'est plus de mon âge.*
    — *Estar para :* connotation d'être en mesure. **No estoy para bromas** (plaisanteries), *je ne suis pas d'humeur à plaisanter.*

Esp	Fr	Hisp-am
el tiovivo	*le manège* (fêtes)	**el carrusel**
los cohetes	*les fusées*	**los voladores**
el buscapiés	*le pétard*	**el buscaniguas** *(Col.)*
los romeros	*les pèlerins*	**los promeseros** *(Col.)*
el jipijapa	*le chapeau Panama*	**el jipa**
el bolso	*le sac à main*	**el carriel** *(Col.)*
		la cartera *(Col.)*

NOTES

el tejo, *jeu de palet* (Colombie)

el reinado, *l'élection d'une reine* (de Beauté, du Maïs, du Café, etc.)

la minga, réunion d'amis pour un travail collectif rémunéré uniquement en nourriture et en boisson, cf. le coumbite haïtien (Colombie)

la riña de gallos, *le combat de coqs*

la gallera, *le gallodrome*

Las Parrandas

Las Parrandas son competencias artísticas donde todo el pueblo participa. Claro, los carmelitas por el Carmen y los sansaríes por el San Salvador. Esta competencia consiste en lanzar al aire numerosos voladores, discos volantes, morteros multicolores, fuegos artificiales y luces de Bengala. Exhiben vistosas colecciones de faroles, curiosas carrozas y gigantescas piezas artísticas con innumerables cambios lumínicos llamados Trabajos de Plaza. El entusiasmo con que los remedianos han tomado estas fiestas las ha conservado como una de las tradiciones más bellas de Cuba.

Miguel Martín Farto, *Las Parrandas de Remedios, Bohemia,*
La Habana, 31-12-1982.

Les fêtes

Les fêtes sont des compétitions artistiques auxquelles tout le peuple participe. Bien sûr, les habitants des quartiers du Carmel et de San Salvador pour leur quartier respectif. Cette compétition consiste à lancer dans les airs de nombreuses fusées, des disques volants, des mortiers multicolores, des feux d'artifice et des feux de Bengale. On étale des collections voyantes de lampions, des chars curieux et de gigantesques pièces artistiques avec d'innombrables changements d'éclairage appelées Travaux de Place. L'enthousiasme qu'ont montré les habitants de Remedios à l'égard de ces fêtes les a conservées comme une des plus belles traditions de Cuba.

En España hay fiestas durante todo el año : hay santos muy importantes que dan lugar a fiestas locales con corridas famosas, como San Isidro (Madrid) en mayo, Nuestra Señora de la Merced (Barcelona) a finales de septiembre, Nuestra Señora del Pilar (Zaragoza) el 12 de octubre (también Fiesta Nacional), las Fallas de Valencia (19 de Marzo) en las que la ciudad se convierte en una verdadera hoguera durante la noche de San José ; San Fermín (Pamplona) el 7 de Julio, con sus « encierros » tan queridos de Hemingway en los que se sueltan a los toros al amanecer y la gente vive durante varios días en un ambiente de música y de total olvido de los problemas cotidianos.

Las fiestas religiosas tienen mucha importancia : el Corpus da lugar a grandes procesiones muy vistosas como en Toledo o Sitges (provincia de Barcelona). El 15 de Agosto se puede asistir en Elche (provincia de Alicante) o en la Alberca (provincia de Salamanca) a verdaderos « misterios » medievales. En Levante se pueden ver las fiestas de « moros y cristianos » en las que se rememoran, con gran estruendo de pólvora, las batallas medievales entre reinos cristianos y reinos musulmanes. En Andalucía, entre otras, tenemos la Feria de Abril de Sevilla.

En Espagne il y a des fêtes durant toute l'année : il y a des Saints très importants qui donnent lieu à des fêtes locales ou à des corridas célèbres : comme Saint-Isidore (Madrid) en mai, Notre-Dame de la Grâce (Barcelone) fin septembre, Notre-Dame du Pilar (Saragosse) le 12 octobre (également Fête Nationale), les « Fallas » de Valence (19 mars) pendant lesquelles la ville se transforme en un véritable brasier pendant la nuit de Saint-Joseph ; Saint-Firmin (Pampelune) le 7 juillet, avec ses « encierros » — qu'aimait tellement Hemingway — où l'on lâche les taureaux à l'aube et où les gens vivent durant plusieurs jours dans une ambiance de musique et d'oubli total des problèmes quotidiens.

Les fêtes religieuses ont beaucoup d'importance : la Fête-Dieu donne lieu à de grandes et belles processions comme à Tolède ou Sitges (province de Barcelone). Le 15 août on peut assister à Elche (province d'Alicante) ou à la Alberca (province de Salamanque) à de véritables « mystères » médiévaux. Dans la région du Levant on peut voir les fêtes de « maures et chrétiens » où l'on se remémore, à grand fracas de poudre, les batailles médiévales entre royaumes chrétiens et royaumes musulmans. En Andalousie, entre autres, nous avons la Fête d'avril de Séville.

1. Normalmente las fiestas de nuestro pueblo caían en febrero. Pero desde hace unos años las hemos cambiado a la segunda semana de agosto para que puedan venir todos nuestros parientes y allegados.
2. Esta noche, después de los fuegos artificiales, iremos a bailar la verbena.
3. En la plaza mayor han tirado una traca tan gorda que se ha oído en todo el pueblo.
4. Ya verán lo bonita que es nuestra romería : sacan al santo en andas y después de la procesión toda la gente se pone a comer en la pradera, delante de la ermita.
5. ¿ Habéis oído el cohete ? Eso significa que han soltado a los toros. Ya podéis echar a correr.
6. En el transcurso de las fiestas habrá conciertos en el templete del paseo central a las doce de la mañana y a las diez de la noche.
7. Por el Corpus, las calles de Sitges están tapizadas con pétalos de flores formando dibujos para el paso de la procesión.
8. Mira qué casualidad : este año las fiestas del pueblo caen el día de mi cumpleaños.
9. Después de la batalla de flores y del pregón, las calles estaban repletas de claveles y de serpentinas.

1. Normalement les fêtes de notre village tombaient en février. Mais depuis quelques années nous les avons déplacées à la deuxième semaine du mois d'août pour que nos parents (les membres de notre famille) et nos proches puissent venir.
2. Ce soir, après le feu d'artifice, nous irons danser au bal public.
3. Sur la place centrale on a allumé un chapelet de pétards si gros qu'on l'a entendu dans tout le village.
4. Vous verrez combien notre « romeria » est jolie : on sort le saint sur les épaules et après la procession tout le monde commence à manger sur le pré devant l'ermitage.
5. Avez-vous entendu la fusée ? Cela veut dire que les taureaux ont été lâchés. Vous pouvez vous mettre à courir.
6. Pendant la durée des fêtes il y aura des concerts au kiosque de la promenade centrale à midi et à dix heures du soir.
7. A la Fête-Dieu, les rues de Sitges sont tapissées de pétales de fleurs qui forment des dessins pour le passage de la procession.
8. Quel hasard ! Cette année les fêtes du village tombent le jour de mon anniversaire.
9. Après la bataille de fleurs et de la proclamation des fêtes les rues étaient pleines d'œillets et de serpentins.

la feria, la foire
dar una vuelta, faire un tour
aprovechar, profiter
los tendidos, les gradins
la novillada, la corrida avec des jeunes taureaux
el recorrido, le parcours
el encierro, le lâcher des taureaux dans les rues que l'on conduit par un itinéraire bien précis jusqu'à l'arène
el ferial, la foire
el sitio, l'emplacement
molestar, gêner
no hay quien pare, on ne peut pas tenir, supporter
el feriante, le forain
el tiovivo, le manège
hay sitio, il y a de la place
antojar, vouloir, avoir un caprice
la costumbre, l'habitude

cómo se pone, combien de monde il y a
la tierra, le pays (d'où on est)
ahí viene, le voici (qui vient)
da gusto, cela fait plaisir
la fecha, la date
por estas fechas, à cette époque
todos vosotros, vous tous
la guirnalda, la guirlande
engalanar, décorer, parer, pavoiser
queda bonito, cela fait joli
no estoy para estos trotes, ce n'est pas de mon âge
una partidita, une partie (jeux)
los fuegos artificiales, les feux d'artifice
el toro de fuego, taureau en carton pâte, chargé de feux d'artifice et qui fonce dans la foule

Vocabulaire complémentaire

la romería, le pèlerinage local
la ermita, l'ermitage
los cohetes, les fusées
la traca, le chapelet de pétards
la batalla de flores, la bataille de fleurs
los claveles, les œillets
el pregón, la proclamation (acte d'ouverture des fêtes)
la verbena, le bal public (la nuit)
el templete, le kiosque (à musique)
los gigantes y cabezudos, les géants et les grosses têtes (en carton)

las peñas, les groupes de jeunes gens
los títeres, les marionnettes
los « caballitos », les petits chevaux de bois
los coches de choque, les autos-tamponneuses
estar de fiesta, être en fête
celebrar, fêter ; avoir lieu (un acte public)
divertirse, s'amuser
el regocijo, l'allégresse
la falla, sorte de grande construction humoristique en bois et en carton qui est brûlée la nuit de la St-Joseph à Valence
las casetas, les « baraques » (à Séville)

A ■ **Mettre les verbes entre parenthèses au temps voulu**

1. Los tiovivos *(estar)* para que los niños *(divertirse)*.

2. Aunque le *(apetecer)* ir a la verbena, no iremos porque no *(poder)* : lo *(sentir)* mucho.

3. Como no queríamos que la feria *(molestar)*, el año pasado *(nosotros, cambiar)* el sitio.

4. Cuando *(vosotros, llegar)* a Valencia, no *(perderse)* las fallas.

5. Si no *(tu ver)* nunca los encierros de Pamplona, no sabes lo que te *(perder)*.

6. Las fiestas fueron muy vistosas : los fuegos *(quedar)* muy bien. Después *(nosotros, ir)* a la verbena y *(bailar)* toda la noche.

B ■ 1. Je n'aime pas danser, mais par contre ce que j'aime ce sont les courses de taureaux.

2. Je ne sais pas pourquoi il allait encore courir devant les taureaux ; ce n'était plus de son âge !

3. Les fanfares font tellement de bruit qu'on ne peut pas tenir.

4. Et si cela vous dit, après nous ferons un tour à la foire.

5. Dans les rues il y avait une foule immense. Moi j'ai eu peur avec toutes ces bousculades.

6. La ville était en fête. Voilà pourquoi il y avait autant de monde.

7. Tiens, voici Ramon, lui, par contre, il doit connaître toutes les dates de toutes les fêtes de la région (ou du pays).

Corrigé

A ■ 1. Están ; se diviertan.

2. apetezca ; podemos ; siento *ou* sentimos.

3. molestara *ou* molestase ; cambiamos.

4. lleguéis ; os perdáis.

5. has visto *ou* viste ; has perdido *ou* perdiste.

6. quedaron ; fuimos ; bailamos.

B ■ 1. No me gusta bailar ; lo que sí me gustan son las corridas.

2. No sé por qué iba aún a correr delante de los toros ; no estaba para esos trotes.

3. Las bandas hacen tanto ruido que no hay quien pare.

4. Y si os apetece después daremos una vuelta a la Feria.

5. En las calles había una gran muchedumbre. Yo tuve miedo con tantos apretones.

6. La ciudad estaba de fiesta. Por eso había tanta gente.

7. Mira, ahí viene Ramón ; él sí conocerá todas las fechas de todas la fiestas de las tierra.

F = Felipe   A = Adolfo

F— Los tendidos de sol ya están casi llenos.

A— Ayer ya no había billetes.

F— Con los forasteros que han venido a la feria...

A— Además que el cartel de hoy no puede ser mejor ; para algunos críticos son los tres mejores toreros del momento.

F— ¿ Y los toros ?

A— Vienen de la ganadería más prestigiosa...

F— O sea[1] que quizás veamos[2] la mejor corrida de la temporada...

A— ¡ Quién sabe ! Igual puede ser mala[3]... Los toros tienen eso... Intervienen muchos factores ; el toro y su modo de embestir (no hay dos reses iguales), el estado de ánimo del diestro según el toro que tiene delante, según el público, según el tiempo...

F— ¿ Por qué el tiempo ?

A— Pues por ejemplo cuando hace mucho viento es difícil ver una buena faena[4]...

F— ¿ Y cómo es eso[5] ?

A— Por la sencilla razón de que si el aire levanta la muleta, no hay pases ligados, armoniosos ; ese conjunto acompasado del torero, del brazo con la muleta y del toro, desaparece.

F— Y además es peligroso ¿ no ?

A— Puede ser peligroso si en el momento de la embestida, una ráfaga levanta la muleta ; el torero queda « a descubierto » frente a[6] las astas... Dicen[7] que a la hora de la verdad, cuando el torero entra a matar, lo hace más con la muleta que con el estoque...

F— Claro ; no es una cuestión de fuerza frente a[6] la fiera. Es cuestión de habilidad. Y de arrojo, y de arte.

A— ¿ De arte ? ¿ Matar un toro entre varios ?

F— Mira, como tú, hay muchos Españoles que están en contra de los toros[8]. No todos somos crueles, sanguinarios...

A— Como es mi primera corrida, podré hacerme una opinión ¿ no ?

F— Y quizás descubras[2] algo más que la idea preconcebida que tienes...

A— Ya veremos... ¡ Oye ! Mira a ese señor del puro, endomingado, con sombrero y chaqueta ¡ con el calor que hace !

F— La estampa misma del aficionado de pura cepa[9].

F = Philippe   A = Adolphe

F— Les gradins au soleil sont déjà presque pleins.

A— Hier il n'y avait déjà plus de billets.

F— Avec les étrangers qui sont venus à la fête...

A— Sans compter que l'affiche d'aujourd'hui ne peut pas être meilleure ; pour certains critiques ce sont les trois meilleurs « matadors » du moment.

F— Et les taureaux ?

A— Ils viennent de l'élevage le plus prestigieux...

F— Ainsi nous allons peut-être voir la meilleure corrida de la saison...

A— Qui sait ? Elle peut tout aussi bien être mauvaise... La corrida, c'est cela ! Beaucoup de facteurs interviennent ; le taureau et sa manière de charger (il n'y a pas deux bêtes semblables), l'état d'esprit du matador selon le taureau qu'il a devant lui, selon le public, selon le temps...

F— Pourquoi le temps ?

A— Eh bien, par exemple quand il y a beaucoup de vent il est difficile de voir une bonne « faena »...

F— Comment se fait-il ?

A— Pour la simple raison que si l'air soulève la « muleta », il n'y a pas de passes enchaînées, harmonieuses ; cet ensemble rythmé du matador, du bras avec la « muleta » et du taureau disparaît alors !

F— Et en plus c'est dangereux, non ?

A— Cela peut être dangereux si au moment où le taureau charge, une rafale de vent soulève la « muleta » ; le matador reste « à découvert » face aux cornes... On dit qu'à l'heure de la vérité, lorsque le matador se dispose à tuer, il le fait davantage avec la « muleta » qu'avec l'épée...

F— Bien sûr ; ce n'est pas une question de force face au fauve. C'est une affaire d'habileté. Et de courage, et d'art.

A— D'art ? Tuer un taureau à plusieurs ?

F— Écoute, comme toi, il y a beaucoup d'Espagnols qui sont contre les corridas. Nous ne sommes pas tous cruels, sanguinaires...

A— Comme c'est ma première corrida, je pourrai me faire une opinion, n'est-ce pas ?

F— Et peut-être découvriras-tu autre chose que l'idée préconçue que tu as...

A— Nous verrons bien... Écoute ! Regarde cet homme au cigare avec un chapeau et en veston, avec la chaleur qu'il fait !

F— Le symbole même de l'« aficionado » de vieille souche...

1. **O sea,** *c'est-à-dire.* Très usuel, variante : es decir.
2. **quizás veamos,** peut-être verrons-nous... *Y quizás descubras... et peut-être découvriras-tu...* (voir II—3, 3).
3. **Igual puede ser mala,** elle *peut être aussi bien mauvaise.* Sens particulier de *igual* : *Igual* puede no haber toros, si llueve, *Il peut aussi bien ne pas y avoir de corrida, s'il pleut.* **Es el mejor pero** *igual* **puede no hacer nada esta tarde,** *il est le meilleur mais il peut aussi bien ne rien faire cet après-midi.* Aussi : **es igual,** *c'est pareil,* **me da igual,** *cela m'est égal.*
4. **es difícil ver una buena faena,** il *est difficile de voir...* **Es imposible saber,** *il est impossible de...* **Es bueno conocer,** *il est bon de connaître.* Ces formes impersonnelles (il est + adjectif) ne comportent donc pas la préposition **de.** Mais, attention : **ese toro es difícil de torear,** ce *taureau est difficile à toréer.* **Algunas corridas son bonitas de ver,** *certaines corridas sont jolies à voir.*
5. **¿ Y cómo es eso ?** *Et comment se fait-il ?* Expression courante traduisant aussi : *et pourquoi donc ? Comment cela ?*
6. **frente a,** *devant, face à :* sens d'affrontement. *Delante de, devant,* sens de lieu, emplacement. Sens figuré : *ante, devant :* **un buen torero no retrocede ante una situación peligrosa,** *un bon torero ne recule pas devant une situation dangereuse.* A ne pas confondre avec **antes** (adverbe) : *avant, auparavant.*
7. **Dicen,** on *dit :* forme impersonnelle (voir III—3, 6).
8. **... están en contra de...** *ils sont contre les corridas.* **Estar a favor de,** *être pour* (quelqu'un, une idée).
9. **de pura cepa,** m. à m. *de vrai cep.* Expression « viticole » pour : de vieille souche.

NOTES

el toreo, *course de taureaux villageoise.*

el coleo, jeu qui consiste à faire tomber un bovin en le tirant par la queue (cola) *(Colombie).*

la charreada, variété de *capea,* course sans mise à mort, pour éprouver la bravoure des jeunes taureaux *(Mexique).*

el torito, danse du carnaval de Barranquilla *(Colombie).*

Toros en Latinoamérica

No todos los países hispanoamericanos organizan corridas. Los aficionados a ellas son esencialmente México y los países andinos, especialmente Colombia y Perú. La Plaza de Toros de Ciudad de México es una de las más grandes del mundo. En la de Santamaría de Bogotá se le dio la alternativa a uno de los diestros más famosos del siglo XX, Luis Miguel Dominguín, y en Perú nació una de las mujeres más valientes del mundo, la rejoneadora Conchita Cintrón. Se torea como en España, pero no hay suerte de varas, o sea que no se conocen los picadores. En las plazas pueblerinas se organizan becerradas y novilladas, cercando la plaza de armas con talanqueras. En Bogotá se torea durante los primeros meses del año por ser mejor el tiempo en ese momento. Se dan también corridas bufas que son parodias de las corridas auténticas.

Les courses de taureaux en Amérique latine

Tous les pays hispano-américains n'organisent pas de courses de taureaux. Les pays intéressés sont essentiellement le Mexique et les pays andins, spécialement la Colombie et le Pérou. Les arènes de Mexico sont parmi les plus grandes du monde. C'est dans les arènes de Santamaría de Bogota qu'a été sacré matador un des toreros les plus célèbres du XXᵉ siècle, Luis Miguel Dominguín, et c'est au Pérou qu'est née une des femmes les plus courageuses du monde, la « torera » à cheval Conchita Cintrón. On torée comme en Espagne, mais il n'y a pas de piques, c'est-à-dire que les picadors n'existent pas. Sur les places des villages, on organise des courses de veaux assez grands et de taurillons en entourant la place d'armes de palissades. A Bogota, les courses ont lieu au cours des premiers mois de l'année, car le temps est meilleur à ce moment-là. Il y a également des « courses-bouffes », parodies des courses authentiques.

Nada es más consustancial con lo español que las corridas de toros. No en vano se llama igualmente la « Fiesta Nacional ». Desde tiempos inmemoriales se han lanceado toros : las leyendas populares muestran incluso al Cid luchando con un toro. En todas las épocas de la historia española los toros han estado presentes en las fiestas populares ; todo ello ha dado lugar a grandes manifestaciones artísticas (pintura, escultura, literatura) entre las que encontramos a nombres como Goya o Picasso. Ante estas páginas de antología que son los artículos de los periódicos sobre las corridas de Sevilla, Madrid o Zaragoza, podemos darnos cuenta de que, aunque no fuese más que por esa riqueza lingüística del cronista taurino, tan castiza, tan precisa y tan bella, se debía erigir un monumento al toro. Los aficionados a los toros saben que « su » fiesta no es un espectáculo sangriento en el que se mata a un toro con acompañamiento musical ; en su fuero interno están cumpliendo un rito ancestral, mágico, telúrico, en el que la vida, la muerte, el sol, la sangre, la arena, el miedo y la belleza se unen en un momento para arrancar, allá en lo hondo del pecho, un grito. Turista : deja tus prejuicios en la taquilla al entrar en la plaza y observa. Trata de comprender y de participar en « la » Fiesta.

Rien n'est plus consubstantiel à l'âme espagnole que les courses de taureaux. Ce n'est pas en vain qu'on l'appelle aussi la « Fête nationale ». Depuis des temps immémoriaux on a combattu à la lance des taureaux : les légendes populaires montrent même le Cid luttant avec un taureau. A toutes les époques de l'histoire espagnole les taureaux ont été présents dans les fêtes populaires ; tout cela a donné lieu à de grandes manifestations artistiques (peinture, sculpture, littérature) parmi lesquelles nous trouvons des noms comme Goya ou Picasso. A travers ces pages d'anthologie que sont les articles des journaux consacrés aux corridas de Séville, Madrid ou Saragosse, nous pouvons nous rendre compte de ce que, quand ce ne serait que pour cette richesse linguistique du chroniqueur taurin, si pure, si précise et si belle, on devrait ériger un monument au taureau. Les « aficionados » de courses de taureaux savent que « leur » fête n'est pas un spectacle sanglant au cours duquel on tue un taureau sur un air de musique ; dans leur for intérieur ils accomplissent un rite ancestral, magique, tellurique, dans lequel la vie, la mort, le soleil, le sang, le sable, la peur et la beauté s'unissent un moment pour arracher, dans les profondeurs de la poitrine, un cri. Touriste : laisse tes préjugés au guichet en entrant dans l'arène et observe. Essaie de comprendre et de participer à « la » Fête.

1. Quizás suspendan la corrida de esta tarde si no deja de llover.
2. Algunos pases llevan el nombre de toreros famosos que los inventaron (chicuelinas, manoletinas, etc.).
3. Dicen que la lidia de toros, tal y como se conoce por los grabados de Goya, es oriunda de Creta.
4. El descubrimiento de la penicilina redujo a porcentajes muy bajos el índice de mortalidad por asta de toro.
5. ¿ Se juega la vida el diestro en cada plaza donde torea ?
6. Estoy a favor de los toros más por lo que tienen como rito que como espectáculo.
7. Para unos la corrida es emoción indicible, belleza plástica, arrojo y arte unidos en una como obsesión por vencer a la muerte simbolizada por la fiera...
8. Para otros, es sólo un espectáculo cruel, salvaje y anacrónico.
9. Los tendidos rebosaban de aficionados por torear aquel día el mejor torero de la temporada.
10. Pusieron el cartel « No hay billetes » una semana antes.
11. La cornada que recibió en la ingle le produjo una herida de gravedad.

1. Ils vont peut-être annuler la corrida de cet après-midi s'il ne cesse pas de pleuvoir.
2. Certaines passes portent le nom de toreros célèbres qui les ont inventées (chicuelinas, de Chicuelo ; manoletinas, de Manolete, etc.)
3. On dit que le combat (la course) de taureaux, tel qu'on le connaît par les gravures de Goya, est originaire de Crète.
4. La découverte de la pénicilline a réduit à des pourcentages minimes le taux de mortalité due aux blessures produites par la corne du taureau.
5. Le toréro risque-t-il sa vie sur chaque arène où il torée ?
6. Je suis pour la corrida, davantage pour ce qu'elle a de rite que de spectacle.
7. Pour certains la course de taureaux est une émotion indicible, beauté plastique, témérité et art unis dans une espèce d'obsession, pour vaincre la mort que le fauve symbolise...
8. Pour d'autres, ce n'est qu'un spectacle cruel, sauvage et anachronique.
9. Les gradins regorgeaient d'aficionados car ce jour-là toréait le meilleur toréro de la saison.
10. On a affiché « complet » une semaine avant.
11. Le coup de corne qu'il a reçu dans l'aine provoqua une blessure grave.

los toros, la corrida, la course de taureaux
los tendidos, les gradins
los forasteros, les étrangers *(au village)*
la Feria, la Foire, les fêtes locales
el cartel, l'affiche
la ganadería, l'élevage
embestir, charger
la res, la bête, la tête de bétail
el ánimo, l'esprit, le courage
el diestro, le toréro
la faena, l'ensemble du travail que le toréro fait
la muleta, morceau d'étoffe rouge tendu sur un bâton

el pase, la passe
ligados, enchaînés
acompasado, rythmé
la embestida, la charge
la ráfaga, la rafale
las astas
los cuernos } les cornes
el estoque, l'épée
la fiera, le fauve
el arrojo, le courage
entre varios, à plusieurs
el puro, le cigare
endomingado, endimanché
la chaqueta, le veston
la estampa, l'image
el aficionado, l'amateur, le connaisseur
de pura cepa, de vieille souche

Vocabulaire complémentaire

la plaza de toros, les arènes
la barrera, la palissade
el ruedo
el redondel } l'arène
sol y sombra, ombre et soleil
el maestro
el espada } le matador
el picador, le picador
la cuadrilla, l'équipe qui accompagne le matador
las banderillas, les banderilles
el paseo (paseíllo), le défilé
las suertes
los tercios } les phases
la vara
la puya } la pique
abuchear, huer, siffler
la bronca, manifestation de mécontentement du public

el burladero, chicane qui permet de passer dans l'arène
los toros de lidia, les taureaux de combat
la lidia, le combat
torear, « toréer »
rejonear, toréer à cheval
sacar en hombros, porter en triomphe
la vuelta al ruedo, le tour de l'arène
la cornada, le coup de corne
la cogida, la blessure, le fait d'attraper le matador
pedir la oreja, réclamer l'oreille
el brindis, offre, hommage du matador du taureau qu'il va tuer à une personne ou au public

A ■ **Utilisez selon le cas** SER **ou** ESTAR
1. La plaza .... de 1830.
2. La corrida de ayer no .... buena.
3. Toda la familia .... aficionada a los toros.
4. El público .... furioso.
5. El diestro .... de Sévilla ; .... toreando muy bien.
6. Los toros .... de una ganadería prestigiosa ; .... bravos.
7. Yo .... en contra de los toros ; no .... un espectáculo para mi gusto.

B ■ **Traduire**
1. La charge du taureau est toujours dangereuse.
2. On dit que la corrida de demain sera la meilleure de la saison.
3. Pour bien toréer, il ne suffit pas d'avoir du courage.
4. Quand il est en face du fauve, près des cornes, peut-être oublie-t-il le public.
5. La dernière phase est la plus importante ; c'est l'heure de la vérité.
6. C'est votre première corrida et peut-être la dernière... Mais vous pourrez vous faire une opinion, Monsieur.
7. C'est presque toujours au moment de la mise à mort qu'ils se font le plus blesser.

Corrigé

A ■ 1. es
2. fue
3. es
4. está
5. es - está
6. son - son
7. estoy - es

B ■ 1. La embestida del toro siempre es peligrosa.
2. Dicen que la corrida de mañana será la mejor de la temporada.
3. Para torear bien, no basta con tener valor (arrojo).
4. Cuando está frente a la fiera, cerca de (junto a) los cuernos (las astas), quizás se olvide del (olvide al) público.
5. La última suerte (el tercio) es la más importante ; es la hora de la verdad.
6. Es su primera corrida y quizás la última... Pero podrá Usted hacerse una opinión.
7. Casi siempre es en el momento de entrar a matar cuando más los cogen (más cogidas hay).

J = Jordi   L = Luis

(Un Barcelonés en Madrid con su amigo madrileño y... madridista)

J— ¡ No me dirás[1] que en los años cincuenta e incluso en los sesenta no hicieron[2] o intentaron[2] hacer del fútbol la « preocupación » mayor de los Españoles !

L— No lo niego... con las victorias del Real Madrid en la Copa de Europa por ejemplo quisieron que olvidásemos o que no viesémos[3] tantas otras realidades... Pero lo uno no quita lo otro, además hoy ; yo sigo siendo un aficionado[4] empedernido e « hincha » incondicional del Real, tú lo sabes.

J— Ya lo creo que lo sé... No eres el único. Las cosas han cambiado mucho, la gente viaja más, los jóvenes tienen otras preocupaciones, pero a pesar de todo sigue habiendo[4] muchísima afición.

L— No lo dirás por ti. No eres nada « forofo » del « Barça »...

J— Ni de ningún equipo. En eso, mis hijos no han salido a mí[5] ; los dos son socios y no se pierden ni un partido... .

L— Bueno ¿ Te decides a venir mañana conmigo[6] ? Creo que será un buen encuentro.

J— Iré, no quiero defraudarte y al fin y al cabo, no me desagrada de vez en cuando ir a ver sobre todo... el espectáculo de las tribunas ; me divierte observar las reacciones del público así tanto como lo que ocurre en el césped, claro con tal que no lleguen a las manos y que la cosa no pase de[7] las variopintas manifestaciones verbales.

L— Como no es un encuentro muy importante, quedarán entradas[8]. Pero llegaremos una hora antes de que empiece[9], por si acaso.

J— Como quieras[10]. Y trata de no enfurecerte mucho ni de quedarte ronco y... ¡ qué gane el mejor !

L— ¿ El mejor o el que quiera el árbitro[10] ? Pues a mí, lo que me pone negro...

J— No empieces a salirte de tus casillas... que no es el Mundial...

L— Del Mundial, mejor no hablar...

J = Jordi   L = Louis

*(Un Barcelonais à Madrid avec son ami madrilène et...
supporter de Madrid)*

J— Tu ne me diras pas que dans les années cinquante et
même soixante on n'a pas fait ou essayé de faire du football
la « préoccupation » majeure des Espagnols ?

L— Je ne le nie pas... avec les victoires du Real Madrid en
coupe d'Europe, par exemple, on a voulu nous faire
oublier ou ne pas nous laisser voir tant d'autres réalités...
Mais l'un n'enlève pas l'autre, surtout aujourd'hui ; je suis
toujours un amateur acharné et un « fana » inconditionnel
du Real, tu le sais bien.

J— Bien sûr que je le sais... Tu n'es pas le seul. Les choses ont
beaucoup changé, les gens voyagent davantage, les jeunes ont d'autres préoccupations, mais malgré tout il continue à y avoir beaucoup d'ardeur.

L— Tu ne dois pas le dire pour toi. Tu n'es pas du tout
« supporter » de Barcelone...

J— Ni d'aucune équipe. En ça, mes enfants ne me ressemblent
pas ; ils sont tous les deux membres du club et ils ne ratent
pas un match.

L— Bon. Tu te décides à venir avec moi demain ? Je crois que
ce sera une bonne rencontre.

J— J'irai, je ne veux pas te décevoir et en fin de compte, cela
ne me déplaît pas d'aller voir de temps en temps surtout le
spectacle des tribunes ; cela m'amuse d'observer les réac-
tions du public autant que ce qui se passe sur la pelouse,
bien sûr, pourvu que les gens n'en viennent pas aux mains
et que la chose ne dépasse pas les manifestations verbales
hautes en couleur.

L— Comme ce n'est pas une rencontre très importante, il doit
rester des places. Mais nous arriverons une heure avant le
début, à tout hasard.

J— Comme tu voudras. Et essaie de ne pas trop te mettre en
colère ni de t'éverver et... que le meilleur gagne !

L— Le meilleur ou celui que l'arbitre voudra ? Moi, ce qui me
met en colère...

J— Ne commence pas à sortir de tes gonds... ce n'est pas le
Mundial...

L— Du Mundial, il vaut mieux ne pas en parler !

1. **No me dirás,** *tu ne vas pas me dire, tu ne peux pas dire le contraire.* Très usuel : nuance d'étonnement, de surprise : ¡ **No me dirás que no te gusta el fútbol !** *Tu ne vas pas me dire que tu n'aimes pas le football !* ¡ **No me digas !** *Ce n'est pas vrai !* (étonnement).

2. **hicieron/intentaron/quisieron,** *on a fait* (ils ont fait) *on a essayé* (ils ont essayé)... *on a voulu* (ils ont voulu). Fait résolu, passé simple en espagnol. Voir I—3, 10 et IV—3, 6.

3. **quisieron que olvidásemos o que no viésemos,** *ils ont voulu* (ils voulaient) *que nous ou que nous ne voyions pas.* Concordance de temps usuelle (voir X—3, 11). Au présent, on dirait : **quieren que olvidemos o que** *no* **veamos,** comme en français.

4. **yo sigo siendo un aficionado,** *je continue d'être ou je suis toujours un amateur ;* **sigue habiendo,** *il y a toujours.* La continuité dans l'action : **seguir** + gérondif, **y sigo jugando al fútbol,** *je continue à jouer au football* (je joue toujours).

   Pour d'autres aspects du gérondif, voir V—3, 5, VIII—3, 2, XI—3, 1, XII—3, 9, XIII—3, 1, XX—3, 16.

5. **mis hijos no han salido a mí,** *mes enfants ne tiennent pas de moi* (ne me ressemblent pas).

6. **conmigo,** *avec moi ;* **contigo,** *avec toi ;* **consigo,** *avec soi, en lui-même.*

7. **con tal que no lleguen... Y que la cosa no pase de...,** *pourvu que* (valeur de : *à condition que*) + subjonctif : **con tal que** + subjonctif. Expression d'un souhait vif : ¡ **Ojalá !** ¡ *Ojalá* **gane Francia !** *Pourvu que la France gagne !*

8. **quedarán entradas :** *il doit rester des entrées* (billets). Futur de conjecture : **quedará sitio,** *il doit rester* (y avoir) *de la place,* voir XII—3, 14, XIV—3, 3, XVI—3, 5 et XX—3, 6.

9. **una hora antes de que empiece,** m. à m. *une heure avant que* (le match) *ne commence, avant le début.* **Antes de que llegue,** *avant qu'il n'arrive.* **Antes de la primavera,** *avant le printemps* (connotation purement temporelle).

   Mais : **me iré al estadio** *antes que tú, je partirai au stade avant toi :* c'est-à-dire, *avant que tu ne le fasses,* voir X—3, 5.

10. **Como quieras,** *comme tu voudras.* **El que quiera** el **árbitro,** *celui que l'arbitre voudra.* Subjonctif espagnol : futur français. Voir XVIII—3, 8, et leçons précédentes.

Esp	Fr	Hisp-am
los hinchas	*les « fans »*	**la fanaticada**
los seguidores	*les « supporters »*	**los parciales**
el billete	*le billet*	**la boleta**
el césped	*le gazon*	**la grama**
el penalty	*le penalty*	**el pénal**
los calcetines	*les chaussettes*	**las medias**
derrotar	*écraser*	**blanquear** *(Colombie)*
chutar	*shooter*	**disparar**
el descanso	*la mi-temps*	**la tregua, el intermedio**
el partido	*le match*	**el certamen, el torneo**
el guardameta	*le gardien de but*	**el golero, el guardapalos**

Deportes

Si el fútbol o balompié es, acaso, el deporte más difundido y popular en el continente, también se practican numerosos deportes, acuáticos como el buceo o la natación, a caballo, como el polo, frecuente en Argentina, o terrestres como el baloncesto o el béisbol, que se juega mucho en el Caribe, y especialmente en Cuba. Las carreras de caballos atraen a mucha gente y, también, las de perros que se verifican en canódromos. Uno de los deportes más recientes es el softbol que se juega sobre todo en el Caribe y Centroamérica. De importancia continental son los Juegos Panamericanos y los Centroamericanos y del Caribe.

Sports

Le football est, peut-être, le sport le plus répandu et le plus populaire du continent, mais on pratique aussi de nombreux sports, dans l'eau, comme la plongée ou la natation, à cheval, comme le polo, fréquent en Argentine, ou sur terre comme le basket ou le baseball, très pratiqué dans les Caraïbes et, spécialement, à Cuba. Les courses de chevaux attirent beaucoup de monde ainsi que celles de chiens, qui ont lieu dans des cynodromes. Un des sports lancés récemment est le « softball », pratiqué surtout dans les Caraïbes et l'Amérique Centrale. Les Jeux Panaméricains et les Jeux d'Amérique Centrale et des Caraïbes ont une importance continentale.

Retransmisión de un partido de fútbol por la radio

« ... Saque de banda de Pepín[1], que lanza la pelota al lateral derecho Alonso ; cabezazo de Alonso que envía a Pujol. Este avanza peligrosamente. Pasa el balón a Pepín ; Pepín a Serrano, ya en el terreno del Atlético de Madrid. Intenta Calvo quitarle la pelota y... ¡ falta ! Falta del Barcelona cuando se cumplen los 25 minutos de la segunda parte con el resultado por el momento de empate a 1 ; como recordarán nuestros oyentes el primer gol lo marcó el equipo azulgrana[2] en el minuto cuatro de la primera parte en una bellísima jugada personal del delantero Pujol que consiguió engañar a toda la defensa rojiblanca[2], disparando desde lejos. El gol del Atlético subió al marcador en el minuto 12 de la segunda parte después de un penalty lanzado por Alberto, que el portero del Barcelona, Vals, estuvo a punto de parar.

Ha venido el árbitro a ver a Calvo que parece que no se levanta... Sí, ya se ha levantado ; cojea un poco pero no ha sido nada. Va a sacar la pelota Fernández... ; tira y... despeje de Alonso que lanza fuera de banda. »

1. Les noms des joueurs sont imaginaires. **2.** Azulgrana ; Rojiblanco : le maillot du Club Barcelone est de couleur bleu et rouge grenat, et celui de l'Atlético de Madrid rouge et blanc.

Retransmission d'un match de football à la radio

« ... Remise en jeu de Pepin, qui lance la balle à l'ailier droit Alonso ; coup de tête d'Alonso qui envoie à Pujol. Celui-ci avance dangereusement. Il passe le ballon à Pepin ; Pepin à Serrano, qui se trouve déjà sur le terrain de l'Atlético de Madrid. Calvo essaie de lui enlever le ballon, et... faute ! Faute de Barcelone à la vingt-cinquième minute de la deuxième mi-temps avec le résultat pour le moment de un but partout ; comme nos auditeurs s'en souviendront, le premier but a été marqué par l'équipe bleue et rouge à la quatrième minute de la première mi-temps, grâce à une belle action personnelle de l'avant Pujol qui a réussi à tromper toute la défense rouge et blanche, en tirant de loin. L'Atlético a ouvert son score à la douzième minute de la deuxième mi-temps après un penalty tiré par Alberto que le gardien de but de Barcelone, Vals, a bien failli arrêter.

L'arbitre est venu voir Calvo qui semble ne pas se relever... Si ; il s'est relevé maintenant ; il boite un peu mais ce n'est pas grave. Fernandez va remettre en jeu... ; il lance et... interception de Alonso qui envoie en touche. »

1. Nació este deporte en Inglaterra y muy pronto arraigó en España.
2. Intentar introducir el balón en la portería (la meta) del equipo rival es el principio del juego.
3. Estuvo (jugó) muy mal el portero (el guardameta) y le marcaron tres goles.
4. La jugada de los tres delanteros entusiasmó tambien a los « hinchas » del equipo forastero.
5. Ganaron el campeonato de Liga y la Copa de Europa durante cinco años consecutivos.
6. Estuviste conmigo en aquel partido de Final de copa, ¿ Ya no te acuerdas ?
7. Está defraudando ese jugador : ¡ Con los millones que costó su traspaso !
8. La defensa está jugando mejor que nunca ; ¡ menos mal !
9. Podemos ir saliendo antes de que termine el encuentro, así evitaremos los atascos a la salida.
10. Ganará el que juegue mejor o el que tenga más suerte.
11. ¡ Qué desilusión de partido ! El domingo que viene me quedo en casa.

1. Ce sport est né en Angleterre et il prit racine très vite en Espagne.
2. Le principe du jeu est d'essayer d'introduire le ballon dans le but de l'équipe adverse.
3. Le gardien de but a très mal joué ; on lui a marqué trois buts.
4. L'action des trois avants a enthousiasmé aussi les supporters de l'équipe des visiteurs.
5. Ils ont gagné pendant 5 années consécutives le championnat et la coupe d'Europe.
6. Tu étais avec moi à ce match de Finale de Coupe, tu ne t'en souviens plus ?
7. Ce joueur déçoit... avec les millions qu'a coûté son transfert !
8. Les arrières jouent mieux que jamais ; heureusement !
9. Nous pouvons commencer à sortir avant la fin de la rencontre ; nous éviterons ainsi les bouchons à la sortie.
10. Gagnera celui qui jouera le mieux ou celui qui aura le plus de chance.
11. Quel match décevant ! Dimanche prochain je resterai chez moi.

el madridista, le supporter du Real Madrid
incluso, même
intentar, tenter, essayer de
negar, nier
quisieron que, ils ont voulu que
olvidásemos, que nous oublions
viésemos, que nous voyions
yo sigo siendo, je suis toujours
empedernido, acharné, invétéré
« hincha », « fana », supporter
el único, le seul
cambiar, changer
a pesar de, malgré
la afición por, le goût de, la passion de
los socios, les membres du club, les abonnés
un partido, un match

conmigo, avec moi
el encuentro, la rencontre
defraudar, decevoir
al fin y al cabo, au bout du compte, tout compte fait
desagradar, déplaire
de vez en cuando, de temps en temps
el césped, le gazon
con tal que, à condition que, pourvu que
variopintas, hautes en couleur
quedarán entradas, il doit rester des places
por si acaso, au cas où, à tout hasard
enfurecerse, se mettre en colère
ronco, enroué
ponerse negro, rendre fou (de colère)
salirse de sus casillas, sortir de ses gonds

Vocabulaire complémentaire

el deporte, le sport
el futbolista, le footballeur
el guardameta ⎱ le gardien
el portero ⎰ de but
el defensa, l'arrière
el medio, le milieu de terrain
el delantero centro, l'avant-centre
el entrenador, l'entraîneur
la portería, le but
el gol, le but
la red, les filets
el « once », l'équipe (les 11)
la alineación, la formation
llevarse la copa, remporter la coupe
pitar, siffler
la falta, la faute
despejar, dégager
la semifinal, la demi-finale

el primer tiempo, la première mi-temps
el segundo tiempo, la deuxième mi-temps
el descanso, la mi-temps
el penalty, le penalty
el saque, le coup d'envoi
el saque de puerta, dégagement en sortie
el saque de banda, la remise en jeu
el saque de esquina ⎱ le corner
el córner ⎰
el golpe franco, le coup franc
el área de castigo, la surface de réparation
regatear, dribbler, feinter
tirar ⎱ tirer, lancer
chutar ⎰

A ■ Mettre les verbes entre parenthèses aux temps voulus

1. Hoy yo no (querer) .... que tú (ir) .... al fútbol.
2. En aquellos años (querer) .... que nosotros sólo (tener) .... afición por el fútbol.
3. El Real (jugar) .... mal en la final.
4. El año pasado en Bruselas, el Real (ganar) .... pero (defraudar) ....
5. El domingo pasado nos (ver) en el estadio.
6. ¿ Te acuerdas ? (ser) .... una jugada fenomenal.

B ■ Traducir

1. ¡ Es una falta dentro del área de castigo ! no me dirás lo contrario.
2. El entrenador no quiso que jugara el jugador favorito.
3. Hoy sábado, quedarán entradas para mañana.
4. El Mundial fue una desilusión para muchos.
5. Con tal que haya buen fútbol... ¡ Qué gane el mejor ! Aunque no sea mi equipo...
6. Como extranjero me interesará ver tanto lo que ocurre en el césped como en las tribunas.

Corrigé

A ■　1. quiero ..... vayas　　4. ganó ..... defraudó
　　2. querían ..... tuviéramos　5. vimos
　　3. jugó　　　　　　　　　　　6. fue

B ■　1. C'est une faute dans la surface de réparation, tu ne peux pas dire le contraire.
2. L'entraîneur n'a pas voulu que le joueur favori joue.
3. Aujourd'hui samedi, il doit rester des places pour demain.
4. Pour beaucoup, le « Mundial » a été une déception (décevant).
5. A condition qu'il y ait (pourvu que) du bon football, ... que le meilleur gagne ... même si ce n'est pas mon équipe.
6. En tant qu'étranger, je serai intéressé de voir aussi bien ce qui se passe sur le gazon (le terrain) que dans les tribunes...

A = representante 1°   B = representante 2°

(En el bar de la Feria de Muestras de Barcelona, están hablando dos personas)

A — ¡ Qué ! Tomando fuerzas[1] ¿ eh ?

B — Eso ; es muy cansado esto. Y una tortillita[2] a media mañana[3] nunca viene mal.

A — ¿ Es el primer año que viene a la Feria ?

B — Sí. Antes iba sólo a los salones monográficos. Como ve represento a una empresa de material electrónico, y hemos pensado este año que no podíamos olvidar la Feria.

A — Hay de todo aquí, claro, y podrá variar mucho su clientela.

B — Es eso precisamente lo que más nos interesa[4]. Fíjese que desde que estoy aquí he tenido contactos con gente de todos los sectores : agropecuario, alimentación, exportación, confección, turismo, artículos de regalo, juguetería, etc. Con decirle que[5] he tenido que renovar tres veces mis existencias en catálogos...

A — Es bueno saber que hay a quien le va bien[6].

B — Muy bien. Si todo sigue así la Feria va a ser un serio éxito para nuestra casa. Me consta que no soy el único a quien le va bien este año[6].

A — Pues a mí no me va bien[6]. Por ahora es un tremendo fracaso. En lo que va de Feria[7] no he conseguido vender ni la mitad del material agrícola del año pasado. No sé qué pasa, pero este año tenemos mucha más competencia extranjera que otros años.

B — Además, la crisis...

A — No, esto viene ya de lejos. Renovarse o morir, dicen ¿ no ? Pues eso es lo que pasa[4] en nuestra empresa : que no queremos actualizar los modelos y desde hace ya 2 o 3 años[8] la cifra de negocios ha decaído muchísimo ; eso es lo que pasa[4]. Y, claro, vienen todos los nuevos modelos de las otras casas, con toda una serie de adelantos y nosotros nos quedamos en la cuneta...

B — Vaya, hombre, pues lo siento[9].

A — En fin ¡ qué se le va a hacer ! ¿ ha ido ya a ver los otros pabellones ?

B — Pues no. Todavía no he tenido tiempo de dejar mi stand más que para comer. Ya le dije que trabajamos a tope.

A = 1er représentant   B = 2e représentant

(Au bar de la Foire Exposition de Barcelone deux person-
nes parlent)

A— Alors ! En train de prendre des forces, hein ?

B— C'est ça. C'est très fatigant, tout ça. Et une petite omelette
au milieu de la matinée ça ne fait jamais de mal.

A— C'est la première année que vous venez à la Foire ?

B— Oui. Avant je n'allais qu'aux salons spécialisés. Comme
vous voyez, je représente une entreprise de matériel électronique, et nous avons pensé cette année que nous ne
pouvions pas négliger la Foire.

A— Il y a de tout ; oui, bien sûr ! et vous pourrez accroître
votre clientèle.

B— C'est ça précisément qui nous intéresse le plus. Rendez-
vous compte que depuis que je suis ici j'ai eu des contacts
avec des gens de tous les secteurs : agriculture, alimentation, exportation, confection, tourisme, articles de cadeaux, jouets, etc. Si je vous disais que j'ai dû renouveler
trois fois mes stocks de catalogues...

A— C'est bon de savoir qu'il y en a pour qui tout va bien.

B— Très bien. Si tout continue comme cela la Foire va être un
sérieux succès pour notre maison. Je suis sûr que je ne suis
pas le seul pour qui les affaires marchent cette année.

A— Eh bien pour moi ça ne marche pas. Pour l'instant c'est un
échec terrible. Depuis le début de la Foire je n'ai même pas
pas réussi à vendre la moitié du matériel agricole de l'an
dernier. Je ne sais pas ce qui se passe, mais cette année
nous avons beaucoup plus de concurrence étrangère que
les autres années.

B— En plus, la crise...

A— Non, ça vient de plus loin. Se renouveler ou mourir,
dit-on, n'est-ce pas ?
Eh bien c'est ce qui se passe dans notre entreprise : nous
ne voulons pas actualiser les modèles et depuis déjà deux
ou trois ans, le chiffre d'affaires a beaucoup diminué ;
voilà ce qui se passe. Et, bien sûr, tous les nouveaux
modèles des autres maisons arrivent avec toute une série
de perfectionnements et nous, nous restons en rade...

B— Eh bien, mon vieux ! Je le regrette.

A— Enfin, que peut-on y faire ? Vous êtes allé voir les autres
pavillons ?

B— Eh bien, non. Je n'ai pas encore eu le temps de laisser mon
stand pour autre chose que pour aller manger. Je vous ai
déjà dit que nous travaillions à plein.

1. **¿ Tomando fuerzas ?** *on prend des forces ?* (ellipse de *está* courante). Voir VIII—3, 9.
2. **una tortillita.** *une petite omelette.* Diminutifs, voir VIII—3, 3 et IX—3, 5.
3. **a media mañana.** *au milieu de la matinée* ; *a media tarde, au milieu de l'après-midi* ; *a mediodía, au milieu de la journée* (à midi) ; *a medianoche, à minuit.* Voir IV—3, 8.
4. **Es eso... lo que más no interesa.** *c'est cela qui nous intéresse le plus. Eso es lo que pasa,* m. à m. *c'est cela qui arrive, en fait, voilà ce qui arrive.* Voir XIII—3, 9.
5. **Con decirle que.** *si je vous disais que.* Expression usuelle. Aussi : *con exponer en la Feria no basta, il ne suffit pas d'exposer à la Foire. Con hablar* no conseguirá nada, *vous n'obtiendrez rien en parlant.*
6. **hay a quien le va bien.** *il y en a pour qui tout va bien.*
   a) Expression usuelle qui se construit comme *gustar.* « *A usted le va bien este año* » (a usted le gusta...), *tout va bien pour vous cette année,* c'est-à-dire : *vos affaires marchent cette année.*
   b) Expressions : *hay quien cree que* ou *los hay que creen que* correspondent au français *il y en a qui croient que.*
7. **En lo que va de Feria....** *depuis le début de la Foire.* Expression à valeur temporelle très usuelle : *en lo que va de año no hemos vendido nada, nous n'avons rien vendu depuis le début de l'année.*
8. **desde hace ya 2 o 3 años.** *depuis 2 ou 3 ans déjà.* La Feria existe *desde hace* 20 años (depuis combien de temps), *la Foire existe depuis 20 ans.* Mais : la Feria existe *desde* 1960 (depuis quand), *la Foire existe depuis 1960.*
9. **lo siento.** usuel pour *je suis désolé, je regrette.*

Esp	Fr	Hisp-am
las herramientas agrícolas	*les outils* (agric.)	**los implementos agrícolas**
el lápiz de rojo	*le rouge à lèvres*	**el creyón de labios**
la bombilla	*l'ampoule* (électr.)	**el bombillo**
la barcaza	*la péniche*	**la patana** *(Cuba)*
la fábrica	*l'usine*	**la planta**
los agrios	*les agrumes*	**los cítricos**
el mercadeo	*le marketing*	**la mercadotecnia**
el corozo	*le corozo* (ivoire végétal)	**la tagua**

NOTES
el fique, fibre d'agave pour fabriquer des sacs, des chapeaux (Colombie, Venezuela, Équateur).
la iraca, fibre pour la fabrication des chapeaux dits « Panama » (Colombie, Équateur).

Ferias y exposiciones

Que se sitúen en Buenos Aires, Ciudad de México, Caracas o Bogotá, todas la ferias de muestras se parecen. Las trasnacionales presentan sus productos como en cualquier parte del mundo y sólo los pabellones gastronómicos, de artesanía o de turismo tienen algo de original. Claro qué eso es una visión de visitante profano, pues el especialista de maquinaria agrícola encontrará remolques y arados, el de embarcaciones lanchas o remolcadores, el de construcción trituradoras y hormigoneras. Y todos tornillos, tuercas y remaches. Las ferias agropecuarias suelen extrañar al curioso por sus plantas exóticas y sus animales premiados. Y, para satisfacer la parte estética, siempre hay algún desfile de modas, un mueble de estilo o un hermoso cuadro.

Foires et salons

Qu'elles aient lieu à Buenos Aires, à Mexico, à Caracas ou à Bogota, toutes les foires se ressemblent. Les multinationales présentent leurs produits comme dans n'importe quel coin du monde et seuls les pavillons de gastronomie, d'artisanat ou de tourisme ont quelque chose d'original. C'est là, bien sûr, une vision de visiteur profane, car le spécialiste d'outillage agricole trouvera des remorques et des charrues, l'amateur de bateaux, des bacs ou des remorqueurs, le technicien du bâtiment des broyeuses et des bétonneuses. Et tous des vis, des écrous et des rivets. Les foires agropastorales étonnent généralement le curieux par leurs plantes exotiques et leurs bêtes primées. Et, pour satisfaire l'esthétique, il y a toujours un défilé de mode, un meuble de style ou un beau tableau.

A lo largo de todo el año hay en España un gran número de Ferias y Salones comerciales de carácter nacional e internacional. Los más importantes son naturalmente aquellos que conciernen los sectores en los que España es comercialmente competitiva.

En *enero*, el Salón Náutico Internacional de Barcelona, y la Feria Internacional de Manufacturas Textiles para el Hogar y la Decoración en Valencia ; en *febrero* la Feria Internacional del Juguete, en Valencia ; en *marzo* el Salón Internacional de la Alimentación en Barcelona, la Feria Técnica Internacional de la Maquinaria Agrícola, en Zaragoza y Expo-Ocio-Bricolage, en Madrid ; en *abril*, la Feria Internacional de Cerámica en Valencia, y la Feria de Muestras Iberoamericana, de Sevilla ; en *mayo*, la Feria Internacional de Valencia ; en *junio*, la de Barcelona, la más importante ; en *septiembre*, la Feria Internacional de la Moda, de Valencia, y el Salón Internacional de la Imagen, el Sonido y la Electrónica en Barcelona ; en *octubre*, la Feria Internacional del mueble, de Valencia, y la Feria Nacional de la Industria Naval en El Ferrol (La Coruña) ; en *noviembre* el Salón de Horticultura de Valencia : y en *diciembre* el Salón dedicado a la Energía Solar en Almería. Hay que notar igualmente los diversos certámenes de moda en Cataluña y de calzado en la Región de Alicante.

Tout au long de l'année il y a en Espagne un grand nombre de Foires et Salons commerciaux à caractère national et international. Les plus importants sont évidemment ceux qui concernent les secteurs dans lesquels l'Espagne est commercialement compétitive.

En *janvier*, le Salon Nautique International de Barcelone, et la Foire Internationale des Manufactures Textiles pour la Maison et la Décoration, à Valencia ; en *février* la Foire Internationale du Jouet à Valencia ; en *mars* le Salon International de l'Alimentation à Barcelone, la Foire Technique Internationale des Machines Agricoles à Saragosse et l'Expo-Loisirs-Bricolage, à Madrid ; en *avril* la Foire Internationale de la Céramique à Valencia et la Foire Exposition Iberoaméricaine à Séville ; en *mai* la Foire Internationale de Valencia ; en *juin* celle de Barcelone, la plus importante ; en *septembre*, la Foire Internationale de la Mode à Valencia et le Salon International de l'Image, du Son et de l'Électronique, à Barcelone ; en *octobre*, la Foire Internationale du Meuble à El Ferrol (La Corogne) ; en *novembre*, le Salon d'Horticulture de Valencia ; et en *décembre* le Salon consacré à l'Énergie Solaire à Almería. Notons également les diverses présentations de mode en Catalogne et de chaussures dans la région d'Alicante.

1. Estoy haciendo todas las gestiones para instalar un stand de nuestra firma en la próxima feria.
2. La red de distribución de nuestros géneros ha aumentado tanto últimamente que se han agotado nuestras existencias.
3. No conozco los pormenores de ese asunto ; lo contencioso no es de mi incumbencia.
4. A escala internacional somos los líderes en nuestro sector.
5. Para poder cumplir su compromiso deberá tomar ciertas medidas técnicas en la empresa.
6. No sé cómo va a arreglárselas nuestro representante con ese pedido ; yo no puedo sacarle de apuros.
7. Antes de entablar una discusión sobre el contrato, será mejor que vea si no va en contra de sus propios intereses.
8. El certamen de moda que se celebró ayer en Tarrasa estuvo muy concurrido y fue un éxito tanto comercial como industrial.
9. El acuerdo comercial está en espera de la firma. En cuanto entre en vigor habrá que hacerse un sitio en el mercado.
10. Es una patente extranjera.

1. Je suis en train de faire toutes les démarches pour installer un stand de l'entreprise dans le prochain salon.
2. Le réseau de distribution de nos articles a tellement augmenté dernièrement que nos stocks se sont épuisés.
3. Je ne connais pas les tenants et les aboutissants de cette affaire ; le contentieux n'est pas de mon ressort.
4. Sur le plan international nous sommes les leaders dans notre secteur.
5. Pour pouvoir tenir son engagement il devra prendre certaines mesures techniques dans l'entreprise.
6. Je ne sais pas comment notre représentant va se débrouiller avec cette commande ; et je ne peux pas le tirer d'affaire.
7. Avant d'engager une discussion sur le contrat, il vaudrait mieux qu'il voie s'il ne va pas à l'encontre de ses propres intérêts.
8. La présentation de mode qui a eu lieu hier à Tarrasa a attiré beaucoup de monde et a été un succès tant sur le plan commercial qu'industriel.
9. L'accord commercial est en attente d'être signé. Dès qu'il entrera en vigueur il faudra se faire une place sur le marché.
10. C'est un brevet étranger.

la Feria de Muestras, la Foire Exposition, le Salon

el sector agropecuario, le secteur agricole *(élevage inclus)*

los artículos de regalo, les cadeaux

la juguetería, les jouets

las existencias, les stocks *(disponibles)*

un éxito, un succès

me consta que, je suis certain de

tremendo, énorme, grand

el fracaso, l'échec

la competencia, la concurrence

la empresa, l'entreprise

la cifra de negocios, le chiffre d'affaires

decaer, baisser, chuter

los adelantos, les progrès

la cuneta, le bas-côté *(de la route)*

quedarse en la cuneta, rester en rade

sentir, sentir, regretter

¡qué se le va a hacer!, qu'est-ce qu'on y peut !

los pabellones, les pavillons *(Foire)*

el tope, le degré maximal, le butoir

a tope, au maximum

el recinto, l'enceinte

estar al día, se tenir au courant

Vocabulaire complémentaire

la ganadería, l'élevage

mercantil, commercial(e)

la firma, l'entreprise

la firma, la signature

las gestiones, les démarches

la red, le réseau, le filet *(de pêche, par exemple)*

los géneros, les articles

un asunto, une affaire *(question)*

exponer, exposer

la muestra, l'exposition

la muestra, l'échantillon

el muestrario, la collection d'échantillons

el viajante, le voyageur de commerce

el empresario, le chef d'entreprise

el certamen, l'exposition, la présentation de mode

el calzado, la chaussure *(secteur)*

la patente, le brevet

la oferta y la demanda, l'offre et la demande

la fianza, la caution

las materias primas, les matières premières

una encuesta de mercado, une étude de marché

los aranceles, les droits de douane, les taxes douanières

exento de impuestos, libre d'impôts

la entrega, la livraison

la demora, le retard

la compraventa, l'achat et la vente

regatear, marchander

la rebaja, la réduction, le rabais

A ■ **Traduire**

1. Voilà ce qui arrive quand les stocks sont épuisés. 2. La foire est ouverte depuis lundi, c'est-à-dire depuis trois jours, et je n'ai plus de catalogues. 3. Je regrette de vous faire savoir que nous ne pouvons pas tenir notre engagement. 4. Après le tour qu'il fit dans tous les pavillons, il décida d'attendre pour signer le nouveau contrat. 5. Depuis le début de l'après-midi, j'ai réussi à contacter beaucoup de nouveaux clients.

B ■ **Traducir**

1. No lo comprendo, porque al director le consta que las gestiones estaban ya hechas.
2. Es una empresa que está muy decaída : el director no está al día de la actualidad comercial.
3. A quienes les va bien es a los que actualizan sus negocios.
4. No se obtienen clientes simplemente con exponer.

C ■ **Remplacer les pointillés par le mot approprié**

1. Los negocios no van bien. Si seguimos teniendo este . . . . económico nos vamos a quedar en la . . . .
2. Tanto los . . . . como los especialistas encuentran lo que . . . . en las ferias.
3. La Feria de Muestras . . . . más importante de España es la de . . . .
4. Para cumplir el contrato que hemos . . . . deberemos trabajar . . . . en la fábrica.

Corrigé

A ■ 1. Es eso lo que pasa cuando se agotan las existencias. 2. La feria está abierta desde el lunes, es decir desde hace tres días y ya no me quedan catálogos. 3. Siento comunicarle(s) que no podemos cumplir nuestro compromiso. 4. Después de la vuelta que dió por los pabellones, decidió esperar para firmar el nuevo contrato. 5. En lo que va de tarde he logrado tener contactos con muchos nuevos clientes.

B ■ 1. Je ne comprends pas, car le directeur était certain que les démarches étaient faites.
2. C'est une entreprise qui périclite : le directeur n'est pas au courant de l'actualité commerciale.
3. Tout va très bien pour ceux qui modernisent leurs affaires.
4. Il ne suffit pas d'exposer pour se faire une clientèle.

C ■ 1. fracaso ; cuneta   3. — ; Barcelona
2. profanos ; buscan   4. firmado ; a tope

H = Henri   J = Juan

(Dos personas, dirigiéndose al Palacio de las Cortes)

H— ¿ Conseguiste la invitación ?

J— Sí, ya sabes, que mi mujer tiene una amiga de infancia cuyo marido es diputado por Málaga[1] ; sólo pudo darme una pues parece ser que tenía muchos compromisos ; como la sesión es tan importante. Los palcos estarán llenos ; los de los periodistas como los de los invitados...

H— Y supongo que los escaños también... Después de las sesiones para la elaboración de la Constitución en 1978 ésta sobre las autonomías es fundamental... Sabes que el Secretario General de las Cortes me contestó amablemente con una invitación personal para asistir como extranjero...

J— Puedes ver que el edificio es de estilo neoclásico, de mediados del siglo XIX si mal no recuerdo...

H— No está mal, pero lo interesante[2] para mí es lo ocurrido ahí dentro en el transcurso del tiempo...

J— Entiendo. Mucho ha llovido desde las primeras Cortes de León y desde aquellas primeras juntas provinciales de Castilla en el siglo XII...

H— Como extranjero que se interesa por lo español, lo que me agrada es ver que — después de 40 años de farsa parlamentaria — las Cortes recobran su significación liberal con una Constitución digna del pueblo español con un Congreso de Diputados elegidos por sufragio universal directo...

J— ... Y a la proporcional.

H— Eso no lo sabía... Claro, eso explica que los partidos minoritarios estén representados...

J— A ver qué[3] resulta[4] de lo de las autonomías[5]. Algunos temen una atomización del Estado...

H— No lo creo, ¿ sabes ? El Artículo 1º de la Constitución dice bien claro que « España se constituye en un Estado social y democrático de Derecho » y lo que me parece fundamental..., los sectores de Hacienda, Moneda, Ejército, Policía (Federal nacional) dependerán en todos los casos de Autonomía del Estado Central...

H = Henri   J = Jean

(Deux personnes, se dirigeant vers le Palais de l'Assemblée nationale)

H— Tu as obtenu l'invitation ?

J— Oui, tu sais que ma femme a une amie d'enfance dont le mari est député de Málaga ; il n'a pu m'en donner qu'une parce qu'il semble qu'il en avait promis beaucoup, tellement la session est importante. Les tribunes doivent être pleines ; celles des journalistes comme celles des invités...

H— Et je suppose que les bancs aussi... Après les sessions pour l'élaboration de la Constitution en 1978, celle-ci sur les autonomies est fondamentale... Tu sais que le secrétaire général de l'Assemblée m'a aimablement répondu avec une invitation personnelle pour assister en tant qu'étranger.

J— Tu peux voir que l'édifice est de style néo-classique, du milieu du XIXᵉ si je me souviens bien.

H— Il n'est pas mal, mais pour moi ce qui est intéressant c'est ce qui s'est passé à l'intérieur au cours des années.

J— Je comprends. Il a coulé beaucoup d'eau depuis les premières Assemblées de Léon et depuis les premières « Juntes » de Castille au XIIᵉ siècle.

H— En tant qu'étranger intéressé par tout ce qui touche l'Espagne, ce qui me plaît c'est de voir, qu'après quarante ans de farce parlementaire, l'Assemblée nationale retrouve sa signification libérale avec une Constitution digne du peuple espagnol, avec une Chambre des Députés élue au suffrage universel direct...

J— ... Et à la proportionnelle.

H— Cela je ne le savais pas... Bien sûr, cela explique que les partis minoritaires soient représentés.

J— Nous verrons ce qui résultera du problème des autonomies. Quelques-uns craignent une atomisation de l'État...

H— Je ne crois pas, tu sais ; l'article 1 de la Constitution dit très clairement que « l'Espagne se constitue en un État social et démocratique de droit » et, ce qui me semble fondamental... les domaines des Finances, de la Monnaie, de l'Armée, de la Police (Fédérale nationale) dépendront dans tous les cas d'autonomie de l'État central...

1. **cuyo marido es diputado por Málaga,** *dont le mari est député de Málaga.*
   a) *Cuyo-a-os-as, dont* (quand celui-ci est complément d'un nom). **El pueblo español** *cuya* **Constitución conoces, irá a las urnas mañana,** *le peuple espagnol, dont tu connais la Constitution, ira aux urnes demain.* **El partido,** *cuyos* **diputados,** *le parti dont les députés...* Remarquez l'absence d'article défini **(el-la-los)** dans la construction espagnole.
   Dont (complément du verbe) = **de quien, de quienes, del que, en el que, en quien,** etc., voir XXVII—3, 7.
   b) **Ser diputado** *por* **Málaga,** *être député de Málaga.* Expression particulière que l'on pourrait justifier par un sens possible de *Por,* à *la place de* donc, connotation de « représentativité », ou bien ellipse de *mandado (envoyé) por* **Málaga** *(par Málaga).* Voir II—3, 1, IV—3, 4, VI—3, 4, XVI—3, 7.

2. **lo interesante,** *ce qui est intéressant. Lo ocurrido, ce qui s'est passé, ce qui est arrivé. Lo español, ce qui est espagnol.* **Lo** + adjectif ou participe. Voir I—3, 12, VI—3, 7, XV—3, 4.

3. **A ver** ou **A ver que** + présent de l'indicatif : très usuel pour *on verra bien, c'est à voir, il faudra voir :* valeur d'attente d'une action ou de son résultat. **¡ A ver !** *voyons !* Attention : *es de ver, il faut voir, c'est à voir* (sens de *cela vaut la peine de, mérite de).* Voir XXI—3, 3.

4. **resulta (**de **resultar),** m. à m. résulter. En fait, verbe très courant pour, suivant le contexte : *devenir, en être,* « *en sortir* », « **No sabemos lo que** *resultará* **de todo esto** », *nous ne savons pas ce qui sortira (adviendra) de tout cela.*

5. **lo de las autonomías,** *cette affaire (cette question) des autonomies.* Construction usuelle pour « *Lo* », voir XXVI—3, 2.

Esp	Fr	Hisp-am
las Cortes	l'Assemblée nationale et le Sénat	el congreso
el pronunciamiento	le coup d'État	el cuartelazo el gorilazo
el caudillo	le chef	el cabecilla
el consejo de ministros	le Conseil des ministres	el gabinete
la guerrilla	la guérilla	la montonera (Arg.)
el vice-presidente	le vice-président	el Designado (Col.)

NOTES

la cámara de representantes, de diputados, la chambre des députés.

la convención, la convention (réunion des dirigeants d'un parti pour désigner un candidat).

los órganos del poder popular, les organes du pouvoir populaire (Cuba).

priísta, du PRI (Parti révolutionnaire institutionnel) (Mexique).

aprista, de l'APRA (parti péruvien).

la intendencia, la comisaría, subdivisions administratives pour les régions peu peuplées (Colombie).

Regímenes e instituciones

Si, en teoría, la democracia se proclama en todos los países, en la práctica es muy relativa, pues sigue vivo el famoso lema de la época colonial : « la ley se acata pero no se cumple ». Por lo general, los países hispanoamericanos son repúblicas : presidente elegido por cuatro o seis años, dos cámaras en la mayoría de los casos, una Corte Suprema de Justicia. Algunos países son más bien centralistas, otros federalistas, lo cual corresponde a muchos partidos, conservadores y liberales. La decisión real pertenece a los grupos de presión : económicos, militares, eclesiásticos.

Régimes et institutions

Si, théoriquement, la démocratie est proclamée dans tous les pays, dans la pratique, elle est très relative, car la célèbre devise de l'époque coloniale est toujours en vigueur : « la loi est respectée mais n'est pas observée ». En général, les pays hispano-américains sont des républiques : un président élu pour 4 ou 6 ans, deux chambres dans la plupart des cas, une Cour suprême de justice. Quelques pays sont plutôt centralistes, d'autres fédéralistes, ce qui correspond à de nombreux partis, conservateurs et libéraux. La décision réelle appartient aux groupes de pression : économiques, militaires, ecclésiastiques.

La Constitución española

Aprobada por las Cortes en sesión plenaria de las dos cámaras — Congreso de Diputados y Senado — la actual Constitución fue ratificada por el pueblo español en referéndum, el 6 de diciembre de 1978.

Los principales puntos de dicha constitución son : la Construcción de un Estado social y democrático de derecho, cuya soberanía reside en el pueblo español. La forma política es la de Monarquía parlamentaria. Se habla de la indisolubilidad de la nación, reconociendo y garantizando el derecho a la autonomía de las nacionalidades y regiones que la integran[1]. Los partidos políticos y los sindicatos de trabajadores son libres. Se respeta la Declaración de los Derechos del Hombre. La pena de muerte queda abolida.

Se prevé el divorcio y el derecho de huelga.

El Rey es el Jefe del Estado y es el árbitro de las instituciones. Es él quien propone el candidato a Presidente de Gobierno, que es elegido por el Congreso de Diputados. El Rey tiene el mando supremo de las fuerzas armadas.

Las Cortes, formadas por dos cámaras — Congreso de Diputados y Senado — representan al pueblo español (sufragio universal a representación proporcional) y ejercen el poder legislativo, controlando la acción del Gobierno (ejecutivo).

1. Cf. page 5, dialogue XXXIII.

La Constitution espagnole

Votée par les Cortès en session plénière des deux chambres — Assemblée nationale et Sénat —, l'actuelle Constitution a été ratifiée par le peuple espagnol par voie de référendum, le 6 décembre 1978.

Les traits les plus importants de cette Constitution sont : la mise en place d'un État de droit social et démocratique, dont la souveraineté réside dans le peuple espagnol. Le système politique est celui d'une monarchie parlementaire. On y souligne l'indissolubilité de la nation, tout en reconnaissant et garantissant le droit à l'autonomie des régions historiques qui en font partie. Les partis politiques et les syndicats de travailleurs sont libres. On respecte la Déclaration des Droits de l'Homme. La peine de mort est abolie. Elle prévoit la possibilité du divorce et du droit à la grève.

Le Roi est le chef de l'État et le garant des institutions. C'est lui qui propose le candidat au poste de chef du gouvernement qui est élu par l'Assemblée nationale. Le Roi est le chef suprême des forces armées. Les Cortès, composées de deux chambres — Assemblée nationale et Sénat — représentent le peuple espagnol (suffrage universel à représentation proportionnelle) et exercent le pouvoir législatif, tout en contrôlant l'action du gouvernement (exécutif).

1. Según está estipulado en la Constitución, « el castellano es la lengua española oficial del Estado. Todos los Españoles tienen el deber de conocerla y el derecho a usarla ».
2. En el artículo 28 se reconoce el derecho a la huelga de los trabajadores para la defensa de sus intereses.
3. El Rey reina ; pero no gobierna.
4. Los actos del Rey son refrendados por el Presidente del Gobierno, por los Ministros competentes, o por el Presidente del Congreso. De los actos del Rey son responsables las personas que los refrenden.
5. La corona de España es hereditaria. El príncipe heredero tiene la dignidad de Príncipe de Asturias.
6. Fue en el momento en el que se procedía al recuento de votos para la elección del futuro Presidente del Gobierno, cuando entraron los guardias civiles con sus metralletas.
7. El 23-F, a pesar (o a causa) de los golpistas, fue un momento decisivo en el afianzamiento de la democracia en España.
8. La ventaja del escrutinio proporcional es la mayor representatividad de los pequeños partidos.
9. El palacio de la Zarzuela es la residencia oficial del Rey. El Presidente del Gobierno reside en el palacio de la Moncloa.

1. Comme le stipule la Constitution « le castillan (l'espagnol) est la langue officielle de l'État. Tous les Espagnols ont le devoir de la connaître et le droit de l'utiliser ».
2. L'article 28 reconnaît aux travailleurs le droit de grève pour la défense de leurs intérêts.
3. Le Roi règne, mais ne gouverne pas.
4. Les décisions du Roi sont ratifiées par le Président du gouvernement, par les ministres compétents ou par le Président de l'Assemblée. Les responsables des décisions du Roi sont les personnes qui les ont ratifiées.
5. La couronne d'Espagne est héréditaire. Le prince héritier porte le titre de Prince des Asturies.
6. Ce fut au moment où l'on procédait au décompte des voix pour l'élection du futur Président du gouvernement, qu'entrèrent les gardes civils avec leurs mitraillettes.
7. Le « 23-F » (le putsch manqué du 23 février 1981), malgré (ou à cause) les putschistes, a été un moment décisif dans la consolidation de la démocratie en Espagne.
8. L'avantage du scrutin proportionnel est la plus grande représentativité des petits partis.
9. Le palais de la Zarzuéla est la résidence officielle du Roi. Le Président du gouvernement réside dans le palais de la Moncloa.

las Cortes: 1. *période fran-quiste :* Assemblée na-tionale. 2. *aujourd'hui :* les deux assemblées *(députés et sénateurs).* 3. le palais lui-même, le bâtiment

conseguir, obtenir, avoir

el compromiso, l'engage-ment, la promesse

los palcos, les tribunes

los periodistas, les journalis-tes

los escaños, les bancs, les sièges *(des députés)*

contestar, répondre

lo ocurrido, ce qui s'est passé

dentro, dedans, à l'intérieur

entender, comprendre

el transcurso, le cours *(pour le temps)*

las Juntas, les juntes, les as-semblées *(le sens mili-taire de « junte » date du XIXe s.)*

agradar, plaire

recobrar, retrouver, repren-dre

temer, craindre

el Derecho, le Droit

la Hacienda, les Finances

el Ejército, l'Armée

Vocabulaire complémentaire

la Cámara, la Chambre

el Senado, le Sénat

la Monarquía, la Monarchie

el Rey, le Roi

la huelga, la grève

el Jefe del Estado, le Chef de l'État

los Derechos Humanos, les Droits de l'Homme

el poder legislativo, le pouvoir législatif

el poder ejecutivo, le pou-voir exécutif

el árbitro, le garant

el Presidente del Gobierno, le Chef du gouverne-ment

el mando, le pouvoir, le commandement

el golpe fallido, le putsch manqué

el golpe de Estado, le putsch

el voto, la votación, le vote, la voix

el parlamentario, le parle-mentaire

soberano, souverain

heredero, héritier

el golpista, le putschiste

autónomo, autonome

condenar, condamner, ré-prouver

elegir, élire

abolir, abolir

garantizar, garantir

reconocer, reconnaître

mandar, commander

ejercer, exercer

disolver, dissoudre

nombrar, nommer

cumplir con la ley, respec-ter la loi

reinar, régner

gobernar, gouverner

refrendar, ratifier

el escrutinio, le scrutin

el recuento de votos, le dé-compte de voix

A ■ **Traduction de** *dont* **et** *être* : **remplacer les pointillés par les formes adéquates**
1. El Estado español .... Constitución fue ratificada por el pueblo, ... un Estado democrático.
2. Las elecciones .... habla la prensa .... en octubre.
3. .... un gobierno .... presidente .... elegido por el Congreso de Diputados.
4. La Constitución española, ... inspiración .... liberal, ... ratificada por el pueblo español.
5. Castilla, de .... Cortes en la Edad Media te hablé, ... hoy una región autónoma.

B ■ **Traduire**
1. C'est monsieur Gomez, dont le fils est député de Séville. **2.** La Chambre des Députés a ratifié après de longs débats la loi sur le divorce. **3.** Le droit de grève est reconnu par la Constitution. **4.** L'attitude du Roi, face à ce qui est arrivé le 23 février aux Cortès, a été décisive. **5.** La majorité du peuple espagnol a réprouvé l'action des putschistes.

Corrigé

A ■ **1.** cuya ; es. **2.** de que (de las que) ; son (serán) (fueron). **3.** Es ; cuyo ; es. **4.** cuya ; es ; fue. **5.** cuyas ; es.

B ■ 1. Es el señor Gómez, cuyo hijo es diputado por Sevilla.
2. La Cámara de Diputados refrendó, tras (después de) largos debates, la ley sobre el divorcio.
3. El derecho a la huelga es reconocido por la Constitución.
4. El comportamiento del Rey, frente a lo ocurrido (lo que ocurrió) el 23 de febrero en las Cortes, fue decisivo.
5. La mayoría del pueblo español condenó la acción de los golpistas.

■ Fin de semana en Navacerrada

P = Pérez   G = Gutiérrez   S = Señora

(Los Pérez llegan delante del chalet de los Gutiérrez que les han invitado a pasar el fin de semana con ellos)

G— ¡ Hola ! ¡ Qué pronto habéis llegado[1], no ?

P— Pues sí, mira, yo mismo estoy sorprendido, porque me esperaba más gente, sobre todo en la autopista.

G— Es que ahora no es como en invierno. La gente que viene para esquiar se pasa casi todo el día en el coche entre ir y volver.

P— ¿ Porque vosotros no venís en invierno ?

G— No, a nosotros no nos gusta esquiar. Nos encanta la montaña, pero no podemos resistir esas estaciones llenas de gente como en la ciudad. En invierno, cuando tenemos dos días por lo menos vamos a Gredos : hay lugares muy salvajes ;[2] preciosos. Aquí sólo venimos cuando se está tranquilo[2], en primavera y otoño.

P— Oye, da gusto[3]. ¡ Qué aire ! ¡ cómo se respira !

G— Sí, respira hondo, que se te vaya[4] de los pulmones toda la contaminación que tienes de Madrid.

P— Bueno, y ¿ cuál es el programa[5] ?

G— Por el momento os hemos preparado una buena comida. Con la altitud y el ejercicio ya veréis cómo tenéis más hambre.

P— Y esta tarde podríamos darnos una vuelta por las estaciones de esquí. Aunque no haya nieve[6] me gustaría ver las instalaciones, las pistas de eslalom, los telesillas, los telesquís...

G— Bien. Si quieres iremos también a la « Bola del Mundo » donde están las instalaciones de Televisión Española. La visita de todo aquello[7] nos tomará toda la tarde.

P— Y para cenar, os invitamos nosotros[8].

G— Y mañana te llevo a pescar a un sitio que yo me sé. Ya verás.

S— Y mientras tanto nosotras os hacemos de comer, ¿ no ?

G— Sí, mujer, pero por la tarde os llevaremos a hacer una excursión a pie. ¿ Hace[9] ?

S— Estupendo. Así podré estrenar mis nuevas botas y Manolo la brújula que se compró hace una semana.

G— Oye, Manolo, a propósito. ¿ Has comprado los mapas ?

P— Sí. Los que tú me dijiste. No te preocupes, que no nos perderemos.

P = Pérez   G = Gutiérrez   S = dame

(Les Pérez arrivent devant le chalet des Gutiérrez qui les ont invités à passer le week-end avec eux)

G— Bonjour ! Comme vous avez fait vite, non ?

P— Mais oui, écoute, j'en suis surpris moi-même, parce que je m'attendais à trouver plus de monde, surtout sur l'autoroute.

G— C'est que maintenant ce n'est pas comme en hiver. Les gens qui viennent skier passent presque toute la journée en voiture entre l'aller et retour.

P— Parce que vous ne venez pas ici en hiver ?

G— Non, nous n'aimons pas skier. Nous adorons la montagne mais nous ne pouvons pas supporter ces stations pleines de monde comme en ville. En hiver, quand nous avons au moins deux jours, nous allons à Gredos : il y a des endroits très sauvages ; charmants. Nous ne venons ici que quand c'est calme, au printemps et à l'automne.

P— Que c'est bon ! quel air ! comme on respire !

G— Oui, respire à fond, pour éliminer de tes poumons toute la pollution que tu amènes de Madrid.

P— Bon, quel est le programme ?

G— Pour l'instant nous vous avons préparé un bon repas. Avec l'altitude et l'exercice vous verrez comme vous aurez plus d'appétit.

P— Et cet après-midi nous pourrions faire un tour dans les stations de ski. Quoiqu'il n'y ait pas de neige j'aimerais voir les installations, les pistes de slalom, les télésièges, les téléskis...

G— Bien. Si tu veux nous irons aussi à la « Bola del Mundo » où se trouvent les installations de la Télévision espagnole. La visite de tout cela nous prendra tout l'après-midi.

P— Et pour dîner c'est nous qui vous invitons.

G— Et demain je t'emmène pêcher dans un endroit que je connais. Tu verras.

S— Et pendant ce temps, nous, les femmes, nous vous préparons à manger, c'est ça ?

G— Oui, chérie, mais cet après-midi nous vous emmènerons faire une randonnée. Ça vous va ?

S— Formidable. Ainsi je pourrais étrenner mes nouvelles bottes et Manolo la boussole qu'il a achetée la semaine dernière.

G— Écoute, Manolo, à propos. As-tu acheté les cartes ?

P— Oui. Celles dont tu m'as parlé. Ne t'en fais pas ; nous ne nous perdrons pas.

1. **habéis llegado,** *vous êtes arrivés.*
   Hemos venido, m. à m. *nous sommes venus.* Ici : *nous
   avons roulé.* Tous les temps composés, sans exception, se
   forment avec *haber.* Le participe passé employé avec *haber* reste invariable.
2. **Aquí sólo venimos cuando se está tranquilo,** *nous ne
   venons ici que quand c'est calme.* Ne... que, se traduit le
   plus souvent par *sólo* avant le verbe ou bien par *no... más
   que* (connotation de nombre) ou *no... sino* (connotation de
   manière), *pas autrement, pas autre chose. No nos quedan
   más que tres días de vacaciones,* il *ne nous reste que
   3 jours de vacances. No busco sino silencio,* je *ne cherche
   que du calme.*
3. **da gusto,** m. à m. *cela fait plaisir.* Ici : *que c'est bon !
   qu'est-ce qu'on est bien !*
4. **que se te vaya** (ici langue parlée). Le *que* a valeur de
   finalité *para que, afin que, pour que...*
5. **¿ cuál es el programa ?** *quel est le programme ? Cuál,*
   interrogatif correspond au français *lequel* sans préposition. *¿ Cuál prefieres ? lequel préfères-tu ?* Avec préposition, *cual* peut correspondre aux relatifs *dont* et *où* (complément du verbe) : *una casa en la cual* (en la que) *todo es
   perfecto, une maison où tout est parfait. Una excursión de
   la cual* (de la que) *no te diré nada, une excursion dont je
   ne te dirai rien.*
6. **Aunque no haya nieve,** *même s'il n'y a pas de neige...
   Aunque* + subjonctif : *même si* + indicatif. **Aunque** +
   indicatif : *bien que* + subjonctif. Voir III—3, 4.
7. **de todo aquello,** *de tout cela* (là-bas), *de esto, de ceci*
   (ici), *de eso, de cela* (dont on parle).
8. **os invitamos nosotros,** *c'est nous qui vous invitons. Os
   hacemos de comer, nous vous faisons à manger. Os llevaremos, nous vous amènerons...* Tutoiement collectif : pronom complément de la 2e personne du pluriel : *os* (vouvoiement et tutoiement cf. VIII—3).
9. **¿ Hace ?** usuel pour : *ça vous va ? D'accord ?* Variante :
   ¿ Vale ?

Esp	Fr	Hisp-am
la finca	*le domaine*	**la hacienda, el rancho**
		(Mexique)
		el hato
		(Venezuela)
la avería	*la panne*	**la varada**
cenar	*dîner*	**comer**
el esparavel	*l'épervier* (filet)	**la atarraya**
la grupera	*la croupière*	**la gurupera**

NOTES

la carretera destapada, *la route en mauvais état* (Colombie).

ir a tierra caliente, a tierra fría, dans les pays à climat d'altitude (Mexique, Amérique Centrale, pays andins), sans saisons, la notion de vacances équivaut à celle de changement de climat (littéralement l'expression signifie : *aller en terre chaude, en terre froide*).

el galápago, *la selle à pommeau.*

las bolas, las boleadoras, courroies terminées par des pierres que le *gaucho* argentin jette aux pieds des chevaux pour les entraver.

los zamarros, culotte de cuir pour monter à cheval que l'on porte par-dessus le pantalon.

El tiempo libre

Pocos Hispanoamericanos tienen realmente tiempo libre : es la minoría ociosa de cada país. La mayoría se pasa la vida corriendo tras el centavo. Casi todos suelen ejercer dos o más profesiones. Los miembros de la clase media, que se va ensanchando en algunos países, se van, de cuando en vez, por unos días, a ver a los familiares que viven en otra parte del país : allá descansan por el cambio de clima, pescan o cazan, montan a caballo, bailan y toman aguardiente, según sus gustos.

Les loisirs

Peu d'Hispano-Américains ont réellement des loisirs : c'est la minorité oisive de chaque pays. La majorité passe sa vie à courir derrière les sous. Presque tous exercent généralement deux professions ou plus. Les membres de la classe moyenne, qui s'agrandit peu à peu dans certains pays, s'en vont, de temps en temps, pour quelques jours, voir des parents habitant dans un autre coin du pays : là, ils se reposent à cause du changement de climat, ils pêchent ou chassent, montent à cheval, dansent et boivent de l'eau-de-vie, selon leurs goûts.

España, por su situación geográfica, frontera y paso entre la Europa húmeda y verde y la África seca y árida, es un país de gran variedad de paisajes, de configuraciones geográficas y de ambientes climáticos. Ello influye en su fauna y su flora. Recordemos que en España se encuentran lobos, osos, linces y águilas reales, y lo mismo se ven bosques de tipo europeo (pinos, castaños, hayas, robles) que de tipo africano : el famoso palmar de Elche es único en Europa. Los Parques Nacionales están creados para el recreo del turista y el conocimiento de la fauna y la flora y su protección ; el más conocido es el de Doñana en las provincias de Sevilla y Huelva.

Siendo España el país más montañoso de Europa después de Suiza, es lógico que cuente con cimas nevadas interesantes para los amantes de los deportes invernales. Los Madrileños tienen las pistas de Navacerrada a 60 km. Los otros lugares donde se puede esquiar están repartidos por la península : Los Pirineos (Candanchú, la Molina) ; Región Cantábrica (Reinosa, Pajares) ; Región central (Navacerrada) y Andalucía (Sierra Nevada, provincia de Granada, donde encontramos el pico más alto de la península, el Mulhacén : 3.480 m) ; las pistas están a 70 km de la Costa del Sol, lo que permite alternar el esquí y los deportes náuticos.

L'Espagne, de par sa situation géographique, frontière et passage entre l'Europe, humide et verte, et l'Afrique, sèche et aride, est un pays qui possède une grande variété de paysages, de configurations géographiques et de milieux climatiques. Cela influe sur sa faune et sur sa flore. Rappelons qu'en Espagne on trouve des loups, des ours, des lynx et des aigles royaux, et on y voit aussi bien des forêts de type européen (pins, châtaigniers, hêtres, chênes) que de type africain : la célèbre palmeraie d'Elche est unique en Europe. Les Parcs nationaux sont créés pour l'agrément du touriste et la connaissance de la faune et de la flore et leur protection ; le plus connu est celui de Doñana dans les provinces de Séville et Huelva.

L'Espagne étant le pays d'Europe le plus montagneux après la Suisse, il est logique qu'il compte des cimes enneigées intéressantes pour les amateurs de sports d'hiver. Les Madrilènes ont les pistes de Navacerrada à 60 km. Les autres endroits où l'on peut skier sont répartis à travers la péninsule : les Pyrénées (Candanchú, La Molina) ; la région cantabrique (Reinosa, Pajares) ; la région centrale (Navacerrada) et l'Andalousie (Sierra Nevada, province de Grenade, où nous trouvons le sommet le plus haut de la péninsule, le Mulhacén : 3 480 m) ; les pistes sont à 70 km de la Côte du Soleil, ce qui permet d'alterner le ski et les sports nautiques.

1. Todas estas instalaciones están hechas con vistas al entrenamiento del equipo nacional de esquí.
2. Un grupo de montañeros se perdió haciendo una escalada y hubo que ir a buscarlo en helicóptero.
3. El equipo de rescate encontró a los alpinistas después de varias horas de búsqueda : tenían las manos y los pies helados.
4. Todo esto es un coto nacional de caza : hay magníficos ejemplares representativos de la fauna y flora españolas.
5. Fuimos a hacer una marcha por el monte y nos perdimos. Menos mal que Manolo tiene buenas dotes para orientarse.
6. Con ese « forfait » puedes tomar cualquier « remonte » de la estación todas las veces que quieras.
7. Desde la cima se divisa un panorama precioso, ya veréis. Se ve toda la sierra, y hay días en que se alcanza a ver el mar.
8. Si siguen por ese arroyo, es peligroso, porque da a un barranco. Mejor será que cojan la pista del sur y den toda la vuelta por los pinares : está flechado.
9. Todos los domingos aquí organizan excursiones a pié con un guía ; se duerme en refugios de alta montaña y se comen las conservas que hay que llevar consigo.

1. Toutes ces installations sont faites pour l'entraînement de l'équipe nationale de ski.
2. Un groupe d'alpinistes s'est perdu lors d'une escalade, et il a fallu aller les chercher en hélicoptère.
3. L'équipe de sauvetage a trouvé les alpinistes après plusieurs heures de recherches : ils avaient les mains et les pieds gelés.
4. Tout ceci est une réserve nationale de chasse : il y a des spécimens magnifiques représentatifs de la faune et de la flore espagnoles.
5. Nous sommes allés faire une randonnée dans la montagne et nous nous sommes perdus. Heureusement que Manolo sait très bien s'orienter.
6. Avec ce forfait tu peux prendre n'importe quel remonte-pente de la station, autant que tu voudras.
7. Du sommet on aperçoit un très beau panorama, vous verrez. On voit toute la montagne et il y a des jours où on peut même voir la mer.
8. Si vous continuez à longer ce ruisseau, c'est dangereux, car il arrive à un précipice. Il vaudrait mieux que vous preniez la piste sud et que vous fassiez tout le tour par les pinèdes : c'est balisé.
9. Ici, tous les dimanches, on organise des randonnées pédestres avec un guide ; on dort dans des refuges de haute montagne et on mange les conserves qu'il faut emporter avec soi.

Navacerrada, *chaîne de montagnes au nord de Madrid*

sorprendido, surpris

el tramo, le tronçon

esquiar, skier, faire du ski

espantoso, épouvantable

la estación (de esquí), la station

el invierno, l'hiver

Gredos, *chaîne de montagnes à l'ouest de Madrid*

salvaje, sauvage

la primavera, le printemps

el otoño, l'automne

da gusto, cela fait plaisir

hondo, profond

la contaminación, la pollution

el hambre, l'appétit, la faim

la nieve, la neige

el telesilla, le télésiège

el telesquí, le téléski

la Bola del Mundo, nom des installations de la Télévision espagnole à Navacerrada

hacer de (comer), faire à *(manger)*

¿ hace ?, cela vous va ? cela vous plaît ?

estrenar, étrenner

la brújula, la boussole

el mapa, la carte *(géographique)*

no te preocupes, ne t'en fais pas

Vocabulaire complémentaire

la marcha, la randonnée pédestre

la caza, la chasse, le gibier

el montañero } l'alpiniste
el alpinista

la escalada, l'escalade

el arroyo, le ruisseau

el barranco, le précipice, le ravin

el desfiladero, le défilé

acampar, camper

guarecerse, se réfugier

la cumbre, le sommet

la ladera, le versant *(montagne)*

trepar, grimper *(varappe)*

el glaciar, le glacier

la escarcha, le givre, la gelée blanche

la nevada, la chute de neige

el alud, l'avalanche

el trineo, le traîneau, la luge

deslizar, glisser *(patiner)*

resbalar, glisser *(déraper)*

nevado, enneigé

los remontes, - les remonte-pentes

el trampolín, le tremplin

el esquí alpino, le ski alpin, le ski de piste

el esquí nórdico, le ski de fond

el principiante, le débutant

el alquiler, la location

flechar, baliser

el cursillo, le stage

el desnivel, le dénivellement

el bosque, la forêt, le bois

el coto, la réserve *(chasse ou pêche)*

veda, période de fermeture

la caza mayor, le gros gibier

la caza menor, le petit gibier

A ■ Traduire

1. Nous sommes venus faire du ski ; nous ne sommes pas montés jusqu'ici pour voir seulement les sommets enneigés. 2. N'aie pas peur ; même si ce n'est pas balisé nous y arriverons. J'ai une bonne boussole et je sais très bien m'orienter. 3. Tu peux venir même si tu n'as pas de skis ; il y a des boutiques de location justement pour cela. 4. Ne vous en faites pas, les amis ; je vais vous trouver un bon coin et vous pourrez vous baigner ; après je vous emmènerai à la réserve de chasse.

B ■ Traducir

1. Nuestra estancia en esta estación comenzará por un cursillo de esquí : somos principiantes.

2. Dime cuál te gusta más de estas dos mochilas.

3. No sé cómo voy a hacer sin mis gemelos.

4. Todos estos remontes están instalados desde hace años.

C ■ Remplacer les pointillés par le mot approprié

1. Estaba todo tan helado que .... y me rompí un brazo.

2. Me .... comprado un trineo formidable. Se .... muy bien.

3. Ya .... nos quedan dos días de esquí : el .... próximo vendremos para quedarnos más días.

4. Quería .... mi nueva escopeta de caza, pero no me di cuenta de que estábamos en ...., y no pude cazar.

Corrigé

A ■ 1. Hemos venido a esquiar ; no hemos subido hasta aquí sólo para ver las cimas nevadas. 2. No tengas miedo ; aunque no esté flechado, llegaremos. Tengo una buena brújula y tengo buenas dotes para orientarme. 3. Puedes venir aunque no tengas esquíes ; para eso están las tiendas de alquiler. 4. No os preocupéis, amigos ; os voy a encontrar un buen lugar (rincón) y os podréis bañar ; después os llevaré al coto.

B ■ 1. Notre séjour dans cette station commencera par un stage de ski : nous sommes débutants.

2. Dis-moi lequel de ces sacs à dos tu préfères.

3. Je ne sais pas comment je vais faire sans mes jumelles.

4. Tous ces remonte-pentes sont installés depuis des années.

C ■ 1. resbalé   3. sólo ; invierno
    2. he ; desliza   4. estrenar ; veda

M = Mercedes   S = Sofía

(Dos mujeres en una playa del Mediterráneo están hablando mientras sus hijos se bañan)

M— ... Pues es lo que yo le decía ; todos los años pasa lo mismo[1]. Venga construir apartamentos[2], y claro ; así es que[3] está la playa como está : todos unos apilados sobre otros.

S— Nosotros es el primer año que venimos. Los alrededores son muy bonitos con tanto naranjo[4]. Nos gusta mucho.

M— Pues si llegan Vds a venir[5] hace unos 10 o 15 años... ¡ Esto era el paraíso ! Eramos poquísimos en la playa. Daba gusto. Ahora hay demasiada gente y casi no se puede bañar uno[6], como no sea temprano[7], después de la llegada de los pescadores.

S— ¿ Pescadores ? Me interesaría verlos.

M— ¿ Ve aquel malecón ? Pues detrás suelen llegar[8] de madrugada. Pescan toda la noche con los lamparones y vuelven al amanecer. A veces se dan espectáculos curiosos de ver : la última vez que fuimos había dos parejas de turistas, ellos de smóking y ellas de largo.

S— De alguna fiesta ¿ no ?

M— ¡ Claro ! Trasnocharon tanto que fueron a la playa. Mi marido sacó unas fotos[9] estupendas : había un contraste tremendo entre las dos parejas y el grupo de pescadores tirando de la red. Y todo ello bañado por el sol rasante del amanecer.

S— Seguro que un día de estos iremos. Mi marido no tiene esas grandes dotes de fotógrafo, pero sé que le gustará.

M— Lo que he visto es que él es muy aficionado a los deportes[10] ¿ no ?

S— ¡ Ya lo creo ! Mi marido es de los que no saben estarse quietos un minuto cuando están de vacaciones. Cada año cambiamos de playa a causa de su afición por los deportes[11] y por el mar. Unos años le da por la vela[12] y vamos al Cantábrico ; otros, por el esquí acuático o el buceo, y venimos al Mediterráneo. Este año se ha comprado una tabla a vela y no le veo en todo el día[13].

M— El mío prefiere estarse todo el día en el chiringuito tomándose unas copas con los amigos de todos los años.

S— Pues a mí, la única cosa que me apetece cuando estoy de vacaciones, es tomar el sol y leer.

M = Mercédès   S = Sophie

(Sur une plage de la Méditerranée deux femmes sont en train de parler tandis que leurs enfants se baignent)

M — ... Eh bien c'est ce que je vous disais, c'est tous les ans pareil. On construit sans arrêt des appartements et voilà, c'est pour cela que la plage est comme elle est : tout le monde entassé les uns sur les autres.

S — Nous, c'est la première année que nous venons. Les alentours sont très jolis avec tous ces orangers. Cela nous plaît beaucoup.

M — Si vous étiez venus il y a dix ou quinze ans... C'était le paradis ! Nous étions très peu sur la plage. C'était formidable. Maintenant il y a trop de monde et on ne peut presque plus se baigner, à moins que ce ne soit de bonne heure, après l'arrivée des pêcheurs.

S — Des pêcheurs ? Cela m'intéresserait de les voir.

M — Vous voyez cette jetée ? Eh bien ils arrivent d'habitude derrière au petit jour. Ils pêchent toute la nuit « au *lamparo* » et ils reviennent à l'aube. On y trouve parfois des spectacles curieux à voir : la dernière fois que nous y sommes allés, il y avait deux couples de touristes, eux en smoking et elles en robe longue.

S — Ils venaient d'une fête sans doute ?

M — Bien sûr ! Ils avaient veillé si tard qu'ils sont allés à la plage. Mon mari a pris quelques photographies extraordinaires : il y avait un contraste saisissant entre les deux couples et le groupe de pêcheurs en train de tirer les filets. Et tout cela baigné par le soleil rasant du lever du jour.

S — C'est sûr que nous irons un de ces jours. Mon mari n'a pas ce talent de photographe, mais je sais que ça lui plaira.

M — Ce que j'ai vu c'est qu'il aime beaucoup les sports, non ?

S — Je vous crois ! Mon mari est de ceux qui ne savent pas rester une minute tranquilles quand ils sont en vacances. Chaque année nous changeons de plage à cause de sa passion des sports et de la mer. Certaines années l'envie lui prend de faire de la voile et nous allons sur la côte cantabrique ; d'autres, de faire du ski nautique ou de la plongée sous-marine, et nous venons sur la Méditerranée. Cette année il s'est acheté une planche à voile et je ne le vois pas de toute la journée.

M — Le mien préfère passer toute sa journée au petit bar de la plage à prendre des verres avec ses amis de tous les ans...

S — Eh bien moi, la seule chose qui me plaît, quand je suis en vacances, c'est de bronzer et de lire.

1. **todos los años pasa lo mismo,** *tous les ans il se passe la même chose* (c'est pareil). **a)** *pasar* (ocurrir) *algo, se passer* (arriver) *quelque chose.* **b)** *lo mismo, igual, la même chose, pareil, lo* + adjectif : voir I—3, 12.

2. **Venga construir** ou **venga a construir,** *et on construit et on construit encore.* Idée de répétition, d'insistance. Voir XI—3, 9.

3. **así es que...,** *donc,* valeur de conséquence. A ne pas confondre avec *Así es como* (c'est ainsi que...) qui exprime la manière. *Por eso, c'est pourquoi.*

4. **tanto naranjo,** *autant d'orangers* ou *tant d'orangers,* expression de la langue parlée pour *tantos naranjos. Tanta gente, tant (autant) de monde ; tantas casas, tant de maisons (autant).* Voir IV—3, 11.

5. **si llegan Vds a venir,** construction courante pour : *si hubieran venido, si vous étiez venus.* Exemple : *si llego a saberlo no vengo* ou *si lo hubiera sabido no hubiera venido, si j'avais su, je ne serais pas venu.* Principale et subordonnée au subjonctif car les deux formes verbales sont composées (avais su — serais venu). Voir VII—3, 13.

6. **y no se puede bañar uno,** *et on ne peut pas se baigner.* On : *uno.* Voir XI—3, 10.

7. **como no sea temprano,** *si ce n'est pas de bonne heure* ou *à moins que ce ne soit.* Équivalent : *A no ser que* + subjonctif.

8. **suelen llegar,** *ils arrivent généralement* (d'habitude, souvent)... *Soler* (comme **volver**) + infinitif (fait habituel, régulier). *Suelo ir a la playa temprano, d'habitude* (en général) *je vais à la plage de bonne heure.*

9. **sacó unas fotos,** *il a fait* (il fit) *des photos... Sacar fotos = faire des photos. Sacar en foto, prendre en photo.* Attention : *Sacar el coche, sortir la voiture,* mais : *salir de noche, sortir le soir. Sacar* est donc transitif et *salir* (mouvement) intransitif.

10. **aficionado a los deportes,** *amateur de sports.*

11. **Afición por los deportes,** *amour* (passion, goût) *des sports.*

12. **le da por la vela,** *ça lui prend de faire de la voile. Dar por ;* idée de « prendre » dans le sens de *décider* ou *faire quelque chose sans justification apparente.* **Esta semana le ha dado por no bañarse,** *cette semaine ça lui a pris de ne pas se baigner.* Autres utilisations de **DAR,** voir IV—3, 3, VI—3, 10.

13. **no le veo en todo el día,** *je ne le vois pas de toute la journée ;* à ne pas confondre avec la négation : **no sé nada en absoluto,** *je ne sais rien du tout.*

Esp	Fr	Hisp-am
la caseta	*la cabine (plage)*	**la cabina**
el kayac	*le kayak*	**el cayuco**

NOTES
la chonta, variété de palmier au bois dur.
la ceiba, *le fromager.*
el carey, l'écaille de la tortue du même nom (caret).
el viudo, littéralement « *le veuf* » (Colombie) = plat de poisson et de légumes.
el ñame, *l'igname* (légume)

Vacaciones a orillas del mar

Los Hispanoamericanos del cono sur del continente (Argentinos, Uruguayos, Chilenos) suelen ir a la playa en el verano austral, o sea en diciembre y enero. Durante esos meses se llenan de veraneantes las playas de Punta del Este y de Mar del Plata, a orillas del Río de la Plata o las chilenas, como Viña del Mar, a orillas del Pacífico. El México, se puede ir a la playa en cualquier momento, sea a Acapulco, el balneario internacional, sea a las playas desiertas del norte de la costa pacífica. Y claro está, a Cancún, Cozumel e Isla Mujeres, con sus complejos turísticos modernísimos. En Cuba, se va a Varadero o a Jibacoa, por estar estas playas cerca de La Habana, pues siendo el país una isla, sobran los lugares. Caribeñas son también las numerosas playas venezolanas y El Rodadero de Santa Marta (Colombia), sin olvidar las Antillas.

Vacances au bord de la mer

Les Hispano-Américains du cône sud du continent (Argentins, Uruguayens, Chiliens) vont généralement à la plage au cours de l'été austral, c'est-à-dire en décembre et janvier. Au cours de ces mois, les estivants envahissent les plages de Punta del Este et de Mar del Plata, au bord du Rio de la Plata ou les plages chiliennes, comme Viña del Mar, sur les rives du Pacifique. Au Mexique, on peut aller à la plage à n'importe quel moment, soit à Acapulco, la station balnéaire internationale, soit sur les plages sauvages du nord de la côte pacifique. Et, bien sûr, à Cancún, Cozumel et Isla Mujeres, avec leurs complexes touristiques très modernes. A Cuba, on va à Varadero ou à Jibacoa, parce que ces plages sont près de La Havane, car, le pays étant une île, ce ne sont pas les endroits qui manquent. Forment également partie des Caraïbes les nombreuses plages vénézuéliennes, El Rodadero de Santa Marta (Colombie) et les Antilles, à ne pas oublier.

5.261 km de costas no significan para España 5.261 km de playas, pero esa cifra da una idea de las posibilidades turísticas que pueden comprobarse en la realidad. Si España es uno de los países que más visitantes extranjeros recibe (alrededor de los 40 millones al año), en gran parte es a causa de sus playas : En el Atlántico encontramos la Costa Esmeralda (Santander), la Costa Verde (Asturias), las Rías Altas, y las Rías Bajas (Galicia) : sus costas son accidentadas y bellas ; hay muchos puertos de pesca pintorescos : se pueden practicar todos los deportes clásicos del mar ; no existen los rigores del clima que pueden darse en otros lugares. En el Atlántico Sur (Huelva y Cádiz) está la Costa de la Luz, tranquila y no muy frecuentada.
Las más concurridas son las costas del Mediterráneo : Costa Brava (únicamente la provincia de Gerona, cerca de la frontera francesa) llamada así por lo salvaje de su litoral ; la Costa Dorada (provincias de Barcelona y Tarragona). El nombre de la Costa de Azahar (provincias de Castellón y Valencia) evoca los naranjos, la otra riqueza de esta región ; la Costa Blanca se extiende por las provincias de Alicante y Murcia ; y por fin, la Costa del Sol, que es la más prestigiosa (provincias de Almería, Granada y Málaga).

5 261 km de côtes ne signifient pas pour l'Espagne 5 261 km de plages, mais ce chiffre donne une idée des possibilités touristiques que l'on peut retrouver dans la réalité. Si l'Espagne est un des pays qui reçoit le plus de visiteurs étrangers (près de 40 millions par an), c'est en grande partie dû à ses plages : sur l'Atlantique nous trouvons la Côte d'Emeraude (Santander), la Côte Verte (Asturies), les Hautes Rias et les Basses Rias (Galice) : leurs côtes sont belles et accidentées ; il y a beaucoup de ports de pêche pittoresques ; on peut y pratiquer tous les sports nautiques classiques ; elles sont exemptes des rigueurs climatiques que l'on peut trouver en d'autres lieux. Sur l'Atlantique sud (Huelva et Cadix) se situe la Côte de la Lumière, tranquille et peu fréquentée.
C'est sur les côtes de la Méditerranée qu'il y a le plus de monde : Côte Sauvage (uniquement la province de Gérone, près de la frontière française) appelée ainsi en raison du caractère sauvage de son littoral ; la Côte Dorée (provinces de Barcelone et de Tarragone). Le nom de Côte de Fleurs d'Oranger (provinces de Castellon et de Valence) évoque les orangers, l'autre richesse de cette région ; la Côte Blanche s'étend sur les provinces d'Alicante et de Murcie ; et enfin, la Côte du Soleil, qui est la plus prestigieuse (provinces d'Almería, Grenade et Málaga).

1. Antes de hacerme a la mar ; prefiero siempre escuchar el parte meteorológico.
2. ¡ Niños ! ¡ no os vayáis tan lejos, que es peligroso !
3. Es muy expuesto ir a bañarse o ir a coger mariscos en aquellas rocas cuando hay mucho oleaje.
4. ¡ Cómo pasa el tiempo ! Pensar que hace sólo unos años aquí no había más que unas cuantas casas de pescadores...
5. ¡ No les dará vergüenza, ir enseñándolo todo ! En mis tiempos íbamos más tapadas.
6. Yo, durante el veraneo, procuro ponerme lo más moreno que puedo y descansar lo más posible.
7. De joven, yo era muy aficionado a la pesca submarina, pero ahora no pesco más que con caña.
8. A estas horas no puede estarse uno en la playa. Hace demasiado calor y está demasiado llena de gente.
9. ... y vino una ola muy fuerte que me cogió desprevenida. ¡ Por poco me ahogo !
10. Para bajar a la playa pueden atajar por esa callejuela ; al final de todas las escaleras se encontrarán directamente en el paseo marítimo.

1. Avant de prendre la mer, je préfère toujours écouter le bulletin météorologique.
2. Les enfants ! N'allez pas si loin ; c'est dangereux !
3. C'est très dangereux de se baigner ou d'aller pêcher des fruits de mer dans ces rochers-là quand il y a beaucoup de vagues.
4. Comme le temps passe ! Dire qu'il n'y a pas si longtemps il n'y avait ici que quelques maisons de pêcheurs...
5. Quel scandale de se déshabiller de la sorte ! De mon temps on se couvrait davantage.
6. Moi, pendant l'été, j'essaie de bronzer et de me reposer le plus possible.
7. Quand j'étais jeune, j'aimais bien la pêche sous-marine, mais maintenant je ne pêche qu'avec une canne (à pêche).
8. A cette heure-ci on ne peut pas rester sur la plage. Il fait trop chaud et il y a trop de monde.
9. ... et alors, il y a eu une vague très forte qui m'a eue par surprise. J'ai failli me noyer !
10. Pour descendre à la plage, vous pouvez couper (prendre un raccourci) par cette ruelle ; en bas des marches vous vous trouverez directement sur la promenade maritime.

el veraneo, les vacances (*d'été*)
apilar, entasser
los alrededores, les alentours, les environs
el naranjo, l'oranger
el paraíso, le paradis
dar gusto, faire plaisir
el malecón, la jetée
de madrugada, aux aurores, tôt le matin
los lamparones, les lamparros
el amanecer, l'aube, le lever du soleil
una pareja, un couple (*de deux personnes*)
de largo, en robe longue
trasnochar, veiller
tener dotes, avoir des qualités, des dons

ser aficionado a, être amateur de
los deportes, les sports
¡ ya lo creo !, bien sûr !
quieto, tranquille, calme, immobile
la vela, la voile
el (Mar) Cantábrico, la (Mer) Cantabrique ; l'Atlantique sur les côtes nord de l'Espagne
el buceo, la plongée (sous-marine)
la tabla a vela, la planche à voile
el chiringuito, le bar de la plage
apetecer, désirer, vouloir
tomar el sol, bronzer
la novela, le roman
un velero, un voilier

Vocabulaire complémentaire

la bahía, la baie
la cala, la calanque
el estrecho, le détroit
el cabo, le cap
alta mar, haute mer
baja mar, basse mer
la marea, la marée
la ola, la vague
el acantilado, la falaise
el puerto pesquero, le port de pêche
el puerto de recreo, le port de plaisance
el barco, le bateau
el yate, le yacht
hacerse a la mar, prendre la mer
el bañador, le maillot de bain

el bañista, le baigneur
ahogarse, se noyer
el salvavidas, la bouée de sauvetage
el chaleco, le gilet
ponerse moreno, bronzer
bucear, plonger (*nager sous l'eau*)
el parte meteorológico, le bulletin météorologique
¡ auxilio !, au secours !
la desembocadura, l'embouchure
zambullirse, plonger (*se jeter à l'eau*)
la estación playera, la station balnéaire
el balneario, la station thermale

A ■ **Traduire**

1. S'il n'y avait pas autant de vagues nous pourrions prendre la mer tout de suite au lieu d'attendre la prochaine marée. **2.** A la plage il est difficile de faire de bonnes photos. **3.** Mes filles ne se baignent jamais. Elles passent toute la journée à bronzer. En ça elles ressemblent bien à leur mère. **4.** Avec sa passion pour le ski nautique, je ne le vois pas de la journée.

B ■ **Traducir**

1. A mí no me gusta ir a veranear al mar, como no sea al Cantábrico, donde se puede practicar la vela.

2. Los mariscos se suelen pescar por esta zona.

3. Si llegas a venir un poco más pronto, hubieras podido ver a los pescadores, tirando de la red.

4. A mí me da lo mismo, si hay que trasnochar.

C ■ **Remplacer les pointillés par le mot approprié**

1. Todos los años mi marido y yo .... venir aquí a pesar de que haya .... gente.

2. Somos muy .... al casino. Si quiere, puede Vd acompañarnos, pero tendrá que vestirse .... largo.

3. Cuando la .... está roja, es .... bañarse.

4. En Valencia está la Costa de ...., y en Andalucía del sur, la Costa del ....

Corrigé

A ■ 1. Si no hubiera tanto oleaje (tantas olas), podríamos hacernos a la mar enseguida, en lugar de esperar la próxima marea.

2. En la playa es difícil sacar buenas fotos.

3. Mis hijas no se bañan nunca. Se pasan todo el día tomando el sol. En eso han salido a su madre.

4. Con su afición por el esquí acuático no le veo en todo el día.

B ■ 1. Je n'aime pas aller passer mes vacances à la mer, à moins d'aller sur la côte Cantabrique où l'on peut faire de la voile. **2.** D'habitude on pêche les fruits de mer de ce côté-ci. **3.** Si tu étais venu un peu plus tôt tu aurais pu voir les pêcheurs tirer les filets. **4.** Cela m'est égal s'il faut veiller (se coucher) tard.

C ■ 1. solemos ; tanta   3. bandera ; peligroso
2. aficionados, de   4. Azahar ; Sol

R = Rodríguez   A = Amigo

(Dos compañeros de oficina, tomando el aperitivo)

A— ¿ Se fueron[1] ya tu mujer y tus hijos ?

R— Yo los llevé el sábado pasado.

A— ¿ A Santander ?

R— No ; hemos cambiado este año. En Semana Santa, alquilamos un pisito para todo el veraneo[2] en la provincia de Málaga. Iré a verlos para el puente de finales de mes[3] y luego 15 días en Agosto. ¿ Y tú ?

A— Mi mujer trabaja hasta el 30 de julio ; se irá los 15 primeros días de agosto a Somosierra con los críos y luego nos iremos todos a Alicante...

R— Me voy que es tarde...

A— Pero ¿ Qué prisa tienes ? Si estás solo...

R— Es que quería llevar la ropa a la tintorería antes de que cierren[4]...

A— ¿ Y no puedes dejarlo para mañana ? Anda, vente a comer a casa.

R— Te lo agradezco[5] de verdad. No te he dicho que esta noche voy a oir a la Orquesta Nacional que toca en la Plaza Mayor ; como Rodríguez me he organizado para estos días ; me deprime quedarme en casa mirando la televisión...

A— Y... ¿ vas solo ?

R— ¡ Claro ! ¿ Qué te crees ?

A— ¿ Yo ? ¡ Nada !

R— ¡ Ah ! creía que... ¿ Sabes ? Lo que pasa es que aprovecho estos días[6] de tranquilidad, bueno, quiero decir estos días en que estoy solo[7], para ir al teatro y a los conciertos. ¡ Salimos tan poco en invierno... !

A— Sí, te entiendo ; además que da gusto ir a todas partes en Madrid en verano. Mucho calor pero menos prisas, menos atascos y sitio en todas partes.

R— La verdad es que, aunque echo de menos a la familia[8], sólo en julio disfruto yo de Madrid[9]... !

A— ¿ De Madrid sólo ?

R— ¿ Qué estás insinuando ?

A— ¿ Yo ? ¡ Nada ! ¿ Por qué ? Bueno, me marcho pues a mí me esperan...

R— Y a mí también... Digo[10] ; van a cerrar la tintorería. ¡ Hasta mañana ! ¡ Recuerdos en casa[11] !

A— ¡ De tu parte[12] ! ¡ Que seas bueno, « Rodríguez » !

R = Rodriguez   A = Ami

(Deux collègues de bureau prennent l'apéritif)

A— Ta femme et tes enfants sont déjà partis ?

R— Je les ai emmenés samedi dernier.

A— A Santander ?

R— Non ; cette année nous avons changé. A Pâques, nous avons loué un petit appartement pour toutes les vacances d'été dans la province de Málaga. J'irai les voir pour le pont de la fin du mois et ensuite quinze jours en août. Et toi ?

A— Ma femme travaille jusqu'au 30 juillet ; elle ira les quinze premiers jours d'août à Somosierra avec les enfants et ensuite nous irons tous à Alicante...

R— Je m'en vais parce qu'il est tard...

A— Mais, pourquoi es-tu pressé ? Tu es seul, non ?

R— C'est que je voulais porter le linge à la teinturerie avant la fermeture...

A— Et tu ne peux pas le laisser pour demain ? Allez, viens manger à la maison.

R— Je te remercie sincèrement. Je ne t'ai pas dit que ce soir j'allais écouter l'Orchestre national qui joue sur la Grand-Place ; je me suis organisé en « célibataire » pour ces quelques jours ; cela me déprime de rester à la maison à regarder la télévision...

A— Et... tu y vas seul ?

R— Bien sûr ! Qu'est-ce que tu crois ?

A— Moi ? Rien !

R— Ah bon ! Je croyais que... Tu sais ? Ce qui se passe c'est que je profite de ces jours de calme — bon, je veux dire ces jours où je suis seul — pour aller au théâtre et aux concerts. Nous sortons tellement peu en hiver... !

A— Oui, je te comprends ; en plus c'est agréable d'aller partout dans Madrid en été. Il fait très chaud mais on est moins pressé, moins de bousculades et de la place partout.

R— La vérité c'est que, quoique je regrette l'absence de ma famille, ce n'est qu'en juillet que je profite de Madrid.

A— De Madrid seulement ?

R— Qu'est-ce que tu insinues ?

A— Moi, rien ! Pourquoi ? Bon, je m'en vais parce que moi, on m'attend...

R— Et moi aussi... Je voulais dire, la teinturerie va fermer. A demain. Bonjour chez toi.

A— Je leur dirai de ta part. Sois sage, « célibataire » !

1. **Se fueron,** *ils sont partis.* Passé simple de *irse, s'en aller.*
   Partir en voyage, en avion : salir de viaje, en avion.

2. **el veraneo,** *vacances d'été, période estivale* (la villégia-
   ture). *El veraneante, l'estivant.*

3. **de finales de mes,** *de la fin du mois.* **A finales de** mes, de
   temporada, *à la fin du mois, de la saison.* Mais : **es el fin
   (el final) del verano,** *c'est la fin de l'été.* **La final,** la finale.
   Voir XXIV—3, 8.

4. **antes de que cierren,** *avant qu'ils ne ferment, avant que
   ce ne soit fermé.* **Antes de :** voir XXIV—3, 9.

5. **Te lo agradezco (agradecer),** *je t'en remercie.* **Agradecer** algo (transitif, donc), *remercier de quelque chose.*

6. **aprovecho estos días,** *je profite de ces jours. Profiter de,*
   sujet de personne (sens de *tirer profit*), **aprovecharse de.**
   Se **aprovecha de** la situación, de la gente, *de que su
   mujer no está, il profite de la situation, des gens, que sa
   femme n'est pas là.* Mais : **algunos se aprovechan (sacan
   provecho) de la crisis,** *la crise profite à certains.*

7. **estos días en que estoy solo,** *ces jours où* (pendant
   lesquels) *je suis seul. Où,* pronom relatif *d'où :* de lo que,
   de donde, mais : *¿ **Dónde** (en **dónde**) vives ? où habi-
   tes-tu ? ¿ **Adónde** vas ? où vas-tu ?* (le déplacement justifie le *a* de *adónde*).

8. **... aunque echo de menos a la familia,** *bien que je
   regrette ma famille, bien que ma famille me manque.*
   *Echar de menos algo o a alguien, regretter quelque chose
   ou quelqu'un* (sens de « *en avoir la nostalgie* », « *manquer* »).

9. **sólo en Julio, disfruto yo de Madrid,** *ce n'est qu'en
   juillet que je profite* (jouis) *de Madrid. Disfrutar, jouir,
   bien profiter (bien s'amuser)* alors que *aprovechar* (voir
   XXIX—3, 6) est plus concret et souvent péjoratif (cf. **apro-
   vechón,** profiteur).
   Rappel : **Sólo** (accentué), *seulement, ne... que.* **Solo,**
   seul.

10. **Y a mí también... Digo....,** *et moi aussi* (on m'attend).
    ... Euh... Je veux dire... (c'est-à-dire...), le contexte ex-
    plique ce « **Digo** » ; il traduit la gêne, l'intention de revenir
    sur ses propos.

11. **¡Recuerdos en casa !** *Bonjour chez toi !* **¡Recuerdos !**
    invariable pour : *mon meilleur souvenir à tous ! bonjour à
    ta femme !* **¡Recuerdos a todos, a tu mujer !** et... **Da
    recuerdos a la familia,** *donne mon bonjour à la famille.*

12. **¡De tu parte !** m. à m. *de ta part* (je le ferai) correspon-
    dant exact du français : *je n'y manquerai pas !*

Esp	Fr	Hisp-am
la criada	la domestique	la mucama
la resaca	la « gueule de bois »	el guayabo
el compinche	le copain	el cuate (Mexique)
ir a la peluquería	aller chez le coiffeur	peluquearse (Colombie)
las conservas	les conserves	el rancho (Colombie)
el lirio	l'arum	el cartucho
el chaval	le gosse	el pelado (Colombie)
		el chino (Colombie)

NOTES

el guayabo, peut également signifier *la nostalgie*
el mariachi, (Mexique) (du français « mariage ») : petit orchestre

¿ Verano latinoamericano ?

El verano al estilo europeo o estadounidense sólo existe en los países del sur del continente cuya población, desde luego, tiene hábitos más europeos que propiamente americanos. Un porteño puede quedarse solito en Buenos Aires mientras su esposa y sus hijos están a orillas del mar. Y le queda bastante cerca Mar del Plata para ir a verlos al fin de la semana. Lo mismo le pasa al marido de Santiago de Chile o al de Montevideo. En los países sin estaciones reales, o sea con períodos de mayor o menor lluvia, la gente sigue un calendrio más elástico y no existen esas grandes migraciones estacionales de los países europeos. Así que el caraqueño o el bogotano, el habanero o el limeño se quedan por poco tiempo aislados y no les ha de faltar la ayuda de la mucama, el traguito y los mariachis para no dejarse dominar por el guayabo.

L'été en Amérique latine ?

L'été à la manière européenne ou des États-Unis n'existe que dans les pays du sud du continent, dont la population, d'ailleurs, a des habitudes plus européennes que proprement américaines. Un habitant de Buenos Aires peut rester tout seul dans sa ville pendant que sa femme et ses enfants sont au bord de la mer. Et Mar del Plata est assez près pour qu'il aille les voir à la fin de la semaine. Il en est de même pour le mari de Santiago du Chili ou de Montevideo. Dans les pays sans saisons réelles, c'est-à-dire avec des périodes de pluies plus ou moins fortes, les gens suivent un calendrier plus élastique et les grandes migrations saisonnières des pays européens n'existent pas. Si bien que les hommes de Caracas ou de Bogota, de La Havane ou de Lima restent isolés pour peu de temps et ils auront toujours l'aide de la bonne, du petit verre et des « mariachis » pour ne pas se laisser abattre par la nostalgie.

Si la mujer española ha comenzado a tomar cierta importancia en el mundo laboral, todavía hay muchas madres de familia que no trabajan, y que se van con los niños a veranear a la playa o al campo. El marido pasa una parte del verano solo en Madrid y, por si puede echar una canita al aire, prefiere que le llamen Rodríguez.

Los Festivales de España

Uno de los deseos de España por fomentar el turismo y dar al visitante extranjero otra cosa que sol, mar y precios relativamente baratos, se ha concretizado en los Festivales de España : son espectáculos teatrales, de danza clásica o española, ópera, conciertos, etc., patrocinados por el Estado. Tienen lugar en verano y en él intervienen artistas de gran renombre, grupos de teatro o concertistas famosos. Suelen celebrarse al aire libre, a veces en lugares muy turísticos como la Alhambra de Granada o la Plaza Mayor de Madrid. A parte de estos festivales « oficiales » hay otros como el de música y danza en las cuevas de Nerja (provincia de Málaga).

Si la femme espagnole commence à prendre une certaine importance dans le monde du travail, il y a encore beaucoup de mères de famille qui ne travaillent pas et qui partent avec les enfants passer les vacances à la plage ou à la campagne. Le mari reste une partie de l'été seul à Madrid et, au cas où il pourrait trouver l'occasion de se prouver qu'il est encore vert, il préfère qu'on l'appelle Rodriguez (Dupont).

Les festivals d'Espagne

L'un des objectifs de l'Espagne pour encourager le tourisme et offrir aux visiteurs étrangers autre chose que le soleil, la mer et des prix relativement bas, est devenu une réalité avec les festivals d'Espagne : il s'agit de spectacles de théâtre, de danse classique ou espagnole, d'opéra, de concerts, etc. qui sont sous le patronage de l'État. Ils ont lieu l'été et y participent des artistes très connus, des troupes de théâtre, des solistes célèbres. D'habitude ils ont lieu en plein air, quelquefois dans des endroits très touristiques tels l'Alhambra de Grenade ou la Grand-Place de Madrid. Mis à part ces festivals officiels il y en a d'autres tel celui des grottes de Nerja (province de Málaga) avec de la musique et de la danse.

1. Mejor que vayamos a tu casa, Julio : estoy de Rodríguez y la mía está toda en desorden. Yo, para las cosas de la casa, soy un verdadero desastre.

2. No sé cómo hacéis vosotros cuando estáis de Rodríguez ; yo no consigo organizarme ; no me da tiempo para nada, y siempre termino cenando de lata o en el bar de la esquina.

3. Cuando te vayas con los niños y me quede solo prefiero llamarte yo ; no tendré más remedio que ir a cenar por ahí y pararé poco por casa.

4. Fernando siempre está presumiendo de ligar mucho cuando se queda de Rodríguez, pero me parece a mí que lo único que consigue es gastarse mucho dinero en las discotecas y dormir poco.

5. Oiga Vd, no se meta donde no le llaman ; yo ya soy bastante grandecito para saber lo que hago.

6. ¡ Menudo programa, el de los Festivales de este año ! : actúan Narciso Yepes[1] y Antonio[2] ; dan « La Revoltosa[3] » y « La Vida es Sueño[4] », y se han traido de la Filarmónica.

7. Era una delicia, la música de Granados[5] y todos esos perfumes de las flores de los jardines...

1. Il vaut mieux que nous allions chez toi, Jules : en ce moment je suis célibataire et chez moi tout est en désordre. Moi, pour tous les travaux domestiques, je suis un vrai désastre.

2. Je ne sais pas comment vous faites quand votre femme n'est pas là ; je n'arrive pas à m'organiser ; je n'ai le temps de rien faire, et pour dîner je finis toujours par ouvrir une boîte ou je vais au bar du coin.

3. Quand tu partiras avec les enfants et que je resterai seul, je préfère que ce soit moi qui t'appelle ; je ne pourrai pas faire autrement que d'aller dîner dehors et je serai peu souvent à la maison.

4. Ferdinand se vante toujours de draguer beaucoup quand sa femme n'est pas là ; mais il me semble que tout ce qu'il réussit à faire c'est de dépenser beaucoup d'argent dans les discothèques et de dormir peu.

5. Écoutez, Monsieur, mêlez-vous de vos affaires ; je suis assez grand pour savoir ce que je dois faire.

6. Quel programme que celui des festivals de cette année ! Il y aura Narciso Yepes et Antonio ; on jouera « La Revoltosa » et « La vie est un songe », et on a invité l'Orchestre Philharmonique.

7. La musique de Granados et tous les parfums des fleurs des jardins étaient un vrai délice.

1. Guitariste célèbre. 2. Danseur ayant su réaliser l'alliance du flamenco et de la danse classique. 3. Zarzuela très célèbre de Chapí (cf. dialogue X—6). 4. Pièce de théâtre de Calderón de la Barca (1600-1681). 5. Célèbre pianiste et compositeur espagnol (1867-1916).

la oficina, le bureau
el compañero de oficina, le collègue de bureau
el puente, le pont
a finales de mes, à la fin du mois
los críos, les gamins, les gosses
tener prisa, être pressé
la ropa, le linge, les habits
la tintorería, la teinturerie, le pressing
agradecer, remercier
la Orquesta, l'Orchestre
tocar, jouer (d'un instrument)
el Rodríguez, le « Dupont », le « célibataire » dont la femme et les enfants sont en vacances
el concierto, le concert
el concierto, le concerto
da gusto, c'est un plaisir
la prisa, la hâte, le fait de se dépêcher
los atascos, les embouteillages
el sitio, l'endroit, la place (ici pour se garer)
echar de menos, regretter le manque de quelqu'un ou de quelque chose
disfrutar, jouir, profiter
marcharse, partir, s'en aller
recuerdos en casa, le bonjour chez toi

Vocabulaire complémentaire

la ópera, l'opéra
al aire libre, en plein air
un concertista, un soliste
el sainete, pièce de théâtre classique en un acte et souvent à caractère populaire
el entremés, pièce semblable au « sainete ». Cervantes est le meilleur exemple d'auteur d'« entremeses »
la comedia, pièce de théâtre tragico-comique typiquement espagnole en vers et en trois actes, selon la définition de Lope de Vega, auteur de beaucoup de « comedias »
el Corral de Comedias, sorte de patio où étaient représentées les « comedias »
el auto sacramental, pièce de théâtre à sujet religieux
la morriña, le mal du pays, la nostalgie
aprovechar, profiter (aux dépens de)
tener cita, avoir un rendez-vous
llegar tarde, arriver en retard
dar un plantón, poser un lapin
un piropo, un compliment (dit dans la rue à une femme qui passe)
echar un piropo, dire un compliment
ligar, draguer
dar los primeros pasos, faire des avances
corresponder, répondre (à des avances)
ir de juerga, faire la fête, sortir pour s'amuser
echar una canita al aire, expression qui signifie faire un petit écart dans la fidélité conjugale

A ■ **Traduire**

1. Quand ma femme n'est pas là, elle me manque au bout de quelques jours. **2.** Je ne sais pas ce que tu insinues, mais si je suis pressé c'est parce que j'ai rendez-vous chez le coiffeur. **3.** C'est un soliste qui joue remarquablement de la guitare. **4.** Avant que tu ne partes je voudrais acheter beaucoup de boîtes de conserve. **5.** Bonjour à ta femme !

B ■ **Traducir**

1. Yo tengo mucho éxito con las mujeres, pero nunca presumo de ello.

2. Cuando llega el verano aprovecho de que en Madrid hay menos circulación para sacar el coche más a menudo.

3. Perdona que te diera un plantón el otro día ; estoy de Rodríguez y no me da tiempo para nada.

4. Elvira me ha dado recuerdos para ti.

C ■ **Remplacer les pointillés par le mot approprié**

1. Durante el .... estuve en Santander ; hacía buen tiempo y .... totalmente de mi estancia.

2. Este año he .... un apartamento durante un mes ; nos vamos el día 1 y volvemos a .... de mes.

3. En verano da .... ir por las calles sin tanta ....

4. Mi mujer está con los .... en la playa .... todo el verano.

Corrigé

A ■ 1. Cuando estoy de Rodríguez, echo de menos a mi mujer a los pocos días.

2. No sé lo que estás insinuando, pero si tengo prisa es porque tengo cita en la peluquería.

3. Es un concertista que toca la guitarra a la perfección.

4. Antes de que te marches quisiera comprar muchas latas.

5. ¡ Recuerdos a tu mujer !

B ■ **1.** J'ai beaucoup de succès auprès des femmes, mais je n'en m'en vante jamais. **2.** Quand l'été arrive je profite du fait qu'il y a moins de circulation dans Madrid pour prendre la voiture plus souvent. **3.** Excuse-moi si je t'ai posé un lapin l'autre jour ; ma femme n'est pas là et je n'ai le temps de rien faire. **4.** Tu as le bonjour d'Elvire.

C ■ 1. verano ; disfruté   3. gusto ; prisa
2. alquilado ; finales   4. críos ; durante

F = Francisco   A = Antonio

F— ¿ Dónde has estado[1] todos estos días que no te he visto ?

A— En el Prado.

F— ¿ Viendo el Museo[2] ? Pero ¿ tantos años viniendo[2] a Madrid cada verano y todavía no lo conocías ?

A— Pues, no, ya ves. Cuesta trabajo creerlo ¿ eh ? Pero me he resarcido en estos cinco días. Me lo he recorrido enterito[3] : desde los flamencos a los italianos, pasando por la escuela alemana, holandesa y francesa.

F— Sin olvidar a los españoles. Porque otra cosa no tendremos, pero pintores... ¿ Tu sabías que en el Prado estaba casi el 50 % de los cuadros de Velázquez ?

A— No, hombre, no lo sabía. En estos cinco días he visto tantos cuadros... Creo que, entre frescos, tablas y óleos, hay unos 3 000. Menos mal que tomé apuntes.

F— Y ¿ qué es lo que más te gustó ? ¿ Goya ? ¿ El Greco ?

A— No es que quiera llevarte la contraria, pero fueron los flamencos. En las dos salas donde están los cuadros del Bosco me he quedado una tarde entera : cada cuadro es una suma de varios cuadros. Se te pasan las horas muertas descifrando[4] cada escena.

F— Pues a mí me pasó lo mismo la última vez que fui, pero delante de « Las Meninas » de Velázquez. También soy un incondicional de Goya al que considero como el mejor de todos los tiempos, no es por nada ; y cada vez que veo un Zurbarán me quedo de muestra.

A— A propósito de españoles ; no vi el famoso « Guernica » de Picasso. Y eso que[5] me lo recorrí de cabo a rabo...

F— No me digas que no sabes que el Guernica está en el Casón del Buen Retiro... Con toda la publicidad que se ha hecho al respecto.

A— Pues no lo sabía, mira. Yo pensé que el más famoso cuadro del más famoso pintor estaría en la más famosa pinacoteca española. Vamos, digo yo[6].

F— Lo está y no lo está. El « Casón » es un anexo del Prado y está justo detrás.

A— Al lado del Retiro, entonces.

F— Eso es.

A— Ya que estoy de museos[7], iré mañana, siguiendo tu consejo.

F— Y no olvides de visitar también el Lázaro Galdiano y el Arqueológico. Son dignos de verse[8].

F = François   A = Antoine

F— Où étais-tu tous ces jours-ci, je ne t'ai pas vu ?

A— Au Prado.

F— Au musée ? Mais depuis tant d'années que tu viens à Madrid chaque été tu ne le connaissais pas encore ?

A— Eh bien non, tu vois bien, on ne le dirait pas, n'est-ce pas ? Mais je me suis rattrapé, pendant ces cinq jours. Je l'ai parcouru tout entier : depuis les Flamands jusqu'aux Italiens, en passant par les écoles allemande, hollandaise et française.

F— Sans oublier les Espagnols. Parce que nous n'avons peut-être pas autre chose, mais des peintres, ça, oui. Tu savais qu'au Prado il y a peut-être 50 % des tableaux de Velazquez ?

A— Non, mon vieux, je ne le savais pas. Pendant ces cinq jours j'ai vu tellement de tableaux. Je crois qu'entre les fresques, les peintures sur bois et les peintures à l'huile, il y en a près de 3 000. Heureusement que j'ai pris des notes.

F— Et qu'est-ce que tu as préféré ? Goya ? le Greco ?

A— Ce n'est pas que je veuille te contredire, mais ce furent les Flamands. Dans les deux salles où se trouvent les tableaux de Bosch j'ai passé un après-midi entier : chaque tableau est un ensemble de plusieurs tableaux ; on passe des heures et des heures à déchiffrer chaque scène.

F— Eh bien, il m'est arrivé la même chose la dernière fois que j'y suis allé, mais devant les « Menines » de Velazquez. Je suis aussi un inconditionnel de Goya que je considère comme le meilleur de tous les temps ; c'est comme ça ! Et chaque fois que je vois un Zurbaran, je tombe en arrêt.

A— A propos d'Espagnols ; je n'ai pas vu le célèbre « Guernica » de Picasso. Et pourtant j'ai tout parcouru d'un bout à l'autre.

F— Ne me dis pas que tu ne sais pas que le Guernica se trouve au pavillon du Buen Retiro... Avec toute la publicité qu'on a faite à son sujet.

A— Eh bien, écoute, je ne le savais pas. J'avais pensé que le plus célèbre tableau du plus célèbre peintre serait dans la plus célèbre pinacothèque espagnole. Enfin, je pense !

F— Il y est sans y être. Le pavillon est une annexe du Prado et se trouve juste derrière.

A— A côté du Retiro alors !

F— C'est cela.

A— Puisque je fais les musées, j'irai demain, en suivant ton conseil.

F— Et n'oublie pas non plus de visiter le musée Lazaro Galdiano et le musée archéologique. Ils méritent d'être vus.

1. **¿ Dónde has estado ?** m. à m. *où as-tu été ?* Sens dans la langue parlée de : *où es-tu passé ?* Dans le même ordre d'idées : *¿ Dónde te has metido ?* ou *¿ Qué ha sido de ti ? Qu'es-tu devenu ? Où es-tu passé ?*

2. **¿ Viendo el Museo ? (ver : visitar) tantos años viniendo a Madrid.** Ellipse de *has estado* (*estar* + gérondif), action en train de se faire. **Está descansando,** *il se repose* (il est en train de...). Aussi sens de *passer son temps à : ha estado durmiendo* todo el día, *il a dormi toute la journée* (il a passé sa journée à dormir). Voir V—3, 5 ; VIII—3, 9.

3. **enterito** (de **entero**), *tout entier.* Diminutifs, voir IX—3, 5.

4. **Se te pasan las horas descifrando,** ou **se le pasan las horas a uno descifrando,** *votre temps (se) passe à déchiffrer* ou *on passe des heures à déchiffrer.*
   a) Pasarse + gérondif : *passer (son temps, sa journée, etc.) à* + infinitif, voir plus haut. **b)** On, uno, voir XI—3, 10. **c)** *Vous* ou *tu,* en style direct, sens figuré : *Usted, tu,* ou *uno* : ¡ No puede uno (*Usted* no puede) salir con este calor ! *on ne peut pas* (vous ne pouvez pas) *sortir avec cette chaleur !*

5. **Y eso que...** (valeur d'insistance) *et encore, et pourtant.*

6. **Vamos, digo yo,** expression : *enfin, je pense.* Alors que dans un sens propre, **digo yo que...** donnera : *moi je dis que.*

7. **Ya que estoy de museos,** *puisque je fais les musées* (en ce moment). Expression usuelle construite comme : **estar de vacaciones, de viaje...** (*être en vacances, en voyage...*). Idée d'action ou situation passagère qui justifie l'emploi de estar.

8. **Son dignos de verse,** m. à m. « *sont dignes de se voir* ». En fait il s'agit d'une expression courante d'une part —**ser digno de** ou **ser de** + infinitif = *il faut* (sens de *cela vaut la peine de, mérite de*), et d'autre part de la construction verbale, verbe à l'actif + **se**— que l'espagnol préfère à la forme passive : on dira plutôt **verse** que **ser visto** (*être vu*) et **conocerse** que ser **conocido** (*être connu*). Esos pintores españoles **son dignos de conocerse** mejor, *ces peintres espagnols méritent d'être mieux connus.*

Esp	Fr	Hisp-am
los héroes	*les héros*	**los próceres**
el tesoro	*le trésor*	**la guaca**
el buscador de tesoros	*le chercheur de trésors*	**el guaquero**
el nacimiento	*la crèche (de Noël)*	**el pesebre**

NOTES

el mueble frailuno, *le meuble ecclésiastique*
el tunjo, figurine chibcha *(Colombie)*
el balcón volado, *le balcon en saillie*
el fotuto, *la trompette* (d'origine indigène) *(Pérou, Chili)*
la tumbaga, *le tombac* (alliage précolombien)
la macuquina, ancienne pièce de huit réaux (reales)
los patacones, *les réaux* et, par extension, *les rondelles de banane verte* à cuire
el costurero, 1) *la boîte à ouvrage.* 2) *l'ouvroir, la lingerie* (pièce)

Algunos museos hispanoamericanos

Hay gran variedad de museos en los países de Hispanoamérica : arqueológicos o de historia, científicos o literarios, de arte precolombino o colonial, de artesanía tradicional o de pintura moderna. Entre los más importantes universalmente están el Museo Antropológico de Ciudad de México, moderno por su presentación y antiguo por sus colecciones precolombinas y el Museo del Oro de Bogotá, que convierte en realidad la leyenda del Dorado, con sus objetos minúsculos y preciosos de las culturas calima o quimbaya. Las iglesias, los conventos, las casas o palacios de la época colonial constituyen también verdaderos museos y, a veces, los murales invaden los lugares públicos o las calles.

Quelques musées hispano-américains

Il y a une grande variété de musées dans les pays d'Amérique hispanique : archéologiques ou historiques, scientifiques ou littéraires, d'art précolombien ou colonial, d'artisanat traditionnel ou de peinture moderne. Parmi les plus connus dans le monde on trouve le Musée Anthropologique de Mexico, moderne par sa présentation et ancien par ses collections précolombiennes, et le Musée de l'Or de Bogota, qui transforme en réalité la légende de l'Eldorado, avec ses objets minuscules et précieux des cultures calima et quimbaya. Les églises, les couvents, les maisons ou les palais de l'époque coloniale constituent aussi de véritables musées et, parfois, les fresques envahissent les lieux publics ou les rues.

Los museos en España

Sin duda el más importante es el Museo Nacional del Prado que puede justificar a él solo un viaje a Madrid. Es una inmensa pinacoteca creada en el siglo pasado con obras capitales de la pintura universal. En Madrid también se debe visitar el Museo Arqueológico para admirar sobre todo dos esculturas prerromanas (celtíberas) : La Dama de Elche y La Dama de Baza. También se puede ver una reproducción en tamaño natural de las pinturas de las célebres Cuevas de Altamira, hoy prácticamente cerradas al turismo.

En Barcelona el más importante es el Museo de Arte Catalán, con una sección de arte románico y sobre todo de frescos que reune una colección única en el mundo. Otro museo de gran categoría es el Museo Nacional de Escultura de Valladolid, donde están reunidos los nombres más importantes de la imaginería española.

Mencionemos también el Museo Arqueológico de Sevilla con interesantes vestigios romanos y tartesios, el Museo de cerámica de Valencia y el Museo Sefardí de Toledo con recuerdos del judaísmo español.

Dentro de los dedicados a un artista : el Museo de Julio Romero de Torres (Córdoba), el Museo Picasso (Barcelona), el Museo Sorolla (Madrid) y la Casa del Greco (Toledo).

Les musées en Espagne

Sans doute le plus important est le Musée national du Prado qui peut à lui seul justifier un voyage à Madrid. C'est une immense pinacothèque créée au siècle dernier avec des œuvres maîtresses de la peinture universelle. À Madrid il faut aussi visiter le Musée archéologique pour admirer surtout deux sculptures pré-romaines (celtibères) : la Dame d'Elche et la Dame de Baza. On peut voir aussi une reproduction grandeur nature des fresques des célèbres grottes d'Altamira, aujourd'hui pratiquement fermées au tourisme.

A Barcelone le plus important est le Musée d'art catalan, avec un département d'art roman et surtout de fresques qui rassemble une collection unique au monde. Un autre musée de grande valeur est le Musée national de sculpture de Valladolid, où sont réunis les noms les plus importants de la statuaire espagnole.

Mentionnons aussi le Musée archéologique de Séville avec d'intéressants vestiges romains et tartésiens, le Musée de céramique de Valencia et le Musée Sephardite de Tolède avec des souvenirs du judaïsme espagnol.

Parmi ceux consacrés à un artiste : le Musée de Julio Romero de Torres (Cordoue), le Musée Picasso (Barcelone), le Musée Sorolla (Madrid) et la Maison du Greco (Tolède).

1. « Visita días laborables de 9 h 30 a 18 h (19 h en verano) ; domingos y festivos de 10 h a 13 h. Entrada : 100 Ptas. »
2. Para ver las « pinturas negras » de Goya tendrá que bajar a la planta baja. Están con la serie de « Los Desastres ».
3. « Se ruega no tocar. »
4. La Dama de Elche es un bello busto ibérico que representa a una mujer con un complicado tocado.
5. La próxima visita con guía empieza dentro de diez minutos, pero también pueden visitar el museo por su cuenta con este pequeño folleto explicativo en cinco idiomas.
6. De la época romana sobresalen los dos magníficos sepulcros de época tardía hallados en las recientes excavaciones. Los vestigios griegos e ibéricos están en las salas continguas.
7. El museo cuenta con una bella colección de esculturas y de pinturas románicas, así como varias obras maestras de la escuela flamenca.
8. Este bodegón, sin terminar y sin firmar, está considerado por los especialistas como una de las obras más representativas del artista.
9. « Cerrado provisionalmente por obras. Reapertura probable a primeros de mes. »

1. « Visites les jours ouvrables de 9 h 30 à 18 h (19 h en été) ; dimanche et jours de fête de 10 h à 13 h. Entrée : 100 pesetas. »
2. Pour voir les *peintures noires* de Goya il faut que vous descendiez au rez-de-chaussée. Elles sont avec la série des *Désastres.*
3. « Ne pas toucher, s.v.p. » ou « Prière de ne pas toucher ».
4. La *Dame d'Elche* est un joli buste ibérique qui représente une femme à la coiffure très élaborée.
5. La prochaine visite guidée commence dans dix minutes, mais vous pouvez également visiter le musée librement à l'aide de ce petit dépliant en cinq langues.
6. De l'époque romaine on remarque surtout les deux magnifiques sépulcres d'époque tardive découverts dans les fouilles récentes. Les vestiges grecs et ibériques se trouvent dans les salles contiguës.
7. Le musée possède une belle collection de sculptures et de peintures romanes, ainsi que quelques chefs-d'œuvre de l'école flamande.
8. Cette nature morte, inachevée et non signée, est considérée par les spécialistes comme l'une des œuvres les plus représentatives de l'artiste.
9. « Fermeture provisoire pour cause de travaux. Réouverture probable au début du mois. »

el prado, le pré
el Museo del Prado, le Musée du Prado
recorrer, parcourir
el flamenco, le « flamenco » (folklore)
el flamenco, le Flamand (Flandres)
el flamenco, le flamant (oiseau)
el cuadro, le tableau
el fresco, la fresque
la tabla, la peinture sur bois
el óleo, la peinture à l'huile
el apunte, la note, le croquis
tomar apuntes, prendre des notes, prendre des croquis

llevar la contraria, contredire
pasarse las horas muertas, passer son temps à une activité, en être absorbé
quedarse de muestra, tomber en arrêt (expression cynégétique)
« Guernica », célèbre tableau de Picasso qui dépeint l'horreur du bombardement de la petite ville basque, le 26 avril 1937
de cabo a rabo, de bout en bout
al respecto, à ce sujet
es digno de verse, c'est à voir

Vocabulaire complémentaire

el retrato, le portrait
el bodegón, la nature morte
el grabado, la gravure
el agua fuerte, l'eau-forte
el dibujo, le dessin
la acuarela, l'aquarelle
el barniz, le vernis
el lienzo, la toile
el boceto, l'esquisse
la obra maestra, le chef-d'œuvre
el carboncillo, le fusain
el marco, le cadre
la paleta, la palette
el pincel, le pinceau
el matiz, la nuance
del natural, d'après nature
griego, grec
romano, romain
visigótico, wisigothique (VIᵉ-VIIᵉ s.)
el arte hispanomusulmán, l'art arabe d'Espagne
rómanico, roman

gótico, gothique
el arte renacentista, l'art Renaissance
el Renacimiento, la Renaissance
el escultor, le sculpteur
el imaginero, le sculpteur sur bois
la talla, la sculpture sur bois
el marfil, l'ivoire
mozárabe, art wisigothique espagnol avec des influences arabes (VIIIᵉ-XIᵉ s.)
mudéjar, art avec des influences arabes
plateresco, en architecture, style ornemental imitant l'art des orfèvres (XVIᵉ s.)
churrigueresco, style ornemental consistant en un décor baroque surchargé.

A ■ Traduire

1. Quand il n'est pas au musée, il passe ses journées à parcourir les expositions. **2.** Et encore tu n'as pas tout vu ! Ses gravures et ses peintures à l'huile méritent d'être vues. **3.** J'ai passé une semaine à te chercher pour te poser une question : je n'ai pas bien compris la différence entre l'art mudéjar et l'art platéresque. **4.** Ces sculptures sur bois grandeur nature sont probablement des portraits de paysans de la région.

B ■ Traducir

1. Los imagineros han dejado una obra escultórica de primer orden.
2. En estas dos salas están los apuntes y los bocetos preparativos del famoso cuadro.
3. Todos estos cuadros hallados ayer fueron robados de la pinacoteca hace varios años.
4. La sección de arte románico está cerrada por obras.

C ■ Remplacer les pointillés par le mot approprié

1. He ..... cuatro días enteros en ..... todo el Museo del Prado.
2. Tanto el Museo Antropológico de México ..... el Museo del Oro de ..... merecen una atenta visita.
3. Ayer ..... visitando la réplica de las Cuevas de ......
4. Los días ..... está abierto. Los domingos y ..... no abren.

Corrigé

A ■ 1. Cuando no está en el museo, se pasa los días recorriendo las exposiciones.
2. ¡ Y eso que no lo has visto todo ! Sus grabados y sus óleos son dignos de verse.
3. He estado una semana buscándote para hacerte una pregunta : todavía no he logrado comprender la diferencia entre el arte mudéjar y el arte plateresco.
4. Estas tallas de tamaño natural son posiblemente retratos de campesinos de la región.

B ■ **1.** Les sculpteurs sur bois ont laissé une œuvre de premier ordre. **2.** Dans ces deux salles se trouvent exposées les notes et les esquisses du célèbre tableau. **3.** Tous ces tableaux trouvés hier ont été volés à la pinacothèque il y a quelques années. **4.** La section d'art roman est fermée pour cause de travaux.

C ■ 1. tardado ; recorrer   3. estuve ; Altamira
    2. como ; Bogotá   4. laborables ; festivos

R = Rafael   C = Carlos

C— Me gustó muchísimo[1] el espectáculo de flamenco de ano-che[2].

R— Pues sí, no estuvo mal para lo que se suele ver en una sala de fiestas, pero para mí eso no es flamenco de verdad...

C— ¿ Y por qué lo dices ?

R— Porque en su raíz el flamenco — quiero decir el « cante jondo » — no tiene nada que ver con lo espectacular, lo « fácil », lo adulterado, lo folklórico, vaya[3], de lo que se ve en la costa en verano con fondo de conversaciones y risas y vasos...

C— Tú, como eres de la tierra[4], claro, entiendes[5].

R— No creas que basta con ser andaluz ; no soy lo que se dice un entendido pero sí soy aficionado[6] : me interesa cada vez más « el cante » como manifestación genuina y autén-tica de un modo de vivir y de sentir y de ser ; de una afirmación de sus raíces y de su historia, del que canta. Un poeta andaluz decía que « el cantaor no canta ; re-cuerda »... En fin, algo que dista mucho de[7] lo que damos en llamar[8] folklore.

C— Leí en la prensa que había un festival de cante en un pueblo...

R— Sí, hombre, en Ojén, a 10 km tierra adentro[9] ; el sábado que viene si quieres, vamos. Todo el verano hay festivales en los pueblos de la sierra con ocasión de la Feria. Ya verás qué distinto es de lo que vimos anoche y de lo que tienes visto en Madrid[10].

C— Me estás convenciendo...

R— Verás que hay menos « espectáculo » pero mayor emo-ción ; y no hablemos del público...

C— El público « escucha »...

R— « Escucha » religiosamente y cuando interviene con inter-jecciones o monosílabos o frases cortas, lo que hace es añadir su propia emoción o su vivencia[11] a la del « can-taor[12] ».

C— El espectador es actor...

R— Y sus intervenciones — ya verás — no desentonan como las de tantos turistas[13] (españoles o extranjeros) con sus « olés » ridículos y fuera de lugar.

C— Como anoche...

R— Como siempre en esos sitios.

R = Raphaël   C = Charles

C — Le spectacle de flamenco d'hier soir m'a plu énormément.

R — Ma foi oui, ce n'était pas mal par rapport à ce que l'on a l'habitude de voir dans une salle de fêtes, mais pour moi ça n'est pas du flamenco authentique...

C — Et pourquoi dis-tu cela ?

R — Parce que, à son origine, le flamenco — je veux dire le *cante jondo* — n'a rien à voir avec le caractère spectaculaire facile, frelaté, disons folklorique de ce qui se voit sur la côte en été sur fond de conversations, de rires et de bruit de verres...

C — Toi, comme tu es du pays, bien sûr, tu t'y connais.

R — Ne crois pas qu'il suffise d'être andalou ; je ne suis pas ce que l'on appelle un connaisseur mais par contre je suis un amateur : le *cante* m'intéresse de plus en plus en tant que manifestation authentique et vraie d'une façon de vivre, de sentir et d'être ; d'une affirmation de ses racines et de son histoire de celui qui chante. Un poète andalou disait que *le chanteur ne chante pas ; il se souvient...* Enfin, quelque chose qui est très éloigné de ce que nous avons coutume d'appeler folklore.

C — J'ai lu dans la presse qu'il y avait un festival de *cante* dans un village...

R — Oui, mon vieux, à Ojen, à dix kilomètres à l'intérieur des terres ; samedi prochain, si tu veux, nous irons. Tout l'été il y a des festivals dans les villages de la montagne à l'occasion de la « Feria ». Tu verras combien c'est différent de ce que nous avons vu hier soir et de ce que tu as vu à Madrid...

C — Tu es en train de me convaincre.

R — Tu verras qu'il y a moins de « spectacle » mais une plus grande émotion ; et ne parlons pas du public...

C — Le public « écoute »...

R — Il « écoute » religieusement et quand il intervient par des interjections, des monosyllabes ou de courtes phrases, il ajoute en fait sa propre émotion ou son vécu à ceux du chanteur.

C — Le spectateur est acteur...

R — Et ses interventions — tu verras — ne détonnent pas comme celles de tant de touristes (espagnols ou étrangers) avec leurs *olés* ridicules et hors de propos.

C — Comme hier soir...

R — Comme toujours dans ces endroits-là.

1. **muchísimo** (de mucho), *beaucoup, énormément* ; superlatif absolu — forme courante — suffixe : *ísimo-ísima*. *Muy malo* : *malísimo, très mauvais*. *Muy facil* : *facilísimo, très facile*.

2. **anoche,** *hier soir* ; *anteanoche, avant-hier soir*.

3. **vaya** (de ir), dans le contexte : *bref, enfin* ; valeur d'interjection très courante traduisant selon le contexte l'étonnement, la résignation. *¡* **Vaya** *! tiens ! allons donc !*

4. **la tierra,** *le pays* : connotation de pays natal. *En mi tierra,* somos aficionados al flamenco, *dans mon pays nous sommes amateurs de flamenco.*

5. **entiendes,** ici *tu t'y connais. Entender de, s'y connaître. No entiendo de flamenco,* je ne m'y connais pas en flamenco. Attention : *entender, comprendre.*

6. **no soy/pero sí soy,** *je ne suis pas/mais par contre (cependant) je suis... Non... mais :* **no... pero,** si les deux propositions sont indépendantes comme c'est le cas ici. Si *mais* a le sens de *cependant, autrement,* après une négation, il se traduit par *sino* : *en esas salas de fiestas, no hay andaluces, sino turistas, dans ces boîtes-là il n'y a pas d'Andalous mais des touristes.*

7. **que dista mucho de,** *qui est très loin de... Distar de :* sens figuré de *être loin de, avoir une grande différence.*

8. **lo que damos en llamar** ou *lo que hemos dado en llamar, ce qu'il est convenu d'appeler.*

9. **tierra adentro,** *dans l'arrière-pays* ; *mar adentro, au large.*

10. **lo que tienes visto en Madrid,** *ce que tu as vu à Madrid.* Cette construction (**tener** + participe passé : voir II—3, 4) marque davantage la persistance d'une action ou de ses effets que la construction avec *haber* ; *lo que has visto* indique seulement une action passée. *Tengo entendido que... (j'ai compris que...)* affirme le fait avec plus de force que *he entendido que...*

11. **su vivencia,** m. à m. *son vécu* ; *lo vivido, ce qu'il a vécu.*

12. **cantaor** (de *cantador*), *chanteur de flamenco,* comme *bailaor, danseur de flamenco,* mais *cantante* et *bailarín, chanteur, danseur* (d'opéra, de ballet, de variétés...).

13. **... tantos turistas,** *tant de touristes. Tant de,* valeur d'adjectif : accord en espagnol (voir X—3, 9).

el tiple, *petite guitare*
el tres, el cuatro, el requinto, *variétés de guitare*
la bandola, *instrument à cordes proche de la mandoline*
el charango, *guitare faite avec une carapace de tatou*
el serrucho, *sorte de grattoir d'accompagnement*
el capador, *variété de flûte de Pan*
la marimba, *variété de xylophone*
el danzón, *air traditionnel des Caraïbes* (Cuba, Veracruz)
la cumbia, el mapalé, el porro, el vallenato, *danses colombiennes de la côte atlantique*
el currulao, *danse colombienne de la côte pacifique*
el joropo, el galerón, *airs chantés ou dansés des plaines colombo-vénézuéliennes*
la guabina, el torbellino, el pasillo, el bambuco, *chants et danses de la Colombie intérieure*
el yaraví, el huaino, *chants péruviens*
la cueca, *danse chilienne*
la vidala, la milonga, *chants argentins*
el tiroteo de coplas, *sorte de duel en chansons*
el payador, *chanteur argentin ambulant*
el bandoneón, *grand accordéon argentin*

Música popular latinoamericana

La música latinoamericana que se conoce en Europa es esencialmente la caribeña (rumbas, congas, cha-cha-cha), la mexicana (rancheras, bambas), la andina (con quena y siku), sin olvidar los tangos argentinos, las canciones de Atahualpa Yupanqui y las cuecas de Violeta Parra. Pero existen también piezas muy alegres y ritmadas, especialmente en Colombia y Venezuela, países en los que el mestizaje cultural produce una música muy original. Y un estilo particular, el de la Nueva Trova cubana.

Musique populaire latino-américaine

La musique latino-américaine connue en Europe est essentiellement celle des Caraïbes (rumbas, congas, cha-cha-cha), la mexicaine (rancheras, bambas), l'andine (avec la quena et le siku), sans oublier les tangos argentins, les chansons d'Atahualpa Yupanqui et les cuecas de Violeta Parra. Mais il existe aussi des morceaux très gais et très rythmés, spécialement en Colombie et au Venezuela, pays où le métissage culturel produit une musique très originale. Et un style particulier, celui de la Nueva Trova cubaine.

El folklore español

Si el flamenco es el aspecto más conocido (mal, en la mayoría de los casos) del folklore español, menos se conocen los otros bailes y los otros cantes peninsulares e insulares.

En Galicia, la vistosa y alegre « muñeira » va acompañada por la gaita como todos sus otros bailes, que son probablemente los más bellos de la península. La « jota » es un ritmo que se baila prácticamente en toda España, pero donde tiene más fama es en Aragón.

El folklore isleño es muy conocido : todo el mundo conoce el « bolero », ritmo típico de las Baleares. Las « isas » y las « folías » Canarias son ritmos muy bellos y melancólicos que se bailan al son del « timple », pequeña guitarra parecida al « charango » latinoamericano.

El folklore vasco es muy particular : los bailes de hombres son muy bonitos acompañados por el « txistu », especie de flauta o clarinete, y el « tamboril », los danzantes alzan la pierna por encima de sus cabezas (aurresku). Los coros, compuestos sobre todo de hombres solos, son muy armoniosos (zorcicos). ›

En Cataluña se baila la célebre « sardana » que todo buen catalán sabe bailar, acompañado de la « cobla », pequeño grupo musical compuesto por instrumentos de viento.

Le folklore espagnol

Si le flamenco est l'aspect le plus connu (mal, dans la plupart des cas) du folklore espagnol, on connaît moins les autres danses et les autres chants péninsulaires et insulaires.

En Galice la remarquable et joyeuse *muñeira* est accompagnée de la cornemuse comme toutes ses autres danses, qui sont probablement les plus belles de la péninsule. La *jota* est un rythme que l'on danse pratiquement dans toute l'Espagne, mais c'est en Aragon qu'elle est la plus célèbre.

Le folklore des îles est très connu : tout le monde connaît le *boléro,* rythme typique des Baléares. Les *isas* et les *folias* des Canaries sont de très beaux rythmes mélancoliques que l'on danse au son du *timple,* petite guitare qui ressemble au *charango* latino-américain.

Le folklore basque est très particulier : les danses masculines sont très jolies, accompagnées par le *txistu,* espèce de flûte ou de clarinette, et le *tamboril* ; les danseurs lèvent la jambe par-dessus la tête *(aurresku).* Les chœurs, composés surtout d'hommes seuls, sont très harmonieux *(zorcicos).*

En Catalogne on danse la célèbre sardane que tout Catalan sait danser, accompagné de la *cobla,* petit groupe musical composé d'instruments à vent.

1. Mira lo airosa que es esa danza ; parece ser que se baila únicamente por el « Corpus ».
2. Este quizá sea el mejor tablao de flamenco de Granada ; y si hay un sitio donde se entiende de flamenco, es Granada.
3. De noche sale la « tuna »[1] a rondar bajo los balcones.
4. Ese grupo no está mal, pero es una pena que los hombres bailen con castañuelas de mujer ; podían haberse dado cuenta ¿ no ?
5. Uno de los cantes más genuinos del « cante jondo »[2] es la profunda y desgarradora « seguiriya ».
6. Más que vestidos con el traje regional, parece que se han disfrazado de cualquier cosa. El director de ese grupo debe ser de los que aún no ha comprendido lo que es el auténtico folklore.
7. Bien mirado, la gaita gallega se parece más a la escocesa que a la de Bretaña.
8. Si es ése el grupo folklórico que actúa hoy, te aconsejo que no te pierdas el espectáculo de esta noche.
9. Cuanto más oigo el flamenco, más me gusta.
10. En Aragón se baila la célebre jota, acompañada con una rondalla compuesta por instrumentos de cuerda.

1. Regarde combien cette danse est gracieuse ; il paraît qu'on la danse uniquement à la Fête-Dieu.
2. C'est peut-être le meilleur endroit pour le flamenco à Grenade ; et s'il y a un endroit où on connaît le flamenco, c'est bien Grenade.
3. La nuit, la *tuna* sort pour jouer sous les balcons.
4. Ce groupe n'est pas mauvais, mais il est dommage que les hommes dansent avec des castagnettes de femme ; ils auraient pu s'en rendre compte, non ?
5. L'un des chants les plus authentiques du *cante jondo* est la profonde et déchirante *seguiriya.*
6. On dirait qu'ils sont déguisés en n'importe quoi, plutôt que de s'être habillés en costume régional. Le directeur de ce groupe doit être de ceux qui n'ont pas encore compris ce que c'est que le folklore authentique.
7. Tout bien considéré, la cornemuse galicienne ressemble plus à l'écossaise qu'à celle de Bretagne.
8. Si c'est celui-là le groupe folklorique qui passe aujourd'hui, je te conseille de ne pas manquer le spectacle de ce soir.
9. Plus j'écoute le flamenco, plus je l'aime.
10. En Aragon on danse la fameuse *jota,* accompagnée d'un groupe musical composé d'instruments à corde.

1. Orchestre d'étudiants habillés avec un costume du XVIe s. 2. Le « chant profond », le chant flamenco.

anoche, hier soir
soler, avoir l'habitude de, ou coutume de
la raíz, la racine
adulterado, adultéré, frelaté
la risa, le rire
entendido, connaisseur
genuino, authentique
distar, être distant, être éloigné, être loin

la prensa, la presse
convencer, convaincre
añadir, ajouter
la vivencia, l'expérience, le vécu
desentonar, détonner, sonner faux
fuera de lugar, hors de propos

Vocabulaire complémentaire

disfrazado, déguisé
el baile, le bal, la danse
el salón de baile, la salle de bal
bailar, danser
la fama, la renommée
la flauta, la flûte
la danza, la danse
el corro, la ronde
la seguidilla, la séguedille (à *Séville*)
el pericón, le « pericon » (*aux Asturies*)
alegre, joyeux
el vals, la valse
el pasodoble, le « paso doble »
sacar a bailar, inviter à danser
la verbena, la fête, la kermesse, le bal populaire
los músicos, les musiciens
el tablao flamenco, la salle de spectacles de flamenco
la velada, la soirée, la veillée
la acogida, l'accueil

la vihuela, *instrument à cordes pincées du XVI*e *s.*
la vihuela de arco, la vièle
la castañuela, la castagnette
la bandurria, la mandore (*mandoline espagnole*)
el laúd, le luth
la gaita, la cornemuse
el contrabajo, la contrebasse
el arpa, la harpe
el tamboril, petit tambour
la pandereta, le tambourin, le tambour de basque
el violín, le violon
el órgano, l'orgue
el villancico, le chant de Noël
el bombo, la grosse caisse
el sarao, la soirée dansante et musicale
la tertulia, la réunion habituelle entre amis
actuar, « passer » (*pour un groupe qui danse par exemple*)

A ■ Traduire

1. Ceci n'est pas du folklore, mais n'importe quoi. **2.** Le chanteur de flamenco d'hier soir était très bon. **3.** Je ne connais rien au folklore, mais par contre j'aime bien la musique, et je te dis que cela n'a pas l'air très authentique. **4.** Il y a des moments où le folklore latino-américain est loin de ressembler au folklore espagnol.

B ■ Traducir

1. Es un grupo formidable que toca la música de los Andes, con las quenas y los sikus.

2. ¡ Cómo no me va a gustar, si es la música de mi tierra !

3. Aprendí a bailar la sardana cuando hice mi último viaje a Cataluña. Me la enseñaron mis amigos catalanes.

4. Es una danza muy airosa y muy vistosa. Con ella el grupo gana todos los concursos en los que se presenta.

C ■ Remplacer les pointillés par le mot approprié

1. Me estás ..... para que vaya ..... ver ese espectáculo.

2. Te ..... dicho que no vayas a los ..... de flamenco de la costa : suelen ser malos.

3. En Galicia ..... baila la muñeira acompañada por la .....

4. Llevamos dos ..... sin dormir : anoche estuvimos bailando y ..... también.

Corrigé

A ■ 1. Esto no es folklore sino cualquier cosa.

2. El « cantaor » de anoche era muy bueno.

3. No entiendo nada de folklore, pero sí me gusta mucho la música, y te digo que esto no parece (no tiene pinta de) ser muy genuino.

4. Hay momentos en los que el folklore latinoamericano dista mucho del folklore español.

B ■ **1.** C'est un groupe formidable qui joue de la musique des Andes avec les quenas et les sikus. **2.** Comment pourrait-elle ne pas me plaire : c'est la musique de mon pays ! **3.** J'ai appris à danser la sardane à l'occasion (lors) de mon dernier voyage en Catalogne. Ce sont mes amis catalans qui m'ont appris à la danser. **4.** C'est une danse très gracieuse et très agréable à regarder. Avec elle le groupe gagne tous les concours auxquels il se présente.

C ■ 1. convenciendo ; a   3. se ; gaita
2. tengo ; tablaos   4. noches ; anteanoche

(En un coche a través de los campos de Castilla)

— Mira, Jacqueline, eso era lo que te expliqué[1] hace un rato.
— ¿ Cuál ? Yo no veo sino[2] toda una serie de montones. ¿ Es trigo ?
— Posiblemente. Vamos a pararnos[3] aquí. Anda, bájate y vamos a verlo más de cerca. Y coge la máquina, que vas a sacar unas fotos muy bonitas.

(En la era, un campesino ve acercarse a la pareja)

— Buenos días ¡ Qué ! Trabajando[4] ¿ Eh ?
— Muy buenas. Pues ya lo ve Vd ; aquí estamos, trillando, como antes. Esto ya no lo hace casi nadie.
— Mire, mi mujer es francesa ¿ Sabe ? Y le estaba explicando en qué consiste lo que está haciendo Vd. Si no le molesta, le quiere sacar unas fotos.
— ¡ Qué hacer ! ¿ Es que allá en Francia no lo hacen así ?
— No. Allá[5] lo golpeaban con unas especies de palos.
— Sí que me habían hablado de algo de eso. Pero como lo hacemos nosotros es menos cansado.
— Mira, ¿ ves ? El señor está sentado en el « trillo » : es como un trineo plano que va tirado por un animal : un caballo o una yunta de bueyes, por lo general. Va dando vueltas[6] por encima del trigo que ha dispuesto en la era. La parte de abajo está incrustada de piedras de sílex : como van en el sentido de la marcha, lo cortan todo a su paso. Al cabo de muchas pasadas, todo está picado tan menudo que el grano se ha separado de la paja.
— Pero y ¿ cómo hacen luego para formar esos montones de paja y esos otros de grano ?
— Mira ¿ Ves allá abajo ? En aquella era[7] ya han terminado. Ves que con esas palas de madera las mujeres recogen todo lo que hay en el suelo y lo echan al aire.
— ¡ Cuánto polvo levantan[8] ! Menos mal que están bien cubiertas. ¡ Las pobres ! Con tanto calor...
— Pues precisamente, al echar al aire[9] esas paletadas, el grano, como pesa más, va en la dirección en que se echa, pero la paja se la lleva el viento[10] en otra dirección. Así, se hacen dos montones : uno de grano y otro de paja.
— *(El campesino)* Pues si les gusta esto, más les van a gustar las chuletas que nos vamos a comer en las bodegas nada más que terminemos[11]. Están Vd invitados.
— Hombre, pues muy agradecido.
— Nada, ya verán que con este calor da gusto el fresquito de las bodegas.

(Dans une voiture, dans la campagne de Castille)
— Regarde, Jacqueline, voici ce que je t'ai expliqué il y a un moment.
— Quoi ? Je ne vois qu'une série de tas. C'est du blé ?
— Sans doute. Nous allons nous arrêter ici. Allez, descends et nous allons le voir de plus près. Et prends l'appareil photo, parce que tu vas prendre de belles photos.
(Sur l'aire, un paysan voit le couple s'approcher)
— Bonjour ! Alors ? En train de travailler, n'est-ce pas ?
— Bien le bonjour. Eh bien, vous le voyez ; ici nous battons le blé comme autrefois. Ça, presque plus personne ne le fait.
— Écoutez, ma femme est française, et — vous voyez — j'étais en train de lui expliquer en quoi consiste ce que vous êtes en train de faire. Si cela ne vous ennuie pas, elle veut prendre quelques photos de vous.
— Si vous voulez. Parce que, là-bas, en France on ne le fait pas de la même façon ?
— Non. Là-bas on le frappe avec une sorte de bâton.
— Oui. On m'avait parlé de quelque chose comme ça. Mais comme on le fait nous c'est moins fatigant.
— Regarde, tu vois ? L'homme est assis sur la herse à dépiquer : c'est comme un traîneau plat qui est tiré par un animal ; un cheval ou un attelage de bœufs, en général. Il tourne sur le blé disposé sur l'aire. La partie inférieure est incrustée de silex ; comme ils sont dans le sens de la marche, ils coupent tout sur leur passage. Au bout de nombreux passages, tout est haché si menu que le grain s'est séparé de la paille.
— Mais, comment font-ils ensuite pour former ces tas de paille et ces autres tas de grain ?
— Regarde. Tu vois, là, en bas ? Sur cette aire ils ont déjà terminé. Tu vois qu'avec ces pelles en bois les femmes ramassent tout ce qu'il y a sur le sol et le jettent en l'air.
— Quelle poussière elles soulèvent ! Heureusement qu'elles sont bien couvertes. Les pauvres ! Avec une telle chaleur !
— Eh bien, précisément, en jetant en l'air ces pelletées, le grain, comme il est plus lourd, s'en va dans la direction où on le jette ; mais la paille est emportée par le vent dans une autre direction. Ainsi, deux tas se constituent : l'un de grain, l'autre de paille.
— *(Le paysan)* Eh bien, si cela vous plaît, les côtelettes que nous allons manger devant les caves dès que nous aurons fini vous plairont davantage. Vous êtes invités.
— Ah bon ? Eh bien, je vous remercie beaucoup.
— N'en parlons pas ; vous verrez que par ces chaleurs, la fraîcheur des caves est agréable.

1. **era eso lo que te expliqué,** *c'était cela que je t'ai expliqué.* Traduction de *c'est... que* : **a)** encadrant un complément d'objet neutre on rend *que* par *lo que.* **b)** si *que* est précédé d'un complément circonstantiel, en espagnol ce sera *como* (manière), *donde* (lieu), *cuando* (temps). *Así es como* trabajan, *c'est ainsi qu'ils travaillent.* *Mañana es cuando* iremos al pueblo, *c'est demain que nous irons au village. Fue* en Castilla *donde* lo vimos, *c'est en Castille que nous l'avons vu.* Observez aussi la concordance des temps « obligatoire » : *fue, c'est, c'était, ce fut.*

2. **Yo no veo sino,** *je ne vois que,* voir XXVII—3, 2.

3. **Vamos a pararnos aquí,** *nous allons nous arrêter ici. Vamos a verlo, nous allons le voir. Vas a sacar* unas fotos, *tu vas faire des photos. Ir* + infinitif = préposition **a** (voir V—3, 8).

4. **Trabajando** *(en travaillant), au travail.* Ellipse de *estar* (voir VIII—3, 9).

5. **Allá,** *là-bas* ; *allí* est plus précis que *allà, là-bas, du côté de...*

6. **Va dando vueltas,** *il tourne* (au fur et à mesure).
   a) **Dar vueltas,** *faire des tours, tourner.*
   b) **Ir** + gérondif, forme progressive (voir VIII—3, 2 ; XX—3, 16).

7. **En aquella era,** *dans cette aire* (là-bas) *au loin.* **En esta era,** *dans cette aire, celle-ci* (voir XXVII—3, 7).

8. **¡Cuánto polvo levantan !** *Que de poussière elles soulèvent !* *Qu'est-ce qu'elles font comme poussière !* Il s'agit de la phrase exclamative (voir IV—3, 9 ; VI—3, 2 et 7 ; X—3, 10). Cette construction insiste sur l'aspect quantitatif et intensif : **¡Cuánta gente !** *Que de monde !* **¡Cuánto trabajan !** *Qu'est-ce qu'ils travaillent !*

9. **al echar al aire,** *en jetant en l'air.* **Al** + infinitif = *au moment où* (voir IV—3, 7 ; XXXVIII—3, 3).

10. **se la lleva el viento,** *le vent l'emporte* (avec lui). Voir VI—3, 8 ; XX—3, 12.

11. **nada más que terminemos,** *dès que nous finirons* (aurons fini). Même valeur que *en cuanto.* Pour **cuando** + subjonctif, voir VI—3, 9 ; VII—3, 13 ; XII—3 ; 13.

Esp	Fr	Hisp-am
acostumbrarse	*s'habituer*	**amañarse**
la bolsa	*le sac* (en sisal)	**la mochila**
el desmonte	*le désherbage*	**el chapoleo** (Col.)
la pértiga	*la perche, la godille*	**la palanca** (Col.)
el « enchufe »	*le « piston »*	**la « palanca »** (Col.)
la choza	*la hutte*	**el caney** (Caraïbes)
		el bohío (Cuba)
el campo,	*le champ,*	**la milpa** (Mexique)
la parcela	*la parcelle*	**el conuco** (Venez.)
		la roza (Col.)
el ganado	*le bétail sans petits*	**el ganado escotero**
sin cría		**(Col.)**
el huso	*le fuseau*	**el malacate**
		(Mexique)

NOTES
el galón, *le gallon* (3,785 litres)
la caballería (Cuba), 13,43 hectares

Llegada de extraños

La llegada de tres hombres extraños sembró el espanto. Junto a la puerta de la primera casa de la ranchería, una mujer dejó abandonado el malacate y el algodón que hilaba. Otra se desató de la cintura, nerviosamente, los extremos del telar, y, abandonando la manta que tejía, huyó para el interior de la choza, cuya puerta cerró con violencia.

Más allá, ladraron los perros. Y comenzó la estampida hacia las breñas más cercanas : muchachos casi desnudos y mujeres desmelenadas. Era la hora en que los hombres aptos se hallaban en los trabajos.

(Gregorio López y Fuentes, **El Indio,** *México, 1955,* p. 9)

Arrivée d'étrangers

L'arrivée de trois hommes étrangers sema l'épouvante. Près de la porte de la première maison du hameau, une femme abandonna son fuseau et le coton qu'elle filait. Une autre détacha de sa ceinture, nerveusement, les bouts de l'ouvrage sur le métier et, laissant la couverture qu'elle tissait, s'enfuit vers l'intérieur de la hutte, dont elle ferma la porte violemment. Plus loin, les chiens aboyèrent. Et la fuite précipitée vers les broussailles les plus proches commença : des enfants presque nus et des femmes échevelées. C'était l'heure où les hommes valides étaient au travail.

No se puede hablar de la vida en el campo en España sin tener en cuenta la gran diversidad geográfica y climática, y por lo tanto, la gran diversidad de producciones agrícolas : he aquí algunos ejemplos :

En el País Vasco todavía se siega el heno a mano en prados tan empinados que sería imposible meter una máquina.

Muchas son las regiones de vid. En la Ribera del Duero, en Castilla la Vieja, las bodegas son excavaciones hechas en las laderas de los montes a las afueras de los pueblos. Los campesinos almacenan allí su vino y acostumbran a asar a la entrada de la bodega las chuletas de cordero con sarmientos, plato típico de la región. La « trilla » tal y como la han visto los protagonistas del presente diálogo lleva el camino de la desaparición total.

En Andalucía hay regiones enteras donde abunda el olivo. Son zonas con graves problemas de paro. La recogida de la aceituna se hace en estos latifundios una vez al año (hacia Navidad) y los campesinos deben emigrar a otras regiones el resto del año para las campañas de cereales en las mesetas durante el verano y la vendimia en las regiones vinícolas en septiembre, pasando incluso los Pirineos.

On ne peut pas parler de la vie à la campagne en Espagne sans tenir compte de la grande diversité géographique et climatique, et par conséquent, de la grande diversité des productions agricoles. Voici quelques exemples.

Au Pays Basque on fauche toujours le foin à la main dans des prés si pentus qu'il serait impossible d'utiliser une machine.

Les régions viticoles sont nombreuses. Dans la Ribera del Duero, en Vieille Castille, les caves sont creusées à flanc de montagne en dehors des villages. Les paysans y entreposent leur vin et ont coutume de faire griller avec des sarments à l'entrée de la cave les côtelettes de mouton, le plat typique de la région. Le battage, tel que l'ont connu les personnages de ce dialogue, est en voie de disparition totale.

En Andalousie il y a des régions entières où abonde l'olivier. Ce sont des zones qui connaissent de graves problèmes de chômage. La récolte de l'olive se fait dans ces grandes propriétés une fois par an (aux environs de Noël) et les paysans doivent émigrer vers d'autres régions le reste de l'année pour les campagnes de céréales sur les plateaux pendant l'été, et les vendanges dans les régions vinicoles en septembre, même au-delà des Pyrénées.

1. Por esta parte, la mayoría de los cortijos están abandonados, o casi. Todos están en el extranjero, en Cataluña o en el País Vasco.
2. Ahora ya casi todas las faneas agrícolas se hacen con los tractores y las cosechadoras.
3. Aquí, los ganaderos viven bien, pero los que trabajamos la tierra no ganamos más que para ir tirando.
4. En toda esta comarca, en mis tiempos no había tierras de regadío, todas la tierras eran de secano.
5. Todas estas fincas eran mías, pero cuando hicieron la concentración parcelaria, me tocó el lote que tengo hoy, que es menos fértil ; tengo que echar más abono que antes.
6. En cuanto escampe podremos continuar cazando.
7. Por toda esta zona, los campesinos van al bosque de vez en cuando a buscar setas o caracoles ; pero nunca te dirán donde los cogen.
8. En el campo somos muy dados a los refranes. Si Vd supiera cuántas faenas del campo se hacen con relación a los refranes... Y hoy día también, a pesar de los tractores.
9. Todo eso ya está totalmente trasnochado : si nuestros abuelos resucitaran no reconocerían nada en el campo.

1. Par ici la plupart des fermes sont abandonnées, ou presque. Tout le monde est à l'étranger, en Catalogne ou au Pays Basque.
2. Maintenant presque tous les travaux agricoles se font avec les tracteurs et les moissonneuses.
3. Ici, les éleveurs vivent bien, mais nous qui travaillons la terre, nous ne faisons que vivoter.
4. De mon temps, dans toute cette région il n'y avait pas de terres irriguées ; toutes les terres étaient en culture non irriguée.
5. Tous ces lopins de terre étaient à moi, mais quand on a fait le remembrement on m'a attribué le lot que j'ai aujourd'hui, qui est moins fertile ; je dois mettre plus d'engrais qu'avant.
6. Dès qu'il cessera de pleuvoir nous pourrons continuer à chasser.
7. Dans toute cette région, les paysans vont dans les bois de temps en temps pour aller cueillir des champignons ou des escargots ; mais ils ne te diront jamais où ils les prennent.
8. A la campagne on aime bien les proverbes. Si vous saviez combien de travaux agricoles se font en rapport avec les proverbes... Et de nos jours aussi, malgré les tracteurs.
9. Tout cela est totalement dépassé ; si nos grands-parents revenaient ils ne reconnaîtraient rien à la campagne.

un montón, un tas
trillar, battre le blé
un tractor, un tracteur
el trillo, herse à battre le blé, « tribulum »
molestar, déranger
golpear, frapper
el trineo, le traîneau
una yunta, un attelage, une paire de bêtes de trait

el trigo, le blé
picar, hacher
la paja, la paille
el grano, le grain
el polvo, la poussière
una pala, une pelle
una paletada, une pelletée
la bodega, la cave, le cellier

Vocabulaire complémentaire

un trigal, un champ de blé
la cosecha, la récolte
segar, faucher, moissonner
empinado, en pente, pentu
almacenar, engranger
la trilla, le battage, le dépiquage
la trilladora, la batteuse
las faenas, les travaux (des champs)
la espiga, l'épi
la meseta, le plateau
los cereales, les céréales
moler, moudre
el molino de viento, le moulin à vent
el latifundio, la grande propriété (dans le sud)
el minifundio, la petite propriété (dans le nord)
el costal de trigo, le sac de blé
la harina, la farine
la concentración parcelaria, le remembrement
el abono
el fertilizante } l'engrais
tierras de regadío, terres irriguées
tierras de secano, terres non irriguées
el rastrojo, le chaume
el segador, le moissonneur

la cepa, le cep, le pied de vigne
el racimo, la grappe de raisin
la vendimia, la vendange
el cuévano, la hotte (en osier)
la cuba, la cuve
el mosto, le moût
la uva, le raisin
el lagar, le pressoir
el viñedo, le vignoble
el viñador, le vigneron
apalear los olivos, gauler les oliviers
la recogida de la aceituna, la récolte de l'olive
las setas, les champignons
los caracoles, les escargots
el cortijo, la ferme (en Andalousie)
el caserío, la ferme (au Pays Basque)
el mas, le mas (Catalogne)
el pazo, la ferme (en Galice)
la barraca, la ferme (région de Valencia)
la granja, la ferme (Castille)
el ganado, le bétail
la repoblación forestal, le reboisement

A ■ Traduire

1. Nous allons nous arrêter à l'hôtel. Nous irons déjeuner chez tes amis après. **2.** De ce point de vue je ne peux que te donner raison : la campagne n'est plus ce qu'elle était. **3.** Qu'est-ce que j'aime ce village ! Surtout à cause des coutumes de la région et des cultures qui lui donnent sa beauté. **4.** Lors du remembrement j'ai eu ce terrain en échange de tous mes petits lopins de terre.

B ■ Traducir

1. Las cosas han cambiado tanto que, al cabo de tantos años, es casi imposible reconocer nada en las faenas del campo.
2. Este prado lo tengo para que paste el ganado.
3. En época de vendimia aquí viene mucha gente del sur para echarnos una mano.

C ■ Remplacer les pointillés par le mot approprié

1. Una vez que pasa el ....., el trigo está totalmente .....
2. Es precisamente de Latinoamérica ..... viene el ..... del maíz.
3. Para ..... buenas fotos en el campo, hay que estar atento a las ..... agícolas.
4. Estuvo lloviendo todo el día : no ..... y no pudimos salir ..... cazar.

Corrigé

A ■ 1. Vamos a pararnos en el hotel. Después iremos a almorzar (comer) a casa de tus amigos.
2. Desde ese punto de vista no puedo sino darte la razón : el campo ya no es lo que era.
3. ¡ Cuánto me gusta este pueblo ! Sobre todo a causa de las costumbres de la región y de los cultivos que le dan su belleza.
4. Cuando hicieron la concentración parcelaria me dieron este terreno a cambio de todas mis pequeñas fincas.

B ■ **1.** Toutes les choses ont tellement changé que, au bout de tant d'années, il est presque impossible de reconnaître quoi que ce soit dans les travaux des champs. **2.** Ce pré, je l'ai pour faire paître le bétail. **3.** A l'époque des vendanges il y a beaucoup de gens du sud qui viennent par ici pour nous donner un coup de main.

C ■ 1. trillo ; picado　　　3. sacar ; faenas
2. de donde ; cultivo　　4. escampó ; a

— « ¡ Benvenguts a Catalunya ! Em plau molt de donar la més cordial benvinguda als visitants... »

— ¿ Habla Vd español, por favor ?

— Yo soy catalán y hablo catalán. Si quiere que le hable en castellano, le hablo en castellano.

— Perdone, pero soy extranjero. No sabía que me hablaba en español. No lograba entender[1] lo que me decía.

— Es que no le estaba hablando en castellano... « **El catalán és la llengua propia de Catalunya, és oficial, com també ho és el castellà.** »

— Mire, sigo sin entender[2]. Yo vengo a España a practicar la lengua española, y no sé lo que me pasa pero no le entiendo muy bien ; será el acento...

— No es cuestión de acentos. Le digo que mi lengua, en la que le hablaba hace unos instantes, no es el « español » como Vd dice. El castellano, que es la lengua en la que me expreso[3] actualmente, no es mi lengua materna, porque en Cataluña tenemos otra lengua : el catalán ; desde hace unos años nuestro idioma es cooficial con el castellano.

— ¿ Ah, sí ? ¿ Y cómo es eso ?

— ¿ No sabe Vd que en España hay varias lenguas ? España no es únicamente Madrid o Castilla. España es un conjunto[4] de sensibilidades, de culturas, de naciones, de idiomas que, unidas, forman un todo bajo una misma bandera ; pero en cada región tenemos nuestra autonomía, nuestro idioma y nuestra bandera.

— Así es que no sabíamos reconocer bien la bandera española hace un momento, con todas esas bandas rojas.

— Como que[5] no era la española : era la « **senyera** », la bandera catalana con las cuatro barras rojas sobre fondo amarillo, recuerdo del conde Vilfredo el Velloso...

— Ya le decía yo a mi mujer que no era la española aunque fuera un poco parecida[6], por los colores.

— Precisamente la actual bandera española — roja y gualda — tiene su origen en la catalana, ya que la marina española, en la época de mayor importancia, era, ante todo[7], catalano-aragonesa.

— ¿ Y todas las regiones tienen su bandera y su idioma[8] ?

— Ya lo creo[9]. Pero mire, dese una vuelta por España y mire bien a su alrededor[10], verá como no hay una España, sino varias[11].

— « *Soyez les bienvenus en Catalogne ! Je suis très heureux de souhaiter la plus cordiale bienvenue aux visiteurs...* »

— Parlez-vous espagnol, s'il vous plaît ?

— Je suis catalan et je parle catalan. Si vous voulez que je vous parle en castillan, je vous parlerai en castillan.

— Excusez-moi, mais je suis étranger. Je ne savais pas que vous me parliez en espagnol. Je n'arrivais pas à comprendre ce que vous me disiez.

— C'est que je ne vous parlais pas en castillan... « *Le catalan est la langue propre à la Catalogne ; elle est officielle, comme l'est aussi le castillan.* »

— Écoutez, je ne comprends toujours pas. Je suis venu en Espagne pour pratiquer la langue espagnole, et ne je sais pas ce qui m'arrive mais je ne vous comprends pas très bien ; ce doit être l'accent...

— Ce n'est pas une question d'accent. Je vous dis que ma langue, dans laquelle je vous parlais il y a quelques instants, n'est pas l'« espagnol » comme vous dites. Le castillan, qui est la langue dans laquelle je m'exprime en ce moment, n'est pas ma langue maternelle, parce qu'en Catalogne nous avons une autre langue : le catalan ; depuis quelques années notre langue est coofficielle avec le castillan.

— Ah, oui ? Et comment cela se fait-il ?

— Vous ne savez pas qu'en Espagne il y a plusieurs langues ? L'Espagne, ce n'est pas uniquement Madrid ou la Castille. L'Espagne est un ensemble de sensibilités, de cultures, de nations, de langues qui, unies, forment un tout sous un même drapeau ; mais nous avons dans chaque région notre autonomie, notre langue et notre drapeau.

— Voilà pourquoi nous ne savions pas bien reconnaître le drapeau espagnol il y a un moment, avec toutes ces bandes rouges.

— Parce que ce n'était pas le drapeau espagnol : c'était la « senyera », le drapeau catalan, avec les quatre barres rouges sur fond jaune, souvenir du comte Wilfredo le Velu...

— Je disais bien à ma femme que ce n'était pas le drapeau espagnol, quoiqu'il lui ressemble un peu par les couleurs.

— Précisément l'actuel drapeau espagnol — rouge et jaune — tire son origine de la Catalogne, étant donné que la marine espagnole, à l'époque de sa plus grande importance, était, avant tout, catalane et aragonaise.

— Et toutes les régions ont leur drapeau et leur langue ?

— Bien sûr. Mais écoutez, faites un tour en Espagne et regardez bien autour de vous ; vous verrez comme il n'y a pas une Espagne, mais plusieurs.

1. **No lograba entender,** *je n'arrivais pas à comprendre.*
   Lograr + infinitif, *réussir à, parvenir à* + infinitif.
   Lograr + c. d'objet, *obtenir. Logró lo que quería, il a
   obtenu* (a eu) *ce qu'il voulait.*

2. **sigo sin entender,** m. à m. *je continue sans comprendre* ; c'est-à-dire *je ne comprends toujours pas.* **Seguir** +
   gérondif : voir XXIV—3, 4.

3. **me expreso,** *je m'exprime* ; **expresar,** *exprimer* ; **expri-*
   mir,* *presser* (un fruit).

4. **un conjunto,** *un ensemble* (musical, de maisons, etc.),
   mais **iremos juntos** a España, *nous irons ensemble en
   Espagne.*

5. **Como que,** *évidemment, parce que* ; valeur de conjonc-
   tion causale, *étant donné que. No le entendía, como que
   hablaba en catalán, il ne le comprenait pas étant donné
   qu'il parlait en catalan.*

6. **aunque fuera un poco parecida,** m. à m. *même si elle
   était un peu semblable.* Construction au passé : *aunque*
   + imparfait du subjonctif, *même si* + imparfait de l'indicatif (voir III—3, 4).

7. **ante todo,** *avant tout, surtout,* ou **antes que nada** *(avant
   rien), avant tout, d'abord, en premier.*

8. **todas las regiones tienen su bandera y su idioma,**
   toutes les régions ont leur drapeau et leur langue. Le
   possessif *su* est invariable pour *son, sa, leur, votre. Su
   país, son pays, leur pays, votre pays* (vouvoiement).

9. **Ya lo creo,** m. à m. *je le crois bien* ; variante de *claro,
   bien sûr,* et *comment donc.*

10. **y mire a su alrededor,** *et regardez autour de vous* (de
    usted) ; voir XXXIII—3, 8. *A vuestro alrededor, autour de
    vous* (de vosotros, que je tutoie individuellement). Vou-
    voiement et tutoiement : leçons prédécentes et particuliè-
    rement VIII, IX et XII.

11. **no hay una España, sino varias,** *il n'y a pas une seule
    Espagne, mais plusieurs...* Traduction de *non... mais,* voir
    XXXI—3, 6.

Esp	Fr	Hisp-am
el autobús	*l'autobus*	**la guagua** (*Cuba*)
la obsidiana	*l'obsidienne*	**el chay** (*Guatemala*)
la goma	*le caoutchouc*	**el hule, el caucho**
la mazorca	*l'épi de maïs tendre*	**el elote** (*Mexique*)
		el choclo
rubio	*blond*	**catire, catiro**
el mono	*le singe*	**el mico**
la parcela	*la parcelle*	**la chagra, la sayaña**
		(*Pérou, Bolivie, Équateur*)
la cecina	*la viande boucanée*	**el charqui**
el fantasma	*le fantôme*	**el pora** (*Paraguay*)
las alubias	*les haricots*	**los porotos** (*Argentine*)

NOTES
la guagua (*Pérou, Équateur, Bolivie*), l'enfant
el guajiro, le paysan cubain

Lenguas vernáculas

En todos los países hispanoamericanos se habla y se entiende el español. Pero en muchos coexisten con él otras lenguas : casi la mitad de los peruanos hablan quechua y esta lengua es oficial en el Perú. También se habla quechua en Ecuador, Bolivia, el sur de Colombia y el norte de Argentina y de Chile. En el campo paraguayo se habla guaraní y muchos paraguayos son bilingües. El aymará se habla en Bolivia. Muchas lenguas derivadas del maya-quiché se hablan en Guatemala y Yucatán. En Nicaragua se habla inglés y miskito. Hay minorías de lengua nahua en México y los dialectos amazónicos son innumerables.

Les langues autochtones

Dans tous les pays hispano-américains, on parle et on comprend l'espagnol. Mais dans beaucoup d'entre eux, d'autres langues coexistent avec l'espagnol : près de la moitié des Péruviens parlent quechua et cette langue est officielle au Pérou. On parle également quechua en Équateur, en Bolivie, dans le sud de la Colombie et le nord de l'Argentine et du Chili. Dans les campagnes paraguayennes, on parle guarani et bien des Paraguayens sont bilingues. L'aymara est parlé en Bolivie. De nombreuses langues dérivées du maya-quiché sont parlées au Guatemala et au Yucatán. Au Nicaragua, on parle anglais et miskito. Il y a des minorités de langue nahua au Mexique et les dialectes en Amazonie sont innombrables.

Es lógico que la gran diversidad geográfica española haya creado una gran diversidad regional. Estas regiones, naciones, reinos, condados o principados tuvieron, de siempre, sus leyes y sus « fueros ». Pero con el tiempo y el azar de las vicisitudes históricas, fueron desapareciendo. A pesar de ello, el centralismo de la monarquía, acentuado en la época borbónica, no consiguió terminar con las regiones ni con las lenguas propias de España.

Con la nueva Constitución de 1978, España se ha convertido en una monarquía parlamentaria. El artículo 2° estipula que cada región puede constituirse en comunidad autónoma. Estas autonomías pueden tener un parlamento regional con grandes posibilidades ya que se ha procedido a toda una serie de transferencias de competencias (ordenación del territorio, urbanismo, obras públicas, transporte, agricultura, medio ambiente, pesca, caza, comercio, artesanía, turismo, sanidad, ocio, economía, etc.) siempre y cuando entren dentro de los objetivos nacionales. En la región autónoma el idioma local es cooficial con el castellano. También han resurgido las banderas regionales y se están fomentando las costumbres, la lengua y las diferentes culturas del país.

Il est logique que la grande diversité géographique espagnole ait créé une grande diversité régionale. Ces régions, nations, royaumes, comtés ou principautés, ont eu depuis toujours leurs lois et leurs « chartes ». Mais avec le temps et le hasard des vicissitudes historiques, elles ont peu à peu disparu. Malgré cela, le centralisme monarchique, accentué à l'époque bourbonienne, n'a pas réussi à venir à bout des régions ni des langues caractéristiques de l'Espagne.

Avec la nouvelle Constitution de 1978, l'Espagne est devenue une monarchie parlementaire. L'article 2 stipule que chaque région peut se constituer en communauté autonome. Ces autonomies peuvent avoir un parlement régional doté de grandes possibilités, étant donné qu'il a été procédé à toute une série de transferts de compétences (aménagement du territoire, urbanisme, travaux publics, transports, agriculture, environnement, pêche, chasse, commerce, artisanat, tourisme, santé, loisirs, économie, etc.) pour autant qu'ils entrent dans le cadre des objectifs nationaux. Dans la région autonome, la langue locale est coofficielle avec l'espagnol. Les drapeaux régionaux ont également ressurgi et les coutumes traditionnelles ainsi que la langue et les cultures du pays connaissent un grand essor.

1. Después de tantos años de centralismo, vamos a recuperar nuestras libertades regionales.
2. Las lenguas vernáculas se han conservado ; pero hay muchas personas que las están aprendiendo ahora : hasta el mismo « **lendakari**[1] » ha tenido que ir a una « **ikastola**[2] ».
3. ¿ Logroño ? No, eso ya no existe. Ahora ya no es una provincia de Castilla la Vieja, sino la Autonomía llamada Rioja.
4. Hoy no extraña ver una « **ikurriña**[3] », cuando hace pocos años era un delito.
5. La cultura regional no debe limitarse al « folklorismo » y al mantenimiento de las tradiciones ; la lengua local debe ser también un vehículo constante, cotidiano y adaptado a la vida moderna.
6. Todos estos temas son ahora de incumbencia del Parlamento andaluz. Madrid no tiene nada que ver con ello.
7. Para la elaboración de los estatutos de las Autonomías, hubo todo un período de transición en los que los Entes preautonómicos estaban en negociaciones con Madrid.

1. Après tant d'années de centralisme nous allons récupérer nos libertés régionales.
2. Les langues vernaculaires (régionales) se sont conservées ; mais il y a beaucoup de personnes qui sont en train de les apprendre à l'heure actuelle : le « *lendakari* » lui-même a dû aller dans une « *ikastola* ».
3. Logroño ? Non, cela n'existe plus. Maintenant ce n'est plus une province de la Vieille Castille, mais une Autonomie appelée Rioja.
4. Aujourd'hui on ne s'étonne pas de voir une « *ikurriña* », alors qu'il n'y a pas très longtemps c'était un délit.
5. La culture régionale ne doit pas se limiter au « folklorisme » et à la conservation des traditions ; la langue locale doit être aussi un véhicule constant, quotidien et adapté à la vie moderne.
6. Tous ces sujets incombent maintenant au Parlement andalou. Madrid n'a plus rien à y voir.
7. Pour l'établissement des statuts des Autonomies, il y a eu une grande période de transition dans laquelle les Organismes préautonomiques étaient en pourparlers avec Madrid.

1. Nom basque du « Président » de l'Autonomie basque. **2.** Nom basque des écoles où on apprend le basque. **3.** Nom basque du drapeau basque.

el castellano, le castillan, la langue espagnole

lograr, réussir à, parvenir à

el acento, l'accent

expresarse, s'exprimer

un idioma, une langue

la bandera, le drapeau

la senyera, le drapeau catalan

el conde, le comte

Vilfredo el Velloso, *selon la légende il aurait eu son emblème de la main de son suzerain qui, au moment de sa mort, aurait trempé sa main dans sa propre blessure et aurait tracé quatre traits sur le bouclier de Wilfred le Velu, faits avec ses doigts tachés de sang*

parecido, semblable

gualdo, a, jaune

aragonés, aragonais

dar una vuelta, faire un tour

Vocabulaire complémentaire

vernáculo, vernaculaire

el dialecto, le dialecte

la nación, la nation

el reino, le royaume

el condado, le comté

el principado, la principauté

los fueros, *privilèges accordés sous forme de charte par la couronne à certaines régions ou royaumes*

el monarca, le monarque

la transferencia, le transfert

la ikurriña, nom du drapeau basque

el centralismo, le centralisme

el federalismo, le fédéralisme

el Ente preautonómico, l'Organisme préautonomique

el proceso de autonomía, le processus d'autonomie, de décentralisation

el regionalismo, le régionalisme

la autonomía, l'autonomie, le régime autonome

la tradición, la tradition

las costumbres, les coutumes, les habitudes

la Generalitat, nom du parlement catalan

la Junta de Andalucía, nom du parlement andalou

la Xunta Galega, nom du parlement galicien

Berenguer IV, *son mariage avec Pétronille, héritière de l'Aragon en 1137, fut le point de départ d'une véritable puissance méditerranéenne autonome avec les Cortes d'Aragon*

A ■ Traduire

1. Je ne savais pas m'exprimer dans sa langue même si je comprenais quelques mots. 2. Dans cette région ils continuent de discuter avec Madrid pour leur autonomie, alors que nous n'avons toujours pas débuté les pourparlers. 3. Toutes ces compétences ont été transférées aux organismes préautonomiques, et incombent aux institutions autonomiques.

B ■ Traducir

1. Por aquí se ven más « senyeras » que banderas nacionales.

2. Es una pena que las tradiciones se hayan perdido porque hoy podríamos tener, como en otras regiones, dos lenguas habladas.

3. Para el estudio del estatuto de autonomía ha habido que estudiar a fondo los Fueros antiguos de la región.

C ■ Remplacer les pointillés par le mot approprié

1. Cuando uno mira a su ..... ve la gran diversidad ..... del país.

2. España es una ..... parlamentaria desde la adopción de la Constitución de .....

3. Los borbones ..... el centralismo y las regiones históricas ..... desapareciendo.

4. Las autonomías tienen su libertad en toda una serie de sectores, siempre y ..... entren dentro de los ..... nacionales.

Corrigé

A ■ 1. No sabía expresarme en su idioma aunque comprendiera algunas palabras.

2. En esa región siguen discutiendo con Madrid para su autonomía, cuando (mientras que) nosotros seguimos sin comenzar las discusiones.

3. Todas estas competencias han sido transferidas a los entes preautonómicos y son de la incumbencia de las instituciones autonómicas.

B ■ 1. Par ici on voit plus de « senyeras » que de drapeaux nationaux. 2. C'est dommage que les traditions se soient perdues, car aujourd'hui nous pourrions avoir, comme dans d'autres régions, deux langues. 3. Pour l'étude du statut d'autonomie il a fallu étudier à fond les « chartes » anciennes de la région.

C ■ 1. alrededor ; regional   3. acentuaron ; fueron
2. monarquía ; 1978   4. cuando ; objetivos

— Oye, Paco ¿ has leído el periódico ?

— No ; desde hace ya algún tiempo[1] no leo ninguno. La política me tiene harto[2] y, por otra parte, ya no puedo aguantar[3], cuando leo los periódicos, cómo nos están tomando el pelo en el extranjero.

— Precisamente hay un artículo muy ‘interesante sobre los problemas del ingreso de España en el Mercado Común.

— Si ingresamos...

— Vamos, no exageres. Somos Europa ¿ no ?

— La verdad es que geográficamente estamos en Europa, pero todavía hay gente que no piensa que seamos Europa. Las malas lenguas dicen que Africa comienza en el Ebro...

— No te pongas pesado[4] y no nos saques a relucir ahora toda la Leyenda Negra...

— ¡ Si no es eso, Manolo ! Tú mira cuántas pegas nos están poniendo[5] para entrar en la Comunidad. Antes, porque no había democracia ; ahora, porque nuestros tomates son baratos. Yo, la verdad, todo esto no lo entiendo.

— Todo se andará. Date cuenta de que somos la décima potencia industrial del mundo y que nuestro país está llamado a desempeñar un gran papel a nivel internacional. Olvida ese complejazo[6] de inferioridad nacional que tenemos algunos y mira, por ejemplo, nuestro idioma : el castellano se habla en veinte países ; en E.E.U.U. es el segundo idioma que más se habla y es el que más se aprende[7].

— Pero eso no basta. Hoy día, de lo que se trata es de fomentar el comercio y la industria. La cultura viene después.

— La cultura es importantísima. Ahí tienes nuestra historia cargada de pueblos tan diferentes como[8] los celtas, fenicios, griegos, romanos, cartagineses, visigodos ; todos esos vínculos tan fuertes que tenemos con los países árabes, fruto de tanta historia común[9] ; esa complicidad y esa comunión[10] que tenemos con Latinoamérica.

— Vamos, que España podría ser algo así como un intermediario entre esos tres mundos : el europeo, el musulmán y el americano.

— Eso es. Pero pisando fuerte económicamente. Ten por seguro que el día que lleguemos a ser una potencia industrial[11], como el Japón por ejemplo, se acabarán las polémicas y las quejas, tanto dentro como fuera del país.

— Écoute, Paco, as-tu lu le journal ?

— Non ; depuis quelque temps déjà, je n'en lis plus aucun. J'en ai assez de la politique, et d'autre part, je ne peux plus supporter, quand je lis les journaux, la façon dont on se paye notre tête à l'étranger.

— Précisément, il y a un article très intéressant sur les problèmes de l'intégration de l'Espagne dans le Marché commun.

— Si nous y entrons...

— Allons, n'exagère pas ! Nous faisons partie de l'Europe, non ?

— La vérité est que, géographiquement, nous sommes en Europe, mais il y a encore des gens pour penser que nous ne faisons pas partie de l'Europe. Les mauvaises langues disent que l'Afrique commence à l'Ebre...

— Ne viens pas nous ennuyer en nous reparlant encore de la Légende Noire...

— Mais il n'est pas question de ça, Manolo ! Regarde tous les obstacles qu'on nous crée pour entrer dans la Communauté. Avant, parce qu'il n'y avait pas de démocratie ; maintenant, parce que nos tomates sont bon marché. Moi, en vérité, je ne comprends rien à tout cela.

— Chaque chose vient en son temps. Rends-toi compte que nous sommes la dixième puissance industrielle du monde et que notre pays est appelé à jouer un grand rôle au niveau international. Oublie cette espèce de complexe d'infériorité nationale que certains d'entre nous ont, et regarde par exemple notre langue ; l'espagnol est parlé dans vingt pays ; aux États-Unis c'est la seconde langue que l'on parle le plus, et c'est celle que l'on apprend le plus.

— Mais cela ne suffit pas. Ce dont il s'agit aujourd'hui c'est de développer le commerce et l'industrie. La culture vient après.

— Le culture est très importante. Pense à notre histoire chargée de peuples aussi différents que les Celtes, les Phéniciens, les Grecs, les Romains, les Carthaginois, les Wisigoths ; tous ces liens si forts que nous avons avec les pays arabes, fruit de tant d'histoire commune ; cette complicité et cette communion que nous avons avec l'Amérique latine.

— Tu veux dire que l'Espagne pourrait être quelque chose comme un trait d'union entre ces trois mondes : l'européen, le musulman et l'américain.

— C'est ça. Mais en pesant économiquement très lourd. Sois assuré que le jour où nous serons devenus une puissance industrielle, comme le Japon par exemple, les polémiques et les plaintes s'arrêteront aussi bien à l'intérieur qu'à l'extérieur du pays.

1. **desde hace algún tiempo,** *depuis un certain temps* ;
   depuis + complément de temps : voir VII—3, 6 ; XXV—3,
   7 et 8.

2. **La política me tiene harto,** *j'en ai assez de la politique.*
   Tener + participe-adjectif : voir XXXI—3, 10. Construction équivalente : *estoy harto de* la política.

3. **ya no puedo aguantar,** *je ne peux plus supporter.* Traduction de *plus* : voir XV—3, 7.

4. **No te pongas pesado,** m. à m. *ne deviens pas « lourd »,
   ne viens pas nous embêter...* **a)** *ponerse* + adjectif-parti-
   cipe : *devenir* (voir XVII—3, 7 ; XXII—3, 9 et 10 ;
   XXVI—3, 4). **b)** *pesado,* m. à m. *lourd* ; mais : **la maleta
   pesa,** *la valise est lourde.* Par extension (**pesado** = *pesant*) **pesado** = *embêtant, ennuyeux, « casse-pieds ».*

5. **cuantas pegas nos están poniendo,** *combien d'obstacles on nous fait. La pega, l'obstacle, l'inconvénient. Poner pegas a, faire des obstacles à, trouver à redire.*

6. **complejazo,** *gros complexe. Azo,* augmentatif, voir
   X—3, 8.

7. **que más se habla y... más se aprende,** *que l'on parle le
   plus et... que l'on apprend le plus.* Superlatif relatif, voir
   XL—3, 9.

8. **pueblos tan diferentes como...** *des peuples aussi différents que.* Phrase comparative, voir XXXI—3, 1.

9. **tanta historia común,** *tant d'histoire commune* (en
   commun). *Tant de* (adjectif quantitatif) : accord en genre
   et en nombre en espagnol : *tantos hombres, tant d'hommes* ; comme *muchos países, beaucoup de pays* ; *pocas
   naciones, peu de nations,* etc. Voir IV—3, 11 ; X—3, 9 ;
   XXVIII—3, 4 ; XXXI—3, 13.

10. **esa complicidad y esa comunión,** *cette complicité et
    cette entente. Eso-esa* (dont on parle), *celle-là* ; mais *esta*
    situación presente, *cette situation* (celle-ci). Démonstra-
    tifs, voir IV—3, 5 ; XXVII—3, 7 ; XXXII—3, 7.

11. **el día que lleguemos a ser una potencia,** *le jour où
    nous deviendrons une puissance...* **a)** Pronom relatif *où =
    que, en que* (voir XXIX—3, 7). **b)** *llegar a ser, devenir.*
    Idée d'aboutissement (voir XVII—3, 7 ; XXII—3, 9 et 10 ;
    XVI—3, 4). **c)** Subordonnée de relatif : voir subjonctif en
    espagnol = futur en français.

americano, *américain* (du continent)
norteamericano, *nord-américain, des États-Unis*
estadinense, estadounidense, *des États-Unis*
la OEA, *l'Organisation des États américains*
americanismo, *particularité de l'espagnol d'Amérique*
americanista, *spécialiste des civilisations, des littératures, des langues américaines*
Mesoamérica, *Mésoamérique* (Mexique et Amérique centrale)
Centroamérica, *Amérique centrale*
Sudamérica, Suramérica, *Amérique du Sud*
la república mediatizada (Cuba), *période de l'histoire cubaine allant de 1903 à 1959*
el fideicomiso, *le mandat, la tutelle*

¿ Latinoamérica o Indoamérica ?

El continente americano lleva el nombre de un cartógrafo, Américo Vespucio (o Amerigo Vespucci) y nò el de su descubridor, Colón. Pero su primer nombre fue el de Indias Occidentales, por ser hacia las Indias que navegaba Colón. Por ello llamaron indios a los habitantes, muy diferentes unos de otros, que allí vivían. El nombre de Latinoamérica apareció en el siglo XIX, después de las guerras de independencia, y abarca todos los países menos Estados Unidos y Canadá. Se dirá Hispanoamérica para designar los países de lengua española. Iberoamérica comprende además el Brasil, que habla portugués, pero no Haití, que habla francés y creole. Indoamérica es nombre más reciente. Se habla de amerindios para distinguirlos de los indios o hindúes.

Amérique latine ou Amérique indienne ?

Le continent américain porte le nom d'un cartographe, Americ Vespuce (ou Amerigo Vespucci) et non celui de qui l'a découvert, Colomb. Mais son premier nom fut celui d'Indes Occidentales, parce que c'est vers les Indes que Colomb naviguait. C'est pourquoi l'on appela Indiens les habitants, très différents les uns des autres, qui y vivaient. Le nom d'Amérique latine apparut au XIXᵉ siècle, après les guerres d'indépendance, et englobe tous les pays sauf les États-Unis et le Canada. On dira Amérique hispanique pour désigner les pays de langue espagnole. L'Amérique ibérique comprend, en outre, le Brésil, qui parle portugais, mais non Haïti, qui parle français et créole. Amérique indienne est un nom plus récent. On parle d'Amérindiens pour les distinguer des Indiens ou Hindous.

La historia de España es la historia de un continuo vaivén entre el acercamiento y el alejamiento de Europa. Hay épocas en las que incluso formó parte de la historia de Europa, como en la época de Carlos V y a lo largo de los siglos XVI y XVII. Pero ha habido otras épocas como en los dos últimos siglos en las que España se quedó a un lado de los acontecimientos europeos (guerras, por ejemplo). Por una parte, varias guerras civiles sacudieron el país (guerras carlistas del siglo XIX, guerra civil 1936-1939). Por otra parte los grandes problemas internos del siglo XIX (pronunciamientos, motines, gobiernos provisionales, etc.) y los regímenes autoritarios del XX (Primo de Rivera, Franco) han influido también en este aislamiento de España en el concierto de las naciones y en esa tendencia centrípeta del español que ha imperado hasta hace bien poco.

Hoy, España, con un régimen democrático, se acerca a Europa : el 24 de noviembre de 1977 entró a formar parte del Consejo de Europa, y desde el 6 de febrero de 1979 se han abierto las negociaciones oficiales para su ingreso en la C.E.E. Pero no todo es de color de rosa y existen problemas de incomprensión entre españoles y europeos : periódicamente se puede leer en la prensa española artículos que traducen las desavenencias entre España y Europa.

L'histoire de l'Espagne est l'histoire d'un continuel va-et-vient, tantôt se rapprochant, tantôt s'éloignant de l'Europe. Il y a des époques où elle a même fait, en partie, l'histoire de l'Europe, comme à l'époque de Charles Quint et tout au long des XVIᵉ et XVIIᵉ siècles. Mais il y eut d'autres époques comme au cours des deux derniers siècles où l'Espagne s'est tenue à l'écart des événements européens (guerres, par exemple). D'une part, le pays a été secoué par les guerres carlistes du XIXᵉ s. et la guerre civile de 1936-1939. D'autre part, les grands problèmes intérieurs du XIXᵉ s. (putschs militaires, mutineries, gouvernements provisoires, etc.), et les régimes autoritaires du XXᵉ s. (Primo de Rivera, Franco) ont contribué aussi à isoler l'Espagne du concert des nations, et à cette tendance au repli sur soi de l'Espagnol qui a régné jusqu'à une date très récente.

Aujourd'hui, avec un régime démocratique, l'Espagne se rapproche de l'Europe : le 24 novembre 1977, elle est devenue membre du Conseil de l'Europe, et le 6 février 1979 marque le début des négociations en vue de son entrée dans la C.E.E. Mais tout n'est pas rose, et il existe des problèmes d'incompréhension entre Espagnols et Européens : on peut lire périodiquement dans la presse espagnole des articles qui traduisent les divergences entre l'Espagne et l'Europe.

1. El ingreso de España en el Mercado Común supondrá para todos los españoles el principio de una nueva era de colaboración más estrecha con el resto de Europa ; y lo que es más : el sentirnos realmente europeos, y que en los otros países lo sientan igualmente.
2. Si seguimos a este paso, entraremos en la C.E.E. « cuando San Pedro baje el dedo », como dicen en mi pueblo.
3. Pues yo no le veo ninguna gracia al hecho de que en la Comunidad tengan problemas entre ellos. Cuanto más tarden en ponerse de acuerdo, más tardaremos en entrar nosotros.
4. Lo que más nos va a doler a los españoles, es que tengamos que implantar el famoso I.V.A.*, cara al ingreso en la C.E.E.
5. El problema más evidente es el agrícola, y prueba de ello son nuestros camiones quemados en el sur de Francia.
6. No debemos conformarnos con ingresar en la Comunidad, sino que debemos actuar, una vez dentro, para aclarar todos estos problemas y todas estas divergencias.
7. Todo esto es buena señal ; según van las cosas, yo pienso que nuestra integración es ya sólo cosa de meses.

1. L'entrée de l'Espagne dans le Marché Commun supposera pour tous les Espagnols le début d'une nouvelle ère de collaboration plus étroite avec le reste de l'Europe ; et plus encore : le fait de nous sentir Européens, et que cela soit ressenti également dans les autres pays.
2. Si nous continuons à cette allure, nous entrerons dans la C.E.E. « quand les poules auront des dents », comme on dit chez moi.
3. Moi, je ne trouve pas ça drôle qu'ils aient des problèmes entre eux, dans la Communauté. Plus ils tarderont à se mettre d'accord, et plus nous mettrons de temps à y entrer.
4. Ce qui va être le plus dur pour nous, les Espagnols, c'est que nous soyons obligés d'adopter la fameuse T.V.A., en vue de l'entrée dans la C.E.E.
5. Le problème le plus évident est le problème agricole, et je n'en veux pour preuve que nos camions incendiés dans le sud de la France.
6. Nous ne devons pas nous contenter d'entrer dans la Communauté, mais nous devons agir, une fois à l'intérieur, pour tirer au clair tous ces problèmes et toutes ces divergences.
7. Tout ceci est de bon augure : au train où vont les choses je crois que notre intégration n'est plus qu'une question de mois.

* Impuesto sobre el Valor Añadido.

el periódico, le journal
tomarle el pelo (a uno), se moquer (de quelqu'un)
el ingreso, l'entrée, l'intégration
Comunidad Económica Europea, Communauté Économique Européenne
desempeñar un papel, jouer un rôle
los E.E.U.U., les USA

fomentar, développer, encourager
el vínculo, le lien
pisar, fouler aux pieds, marcher sur (quelque chose)
pisar fuerte, compter pour quelque chose, peser lourd
una potencia, une puissance
la queja, la plainte

Vocabulaire complémentaire

ponerse de acuerdo, se mettre d'accord
la integración, l'intégration
aclarar, tirer au clair
los intercambios, les échanges
la internacionalización, l'internationalisation
la adhesión, l'adhésion
el Tratado de Roma, le Traité de Rome
el reglamento, le règlement
el proteccionismo, le protectionnisme
los aranceles, les droits de douane
el acervo comunitario, le patrimoine (l'acquis) communautaire
la legislación, la législation
los derechos, les droits
el subsector, le sous-secteur
el aislamiento, l'isolement
formar parte de, faire partie de
el desarme aduanero, le désarmement douanier

un plazo, un délai
un control, un contrôle
la restricción, la restriction
la supresión, la suppression
la importación, l'importation
la exportación, l'exportation
compensar, compenser
desarrollar, développer
la competencia, la concurrence
el crecimiento, la croissance
la comparación, la comparaison
la tecnología, la technologie
La productividad, la productivité
la empresa multinacional, l'entreprise multinationale
el punto de vista, le point de vue
los acontecimientos, les événements
las desavenencias, les divergences

A ■ Traduire

1. Ce dont il s'agit c'est d'entrer dans le Marché Commun. Une fois à l'intérieur, nous verrons. **2.** Il est devenu embêtant lorsque j'ai commencé à parler de ce sujet, car il en a assez de tous les obstacles que l'on nous oppose à l'étranger. **3.** Le jour où nous entrerons dans la Communauté nous serons bien obligés d'adopter la T.V.A. **4.** Du point de vue économique nous sommes aussi importants que d'autres pays. Ceci est de bon augure pour notre futur rôle au sein de la Communauté Économique Européenne.

B ■ Traducir

1. Antes del Tratado de Roma las empresas multinacionales ya sabían cómo estar presentes a ambos lados de una frontera.

2. En la región hemos llegado a ser especialistas en todo ese sector industrial. Y es aquí donde más fábricas hay.

3. Como sigan publicando artículos tan críticos para con la Comunidad, no sé que van a pensar en Europa de nosotros.

4. Ya falta poco para nuestro ingreso en la C.E.E. Después de los portugueses entramos nosotros.

Corrigé

A ■ 1. De lo que se trata es de ingresar en el Mercado Común. Una vez dentro, ya veremos.

2. Se puso pesado cuando enpecé a hablar de ese tema, ya que está harto de todas las pegas que nos están poniendo en el extranjero.

3. El día que entremos en la Comunidad no tendremos más remedio que adoptar el I.V.A.

4. Desde el punto de vista económico somos tan importantes como otros paises. Todo eso es buena señal para nuestro futuro papel dentro de la Comunidad Económica Europea.

B ■ 1. Avant le traité de Rome les entreprises multinationales savaient déjà comment être présentes des deux côtés d'une frontière. **2.** Dans la région nous sommes devenus des spécialistes dans tout ce secteur industriel. Et c'est ici qu'il y a le plus d'usines. **3.** Si on continue à publier des articles aussi critiques vis-à-vis de l'Europe, je ne sais pas ce que l'on va penser de nous en Europe. **4.** Notre intégration dans la C.E.E. est pour bientôt. Après le Portugal, c'est nous qui entrons.

(En un autocar de turismo, a la salida de Lima, hacia el sur)

— ¿ Y esto es la Panamericana ?

— Pues sí. ¿ Qué pero le pone[1] ?

— No, nada. Sino que me figuraba[2], por el nombre, que era como una autopista...

— Cierto es que desilusiona un poco. ¡ Pero qué le vamos a hacer ! La gente no se imagina las dificultades.

— Del terreno, ¿ o de qué ?

— De toda clase. Y, ante todo, el hecho siguiente : si la idea de una carretera que fuera desde el norte hasta el sur[3] del continente es linda teóricamente, en la práctica tropieza con[4] innumerables obstáculos.

— ¿ Por ejemplo ?

— El relieve y el clima.

— Luego ¿ no se puede construir a lo largo de las costas ?

— Exacto : el trazado de la Panamericana sigue, o trata de seguir la costa del Pacífico.

— Entonces, no hay problema de relieve.

— Siempre, un poco, en ciertos países. Pero lo del clima es más importante. En las zonas de clima tropical o ecuatorial el mantenimiento de una carretera es muy difícil.

— ¡ Ah sí ! Por las lluvias.

— Y la vegetación. Así, hace tiempos que el tramo entre Panamá y Colombia está en construcción. Eso es pura selva[5], mosquitos y bichos raros. ¡ Y unos chubascos ! Por ahí mejor viajar en piragua[6].

— ¡ Ah ! ¿ Es por eso que[7] la parte colombiana de la Panamericana no sigue la costa ?

— Así es. La carretera de Medellín hacia la frontera ecuatoriana corre por el valle[8] del Cauca.

— ¿ Y en Ecuador, tampoco sigue la costa[9] ?

— No, pasa por Quito, que está a 2.850 metros.

— En realidad, la carretera se acerca a la costa[10] en Perú.

— Y más todavía en Chile. No hay que olvidar que en este país, la faja entre los Andes y el Pacífico es estrechísima.

— Y, cuando lleguemos a Arequipa, no estaremos ya muy lejos[11] de Santiago de Chile.

— No muy lejos de Chile, cierto. Pero de Santiago, estaremos todavía a unos 2.400 kilómetros.

(Dans un autocar de tourisme, à la sortie de Lima, vers le sud)

— Et c'est ça, la Panaméricaine ?

— Mais oui. Qu'est-ce que vous lui reprochez ?

— Non, rien du tout. Seulement, je pensais, à cause du nom, que c'était comme une autoroute...

— C'est vrai qu'elle déçoit un peu. Mais qu'y faire ? Les gens n'imaginent pas les difficultés.

— De terrain. Ou de quoi ?

— De toutes sortes. Et, avant tout, le fait suivant : si l'idée d'une route allant du nord au sud du continent est théoriquement séduisante, dans la pratique, elle se heurte à d'innombrables obstacles.

— Par exemple ?

— Le relief et le climat.

— On ne peut donc pas la construire le long des côtes ?

— Exactement : le tracé de la Panaméricaine suit ou essaie de suivre la côte du Pacifique.

— Alors, il n'y a pas de problème de relief.

— Quand même, un peu, dans certains pays. Mais la question du climat est plus importante. Dans les régions à climat tropical ou équatorial, l'entretien d'une route est très difficile.

— Ah oui ! A cause des pluies.

— Et de la végétation. Ainsi, il y a des éternités que le tronçon entre le Panama et la Colombie est en construction. Ce n'est que de la forêt vierge, des moustiques et de drôles de bêtes. Et des averses ! Par là, il vaut mieux voyager en pirogue.

— Ah ! C'est pour ça que la partie colombienne de la Panaméricaine ne suit pas la côte ?

— C'est cela. La route de Medellin vers la frontière équatorienne passe le long de la vallée du Cauca.

— Et en Équateur, elle ne suit pas non plus la côte ?

— Non, elle passe par Quito, qui est situé à 2 850 mètres.

— En somme, c'est au Pérou que la route s'approche de la côte.

— Et plus encore au Chili. Il ne faut pas oublier que dans ce pays, la bande entre les Andes et le Pacifique est très étroite.

— Et quand nous serons arrivés à Arequipa, nous ne serons plus très loin de Santiago du Chili.

— Pas très loin du Chili, c'est vrai. Mais nous serons encore à environ 2 400 kilomètres de Santiago.

1. **¿ Qué pero le pone ?** m. à m. *quel « mais » lui mettez-vous ?* → *Que lui reprochez-vous ?* **Poner** *peros* a algo o a alguien, *contester, mettre en doute* (qqch. ou qqn). **Pero... No hay** *« peros » que valgan* ! *Mais... Il n'y a pas de « mais »* !

2. **Sino que me figuraba...,** *seulement* (sauf que) *je pensais... Sino que* ou *sólo que = mais.* Observez que la phrase précédente est négative (**« No, nada »**) *non... mais,* voir XXXI—3, 6.

3. **si la idea de una carretera que fuera desde el norte hasta el sur,** *si l'idée d'une route qui irait (allant) du nord au sud...* Nous sommes dans le domaine de l'hypothèse, ce qui justifie l'imparfait du subjonctif : **fuera** (de ir). **La idea de un viaje** *que* **durara** (durase) *un año me encanta, l'idée d'un voyage qui durerait un an m'enchante.*

4. **tropieza con,** *se heurte à. Tropezar con, se heurter à, buter sur.* Sens propre et figuré. Même construction : **dar con alguien,** *tomber sur* (trouver, après avoir cherché) *quelqu'un.*

5. **Eso es pura selva,** *ce n'est que de la forêt vierge.* Pensez à **« Es la pura verdad »,** *c'est la pure vérité* (et rien d'autre...).

6. **mejor viajar en piragua,** *il vaut mieux voyager en pirogue.* Ellipse courante de **es. Es mejor** ou **más vale,** *il vaut mieux.*

7. **Es por eso que,** *c'est... que* (valeur de cause) rendu en Amérique Latine (langue parlée et écrite) par : **es por eso que.**
   Les puristes conseillent néanmoins, en castillan : **Es por eso** *por lo que.*

8. **corre por el valle,** *suit la vallée, passe le long de la vallée.* Aussi : **correr por,** *courir dans* ou *couler sur.*

9. **tampoco sigue la costa,** *elle ne suit pas non plus la côte.* Mots négatifs, voir XVIII—3, 2.

10. **se acerca a la costa,** *s'approche de la côte.* **Acercarse a,** *s'approcher de,* mais : **cerca de** ou **junto a,** *près de.*

11. **no estaremos ya muy lejos,** *nous ne serons plus très loin.* Traduction de plus : voir XV—3, 7.

Esp	Fr	Hisp-am
el reencauche de neumático	*le rechapage*	**el recauchutaje** *(Uruguay)*
la bocina	*le klaxon*	**el pito**
el volante	*le volant*	**el timón**
la acera	*le trottoir*	**la vereda** *(Arg. Urug.)*
tener una avería	*être en panne*	**estar en pana** *(Chili)*

NOTES
el pana (Puerto Rico, de l'anglais « partner ») : l'ami intime.

La Panamericana

Desde Alaska hasta la tierra de los mapuches, en el sur de Chile corre teóricamente la carretera panamericana. Va del frío al frío atravesando países de clima tropical y ecuatorial, con tramos andinos y grandes recorridos a lo largo del Océano Pacífico. Es más o menos ancha según los países, asfaltada por lo general, de mantenimiento difícil en muchas partes. Por ella transitan autobuses con aire acondicionado que circulan de día y de noche, por ejemplo en México, donde los llaman camiones, o vehículos más antiguos, con tres choferes y mecánicos a bordo, como en el Perú. En numerosos países se hará la distinción entre el pulmann, de velocidad y confort relativos y el bus, a secas, más pintoresco pero menos cómodo. Y los carros (automóviles) podrán ser de último modelo o muy viejos pero bien cuidados por sus dueños.

La Panaméricaine

De l'Alaska à la terre des Mapuches, au sud du Chili, s'étire, théoriquement, la route panaméricaine. Elle va du froid au froid en traversant des pays au climat tropical, voire équatorial, avec des tronçons andins et de longs parcours au bord de l'Océan Pacifique. Elle est plus ou moins large selon les pays, asphaltée en général, d'entretien difficile en bien des endroits. On y voit passer des autocars à air conditionné qui roulent jour et nuit, par exemple au Mexique, où on les appelle *camiones*, ou des véhicules plus anciens, avec trois chauffeurs et mécaniciens à bord, comme au Pérou. Dans de nombreux pays, il y aura une différence entre le « pullman », à la vitesse et au confort relatifs, et l'autobus tout court, plus pittoresque mais moins confortable. Quant aux voitures (automobiles), elles pourront être du dernier modèle ou très vieilles, mais bien entretenues par leurs propriétaires.

¿ Panamericana ?

La Panamericana lleva un nombre bastante inexacto. En efecto, no pasa por todos los países de América : no sólo se escapan los países isleños (Cuba, República Dominicana, Puerto Rico) sino que otros países continentales tampoco la ven : Venezuela, Bolivia, Paraguay, Uruguay, Argentina. Y sólo hablamos de los países de lengua española. La carretera así llamada entra en Hispanoamérica por Ciudad Juárez, atraviesa el norte desértico de México, pasa por León y Querétaro antes de subir a Ciudad de México, a 2.200 metros. Luego por Puebla, Oaxaca y el istmo de Tehuantepec, llega, en Ciudad Cuauhtémoc, a la frontera guatemalteca, en Santa Ana a la salvadoreña y, después de sólo 80 kilómetros en territorio hondureño, cruza por Nicaragua y su capital Managua. Sigue corriendo por Costa Rica y llega a Panamá donde se detiene. Vuelve a aparecer en Colombia y, rumbo al sur atraviesa el Ecuador, sube a Quito, se acerca al mar antes de entrar en el Perú, pasa por Lima, corre a lo largo del Pacífico, trepa a Arequipa y entra en Chile, que recorre, por Valparaíso y Santiago hasta Puerto Montt.

Panaméricaine ?

La Panaméricaine porte un nom assez inexact. En effet, elle ne passe pas par tous les pays d'Amérique : non seulement lui échappent les pays des îles (Cuba, République Dominicaine, Porto Rico) mais d'autres pays du continent ne la voient pas non plus : le Venezuela, la Bolivie, le Paraguay, l'Uruguay, l'Argentine. Et il ne s'agit là que des pays de langue espagnole. La route ainsi nommée entre en Amérique hispanique par Ciudad Juárez, traverse le nord désertique du Mexique, passe par León et Querétaro avant de monter à Mexico, à 2 200 mètres. Puis par Puebla, Oaxaca et l'isthme de Tehuantepec, elle arrive, à Ciudad Cuauhtémoc, à la frontière guatémaltèque, à Santa Ana, à celle d'El Salvador et, après seulement 80 kilomètres en territoire hondurien, elle traverse le Nicaragua et sa capitale, Managua. Elle continue sa course à travers le Costa Rica et parvient à Panamá, où elle s'arrête. Elle reparaît en Colombie et, en direction du sud, elle traverse l'Équateur, monte à Quito, s'approche de la mer avant d'entrer au Pérou, passe par Lima, longe le Pacifique, grimpe à Arequipa et pénètre au Chili, qu'elle parcourt, par Valparaiso et Santiago, jusqu'à Puerto Montt.

1. El camión, en México, puede ser un autocar turístico, a menudo muy confortable y con baño a bordo.
2. Al salir de Lima, los turistas suelen visitar las ruinas de Pachacamac, de origen incáico y bastante espectaculares.
3. Aunque lo queramos, no podremos llegar a tiempo a Arequipa.
4. Si tuviera tiempo, me gustaría conocer todo el continente.
5. En tierra fría, no hace tanto frío como lo dicen en la costa.
6. Quisiera que vieras la vegetación tropical con sus bejucos.
7. Cuando llegues, no dejes de avisarme por teléfono.
8. El carro está en esa bocacalle que ves allá.
9. Espéreme ahí sentado, que vengo dentro de un momentico.
10. ¿ A qué horas llegará a Pasto el bus que viene de Popayán ?
11. ¿ Habrá mucho mosquito en la selva amazónica ? — Bastante.
12. Para construir carreteras en tierra caliente, se necesita mucho trabajo, fuerza de voluntad y perseverancia:
13. En la selva, a un hombre se le rastrea por el olor.
14. No era llovizna lo que caía.

1. Le « camion », au Mexique, peut être un autocar de tourisme, souvent très confortable et pourvu de toilettes.
2. A la sortie de Lima, les touristes visitent généralement les ruines de Pachacamac, d'origine inca et assez spectaculaires.
3. Malgré notre désir, nous ne pourrons arriver à temps à Arequipa.
4. Si j'avais le temps, j'aimerais connaître tout le continent.
5. Dans les régions froides, il ne fait pas aussi froid qu'on le dit sur la côte.
6. Je voudrais que tu voies la végétation tropicale avec ses lianes.
7. Lorsque tu arriveras, ne manque pas de me prévenir par téléphone.
8. La voiture est à ce coin de rue que tu vois là-bas.
9. Attendez-moi là, assis, je reviens dans un instant.
10. A quelle heure risque d'arriver à Pasto l'autobus qui vient de Popayán ?
11. Est-ce qu'il risque d'y avoir beaucoup de moustiques dans la forêt amazonienne ? — Pas mal.
12. Pour construire des routes dans les régions chaudes, il faut beaucoup de travail, de force de volonté et de constance.
13. Dans la forêt, on suit un homme à la trace par son odeur.
14. Ce qui tombait, ce n'était pas du crachin.

la salida, le départ, la sortie, le débouché

poner peros *(littéralement)* « mettre des mais » : reprocher, trouver à redire

sino que *(en général)* mais *(lorsque la première partie de la phrase est négative. Ici, l'expression indique une restriction)* seulement

la autopista, l'autoroute

desilusionar, décevoir

lindo, a, joli

tropezar con, trébucher sur, se heurter à

ecuatorial, équatorial. *Ne pas confondre avec* **ecuatoriano,** équatorien *(de la République de l'Équateur)*

el mantenimiento, l'entretien

el tramo, le tronçon, la partie

la selva, la forêt vierge, la jungle

el bicho, la bête *(grosse ou petite)*

la piragua, la pirogue

la faja, la bande *(mais aussi)* la gaine *(vêtement)*

estrecho, a, étroit

Vocabulaire complémentaire

el autobús, el bús, el pullman, el autopullman, l'autobus, l'autocar

la buseta, el micro, le minibus

pensar, imaginar, creer, penser, imaginer, croire

decepcionar, defraudar, décevoir

bonito, a, joli

precioso, a, adorable, mignon

la limpieza, l'entretien *(nettoyage)*

el chubasco, l'averse

la conservación, l'entretien *(conservation)*

el trecho, l'intervalle, la partie

la carretera, la route

la ruta, l'itinéraire

costeño, a, de la côte *(habitants)*

el aguacero, l'averse

la canoa, le canoë

la vega, la plaine au pied de la montagne

aproximarse, acercarse, s'approcher

seguro, sûrement

angosto, a, étroit

A ■ **En vous inspirant de la leçon, remplacez les points de suspension par le mot ou l'expression convenables**

1. .... de Lima, tomaremos la Panamericana.
2. Dime, ¿ .... a este vestido tan bonito ?
3. No sólo es larga la carretera .... es muy difícil.
4. Si me ...., sería trágico y muy triste para mí.
5. Se echó a llover y cayó un .... tremendo.

B ■ **Traduire**

1. Pourrez-vous construire la route le long de la côte ? **2.** Dans certains pays tropicaux, l'entretien des chemins est très difficile. **3.** Si vous vouliez, Monsieur, nous passerions par Arequipa. **4.** Même si ce tronçon est étroit, nous le prendrons. **5.** En pirogue, le voyage doit être joli, n'est-ce pas ?

C ■ **Traducir**

1. En la selva, tropezamos a menudo con bichos raros.
2. Los ecuatorianos no siempre viven con clima ecuatorial.
3. Te estaré esperando en la estación de buses.
4. Sigue por ahí, que yo te alcanzo, pues camino rápido.

Corrigé

A ■ 1. *A la salida* de Lima, tomaremos la Panamericana.
2. Dime, ¿ *qué peros le pones* a este vestido tan bonito ?
3. No sólo es larga la carretera *sino que* es muy difícil.
4. Si me *desilusionaras,* sería trágico y muy triste para mí.
5. Se echó a llover y cayó un *chubasco* tremendo.

B ■ 1. ¿ Podrán construir la carretera a lo largo de la costa ?
2. En ciertos países tropicales, el mantenimiento de los caminos es muy difícil.
3. Si quisiera, Señor, pasaríamos por Arequipa.
4. Aunque sea estrecho este tramo, lo tomaremos.
5. En piragua, el viaje será bonito (lindo, precioso), ¿ no es cierto ?

C ■ **1.** Dans la forêt vierge, nous sommes souvent tombés sur de drôles de bêtes. **2.** Les Équatoriens ne vivent pas toujours sous un climat équatorial. **3.** Je t'attendrai à la gare des autobus. **4.** Continue par là, je vais te rattraper, car je marche vite.

(En la estación de Cuzco, poco antes de las siete de la mañana)

— ¡ Corramos ! Nos va a dejar el tren[1].
— ¡ No se preocupe ! Sobra tiempo[2] y tenemos asientos reservados.
— Ya estamos. Aquí vamos muy bien.

(Al fin de la mañana)

— ¡ Uf ! Ya llegamos. Y yo que creía que era cerquita[3].
— No, si hay como 110 kilómetros[4] entre Cuzco y esta estación. Y bajamos unos mil metros.
— Ahora estamos en el valle del Urubamba. Y luego, hay que volver a subir [5], ¿ no es cierto ?
— Sí, vamos a tomar un microbús. A menos que quiera[6] trepar por ese camino de herradura que se alcanza a ver[7]. ¿ Cómo le parece ?
— Ni hablar. Yo prefiero el micro.

(Comienza la visita de las ruinas)

— ¡ Qué imponente el sitio !
— Sí, ¡ delante de esos picachos ! ¡ Qué majestuoso !
— ¡ Y tan escondido y lejos de todo !
— Pues sí. No ve que los españoles ni tuvieron idea de que eso existía…
— Cierto. Fue un norteamericano, Hiram Bingham, quien descubrió este sitio[8] de Machu Picchu en 1911.
— Algunos dicen que fue refugio de los últimos soberanos incas.
— ¡ Seguro ! Mire la magnitud de las construcciones.
— Sí. Y los andenes[9] para el cultivo[10].
— Aquí está la Plaza Sagrada con la escalera megalítica.
— Dizque[11] hay un centenar de escaleras en Machu Picchu.
— Quizás. Pero ésta es la más impresionante : uno se imagina[12] la procesión de los nobles y de las Vírgenes del Sol…
— Y allá están las moradas de los Sacerdotes del Sol.
— ¡ Y el Templo semicircular !
— ¡ Cómo no ! Por debajo se halla un mausoleo[13].
— ¡ Ah sí ! Y un edificio que tal vez fue manufactura de chicha para el Inca.
— Y luego está la fuente[14] y un conjunto que fue probablemente residencia del soberano.
— ¡ Ay ! ¡ Qué dicha ver todo eso ! Parece un sueño…
— Sí. La excursión ha estado divina[15].

(A la gare de Cuzco, un peu avant sept heures du matin)

— Vite ! On va rater le train.

— Ne vous en faites pas ! Nous avons le temps et les places sont réservées.

— Nous y sommes. Ici, c'est très bien.

(A la fin de la matinée)

— Ouf ! Nous sommes arrivés. Moi qui croyais que c'était tout près.

— Non, il y a au moins cent dix kilomètres entre Cuzco et cette gare. Et c'est environ mille mètres plus bas.

— A présent, nous sommes dans la vallée de l'Urubamba. Et puis, il faut remonter, n'est-ce pas ?

— Oui, nous allons prendre un microbus. A moins que vous ne vouliez grimper par ce chemin muletier que l'on aperçoit. Qu'est-ce que vous en dites ?

— Pas question. Moi, je préfère le bus.

(La visite des ruines commence)

— Quel site imposant !

— Oui, devant ces pics ! C'est majestueux !

— Et si caché et loin de tout !

— Mais oui. Les Espagnols, voyez-vous, n'ont même pas eu l'idée que cela existait...

— C'est vrai. C'est un Nord-Américain, Hiram Bingham, qui a découvert ce site de Machu Picchu en 1911.

— Certains disent qu'il a servi de refuge aux derniers souverains incas.

— C'est sûr ! Voyez la grandeur des constructions.

— Oui. Et les terrasses pour la culture.

— Voici la Place Sacrée avec l'escalier mégalithique

— Il paraît qu'il y a une centaine d'escaliers à Machu Picchu.

— Peut-être. Mais celui-ci est le plus impressionnant : on imagine la procession des nobles et des Vierges du Soleil...

— Et là-bas se trouvent les demeures des Prêtres du Soleil.

— Et le Temple en demi-cercle !

— Mais oui ! En dessous se trouve un mausolée.

— Ah oui ! Et un bâtiment qui servait peut-être à fabriquer la *chicha* pour l'Inca.

— Et puis il y a la fontaine et un ensemble qui était probablement la résidence du souverain.

— Ah ! Quel bonheur de voir tout cela ! On dirait un rêve...

— Oui. L'excursion a été merveilleuse.

1. **Nos va a dejar el tren,** m. à m. *le train va nous laisser, nous allons rater le train,* aussi : **vamos a perder el tren.**
2. **Sobra tiempo** (m. à m. *il reste du temps*), *nous avons largement le* (suffisamment de) *temps. Sobrar, rester* (être en trop). *Sobra decir, il va sans .dire. Las sobras, les restes.*
3. **cerquita (**de **cerca),** *tout près.* Diminutifs, voir VIII—3, 3 ; IX—3, 5.
4. **hay como 110 kilómetros,** *il y a environ* (à peu près) *110 km.* Équivalent de : **hay unos 110 kms.**
5. **volver a subir,** *remonter, monter à nouveau. Volver a hacer* ou *hacer de nuevo* ou *otra vez, refaire,* idée de répétition : *vuelvo a empezar, je recommence. Volveré a hacer* (*haré de nuevo, otra vez*) el mismo viaje, *je referai le même voyage.* Quelques rares exceptions dont : **replantar, reeditar, reproducir, revivir...**
6. **A menos que quiera** ou **a no ser que quiera,** *à moins que vous ne vouliez...*
7. **que se alcanza a ver,** m. à m. *qu'on arrive à voir, l'on aperçoit.* Aussi **que se divisa :** *divisar, apercevoir ; dividir, diviser...*
8. **Fue un norteamericano quien descubrió este sitio,** *c'est un Nord-Américain qui a découvert ce site.* Traduction de *c'est... qui,* voir XIII—3, 9.
9. **los andenes,** en Amérique latine, *les terrasses* (pour les cultures en terrasses). Aussi : *los andenes* de la estación, *les quais de la gare.*
10. **el cultivo,** *la culture. El cultivo* de la caña de azúcar, *la culture de la canne à sucre.* Mais : *la cultura* de estos pueblos, *la culture de ces peuples.* **Tierras** *cultivadas, des terres cultivées.* **un hombre** *culto, un homme cultivé.*
11. **Dizque,** américanisme pour *dicen* que, *on dit.*
12. **uno se imagina,** *on s'imagine.* Traduction de *on :* voir X—3, 10 et XXX—3, 4.
13. **se halla un mausoleo,** *se trouve un mausolée. Hallar :* **encontrar,** *trouver.*
14. **Y luego está la fuente,** *et puis il y a (se trouve) la fontaine... Está* correspond souvent à *il y a* (**hay**) dans une idée de localisation et d'énumération.
15. **La excursión ha estado divina,** *l'excursion a été merveilleuse.* Mais **el sitio es** divino, *le site est merveilleux.* ÊTRE + adjectif : voir leçons précédentes et en particulier II—3, 3 et XIX—3, 3.

el tambo, *gîte d'étape, auberge*
el ayllu, la comunidad, *la communauté quechua*
el keru, gobelet en bois
la chullpa, la tour
los quipus, système de calcul et de lecture au moyen de nœuds de couleur différente
el chasqui, *courrier, messager*
el amauta, *le sage, le maître*
la vizcacha, *la vizcache* (rongeur proche du lièvre)
el cuy, *le cobaye*
el yanacona, 1) Indien destiné au service (époque coloniale) ; 2) Indien du Haut-Pérou venant travailler la terre dans les fermes de la côte péruvienne
la totora, *roseau,* jute du lac Titicaca
el soroche, *mal des montagnes*   **la llama,** le lama
la puna, *les hauts plateaux*   **las ojotas,** *les sandales*

¿ Inca o Quechua ?

Se llaman quechuas los habitantes del imperio que ocupa gran parte del continente sudamericano (del sur de Colombia al norte de Argentina) y cuya capital es Cuzco, u Ombligo del Mundo, a la llegada de los españoles. El Inca es el soberano. Los conquistadores españoles utilizaron la palabra inca para designar a los habitantes del Perú precolombino y ese uso se difundió por Europa. En Cuzco, llamada hoy día Capital arqueológica de América, hay calles en las que la base de las casas es de origen incáico y la parte alta de construcción española. Cerca de Cuzco se suele visitar la impresionante fortaleza de Sacsayhuamán.

Inca ou Quechua ?

On appelle Quechuas les habitants de l'empire qui s'étend sur une grande partie du continent sud-américain (du sud de la Colombie au nord de l'Argentine) et dont la capitale est Cuzco, ou Nombril du Monde, lors de l'arrivée des Espagnols. L'Inca est le souverain. Les conquérants espagnols ont utilisé le mot « inca » pour désigner les habitants du Pérou précolombien et cet usage s'est répandu en Europe. A Cuzco, appelée aujourd'hui Capitale Archéologique de l'Amérique, il y a des rues où la base des maisons est d'origine incaïque et la partie haute de construction espagnole. Près de Cuzco, on visite l'impressionnante forteresse de Sacsayhuamán.

Ollantay, una tragedia inca

La leyenda inca de Ollantay, el Titán de los Andes, ha sido convertida en tragedia por el escritor argentino Ricardo Rojas y representada en 1938. Así presenta su obra el autor : « Ollantay, héroe de los Andes, el runa, hijo de la Tierra, se enamora de Coyllur, la ñusta, hija del Sol, puesto que es hija del Inca ; pero no puede hacerla su esposa, porque él no es de sangre solar. Cuando el padre se la niega y la enclaustra en la Casa de las Vírgenes para sustraerla a la audacia del pretendiente, éste la rapta, violando el recinto sagrado de la Acllauhasi. Ollantay la lleva consigo a Ollantaytambo, su baluarte en la montaña, donde es rescatada por las tropas del Inca y preso el raptor. Finalmente Ollantay es condenado a muerte en el Cuzco por su crímen sacrílego y la princesa es desterrada del Imperio, por haber sido infiel a sus dioses domésticos. (...) El nombre de Ollantay, ya incorporado al acervo espiritual de nuestra América, ha subsistido en el toponímico de Ollantaytambo, ruinas ciclópeas del Perú, hoy visitadas por los turistas. »

Ollantay, une tragédie inca

La légende inca d'Ollantay, le titan des Andes, a été transformée en tragédie par l'écrivain argentin Ricardo Rojas et jouée en 1938. C'est ainsi que l'auteur présente son œuvre : « Ollantay, héros des Andes, l'homme, le fils de la Terre, s'éprend de Coyllur, la « ñusta », fille du Soleil, puisqu'elle est fille de l'Inca ; mais il ne peut l'épouser, car il n'est pas de sang solaire. Lorsque le père la lui refuse et la cloître dans la Maison des Vierges afin de la soustraire à l'audace du prétendant, celui-ci l'enlève en violant l'enceinte sacrée de l'Acllauhasi (Cloître des Élues). Ollantay l'emmène avec lui à Ollantaytambo, son bastion dans la montagne, où elle est reprise par les troupes de l'Inca ; le ravisseur est fait prisonnier. Finalement Ollantay est condamné à mort à Cuzco pour son crime sacrilège et la princesse est exilée hors de l'Empire pour avoir été infidèle aux dieux de sa maison. (...) Le nom d'Ollantay, déjà intégré au patrimoine spirituel de notre Amérique, a subsisté dans le toponyme d'Ollantaytambo, ruines cyclopéennes du Pérou, visitées de nos jours par les touristes. »

1. El Hijo del Sol va recorriendo su vasto imperio.
2. Los antiguos peruanos fabricaban balsas con totora.
3. La llama es un animal que vive en el altiplano.
4. Al turista y al peruano de la costa les da soroche cuando suben a la puna.
5. Aunque no tenían alfabeto propiamente dicho, los antiguos peruanos podían comunicar por medio de los quipus.
6. Cuando quieras, te sirvo un cuy asado.
7. Los amautas le pidieron al Inca que fuera justo.
8. Fíjate en esos cerros y verás una roca que tiene las formas de una mujer con collar y turbante.
9. ¿ Por qué te quitas las ojotas ? — Porque quiero caminar descalzo por el pasto.
10. Para edificar esa fortaleza, se necesitaría mucho trabajo, ¿ no es cierto ? — Claro que sí.
11. La princesa le rogó a su hermano que no la encerrara.
12. Llegada la hora, salió el chasqui para Cuzco.
13. ¿ Ya llegó la comitiva ? — Todavía no ha llegado.

1. Le Fils du Soleil parcourt peu à peu son vaste empire.
2. Les anciens Péruviens fabriquaient des radeaux avec des roseaux appelés « totora ».
3. Le lama est un animal qui vit sur les hauts plateaux.
4. Le touriste et le Péruvien de la côte ont le mal des montagnes lorsqu'ils montent sur les plateaux andins.
5. Tout en n'ayant pas d'alphabet proprement dit, les anciens péruviens pouvaient communiquer au moyen des « quipus ».
6. Quand tu voudras, je te ferai rôtir un cochon d'Inde.
7. Les sages demandèrent à l'Inca d'être juste.
8. Regarde bien ces pics et tu verras un rocher qui a l'allure d'une femme parée d'un collier et coiffée d'un turban.
9. Pourquoi enlèves-tu tes sandales ? — Parce que je veux marcher pieds nus sur l'herbe.
10. Pour construire cette forteresse, il a fallu certainement beaucoup de travail, n'est-ce pas ? — Évidemment.
11. La princesse pria son frère de ne pas l'enfermer.
12. L'heure venue, le courrier partit pour Cuzco.
13. Le cortège est-il arrivé ? — Il n'est pas encore arrivé.

correr, courir, couler
dejar, laisser
dejar de, cesser de
dejarse, se laisser faire, se laisser aller
preocuparse, se soucier de, s'en faire
sobrar, avoir de reste, avoir de trop
el asiento, la place, le siège
cerquita, *diminutif de* **cerca** (près), tout près, très près
bajar, descendre
luego, ensuite, plus tard
trepar, grimper
el camino, le chemin
la herradura, le fer à cheval
el camino de herradura, le chemin muletier
alcanzar, atteindre, arriver à, parvenir à, rattraper
¿ cómo le parece ? qu'est-ce que vous en pensez ? (*littéralement,* que vous en semble ?)
ni hablar, pas question, n'en parlons pas
preferir, préférer
imponente, imposant, majestueux

el sitio, l'endroit, le lieu, le site
el picacho, le pic
escondido, caché
lejos, loin
el soberano, le souverain
la magnitud, la grandeur, l'importance
el andén, le quai (*chemin de fer),* la terrasse (*culture)*
aquí está, voici
el cultivo, la culture (*agricole)*
la escalera, l'escalier, l'échelle
dizque, on dit que, il paraît que
quizás, peut-être
la virgen, la vierge
la morada, la demeure
¡ cómo no ! bien sûr que si
la chicha, boisson alcoolisée à base de maïs
la fuente, la source, la fontaine
el conjunto, l'ensemble
la dicha, le bonheur
divino, a, divin, extraordinaire, merveilleux

A ■ Traducir
1. Si pudiera trepar por el camino de herradura, lo haría yo.
2. ¿ Cómo te pareció el sitio, imponente, ¿ no ?
3. Ojos que no ven, corazón que no siente, dice el refrán.
4. Ya vamos llegando a las moradas de los sacerdotes del Sol.
5. Cuando vuelvas a Europa, vas a tener mucho que contar.

B ■ Traduire
1. C'est là que nous avons laissé les chevaux. **2.** Nous serons obligés de partir à quatre heures, à moins que vous ne vouliez, Mesdames, passer la nuit ici. **3.** Si tu préférais ne pas venir, il fallait le dire. **4.** Ne t'inquiète pas, c'est tout près, nous y sommes. **5.** Peut-être a-t-il bu de la « chicha » pour chercher le bonheur ?

C ■ Remplacer les points de suspension par le mot ou l'expression appropriés
1. Si no corres . . . . . el autobús.
2. . . . . . los españoles quienes conquistaron el Nuevo Mundo.
3. ¿ Quieres irte sin visitar el mausoleo ? — . . . . .

Corrigé

A ■ 1. Si je pouvais grimper par le chemin muletier, je le ferais. **2.** Comment as-tu trouvé le site, imposant, n'est-ce pas ? **3.** Loin des yeux, loin du cœur, dit le proverbe. (Littéralement : Yeux qui ne voient pas, cœur qui ne sent pas.) **4.** Nous arrivons bientôt aux demeures des prêtres du Soleil. **5.** Lorsque tu retourneras en Europe, tu vas avoir beaucoup de choses à raconter.

B ■ 1. Fue allí donde dejamos los caballos.
2. Tendremos que salir a las cuatro a menos que quieran, Señoras, pasar la noche aquí.
3. Si preferías no venir, debías haberlo dicho.
4. No te preocupes, es cerquita, ya estamos.
5. ¿ Quizás haya bebido chicha para buscar la dicha ?

C ■ 1. Si no corres *te deja* el autobús.
2. *Fueron* los españoles quienes conquistaron el Nuevo Mundo.
3. ¿ Quieres irte sin visitar el mausoleo ? — *Ni hablar.*

(A la salida de un hotel turístico)

— Y hoy, ¿ qué vamos a hacer ?

— Pues hoy, lo mejor será caminar[1] por la ciudad.

— ¿ Luego es posible ?

— ¿ Y por qué no ?

— Es que cuentan tanto que los gamines le arrancan la cartera a las señoras...

— Sí, y que se lo roban a uno hasta los anteojos[2]... Ya sé la fama que tiene Bogotá. Pero es como en todo. Hay cierta exageración.

— ¿ De veras ?

— Claro que no hay que pasearse con una cantidad de joyas ni dejar una maleta en el suelo y ponerse a conversar[3].

— Entonces mejor sería circular[1] en carro[4].

— Para largas distancias sí, ya que la ciudad se extiende mucho, de norte a sur,[5] al pie de los cerros. Pero para conocer el centro antiguo[5], mejor a pie.

— ¿ Así que no es tan fiero el león como lo pintan[6] ?

— Pues no. Basta tener cuidado con sus pertenencias.

(Unos minutos más tarde)

— Ya llegamos a la Plaza de Bolívar, con el Capitolio, la Catedral y el Sagrario.

— ¿ El Sagrario ?

— Es una capilla que solía construirse[7] al lado de la catedral : lo mismo sucede en Ciudad de México, por ejemplo.

— Sigamos por aquí. Así podrá ver el Barrio de la Candelaria : es muy santafereño[8], con casas antiguas, patios y museos.

— ¡ Qué curioso ! Tan cerca de los rascacielos...

— Sí. En Bogotá hay de todo : quintas[9] de lujo, edificios altísimos con apartamentos[10] u oficinas...

— ¿ Y no me va a decir que no hay tugurios[11] ?

— Claro que los hay como en todas las grandes capitales. La gente del campo se viene a la ciudad y...

— ¡ Ah ! ¿ Lo del éxodo rural[12] ?

— Eso. Pero caminemos[13] ahora hacia el Museo del Oro para que vea las alhajas fabricadas por los chibchas.

— Hombre, ¡ qué bien ! Ese museo es muy famoso.

(A la sortie d'un hôtel de tourisme)
— Et aujourd'hui, qu'est-ce que nous allons faire ?
— Eh bien, aujourd'hui, le mieux ce sera de marcher dans la ville.
— C'est donc possible ?
— Et pourquoi pas ?
— C'est qu'on raconte tellement que les gamins arrachent leur sac aux dames...
— Oui et qu'on vous vole même les lunettes... Je connais bien la renommée de Bogota. Mais c'est comme pour tout. Il y a un peu d'exagération.
— Vraiment ?
— Évidemment, il ne faut pas se promener avec une quantité de bijoux ; ni laisser une valise par terre et se mettre à bavarder.
— Alors il vaudrait mieux circuler en voiture.
— Sur de longues distances, certainement, car la ville s'étend beaucoup, du nord au sud, au pied des montagnes. Mais pour connaître la partie ancienne, il vaut mieux aller à pied.
— Si bien que ce n'est pas si terrible que ça ?
— Eh non ! Il suffit de faire attention à ses affaires.

(Quelques minutes plus tard)
— Nous voici arrivés Place Bolivar, avec le Capitole, la Cathédrale et le « Sagrario ».
— Le « Sagrario » ?
— C'est une chapelle que l'on construisait généralement à côté de la cathédrale : il en est de même à Mexico, par exemple.
— Continuons par ici. Comme ça vous pourrez voir le quartier de la Candelaria : il est très typique de Bogota, avec des maisons anciennes, des cours intérieures et des musées.
— Comme c'est curieux ! Si près des gratte-ciel...
— Oui. A Bogota, il y a de tout : des villas luxueuses, des tours très hautes avec des appartements ou des bureaux...
— Et vous n'allez pas me dire qu'il n'y a pas de taudis ?
— Bien sûr qu'il y en a, comme dans toutes les grandes capitales. Les paysans viennent à la ville et...
— Ah ! Le problème de l'exode rural ?
— Exactement. Mais marchons à présent vers le Musée de l'Or pour que vous voyiez les joyaux fabriqués par les Chibchas.
— Oh ! C'est très bien. Ce musée est très célèbre.

1. **lo mejor será caminar,** *le mieux ce sera de marcher...*
   Mejor sería circular, le mieux serait de circuler en voiture
   (il vaudrait mieux...). On construit donc sans préposition
   un infinitif (**caminar, circular**), sujet ou complément d'objet direct. **Lo peor es hacer turismo con este calor,** *le pire
   c'est de faire du tourisme avec cette chaleur.* Cf.
   XXIII−3, 4.

2. **que le roban a uno hasta los anteojos (las gafas),** *et
   qu'on vous vole même les lunettes.* ON, vous : **uno,** voir
   XI−3, 10, XXX−3, 4.

3. **conversar** ou **charlar,** *bavarder.*

4. **el carro** (en Amérique), *la voiture,* **el coche.**

5. **el centro antiguo,** *la partie ancienne* (de la ville). **El
   casco** antiguo, *la vieille ville.*

6. **no es tan fiero el león como lo pintan,** m. à m. *le lion
   n'est pas aussi féroce qu'on le dit.* Très usuel pour : *ce
   n'est pas si terrible que ça.*

7. **que solía construirse,** *que l'on construisait généralement. Soler* + infinitif, voir XXVIII−3, 8.

8. **es muy santafereño** (de **Santa Fé**), *c'est très typique de
   Santa Fé de Bogotá* (capitale de la Colombie)

9. **la quinta, el chalet, la torre** (en Catalogne), *la villa.*

10. **los apartamentos,** *appartements :* en Espagne. *El piso,
    apartamento* correspond souvent à : *studio.*

11. **tugurios,** *taudis, bidonvilles,* à Bogota ; **chabolas** à Ma-
    drid, à Barcelone... Voir aussi vocabulaire complémen-
    taire.

12. **Lo del éxodo rural,** *le problème* (la question) *de l'exode
    rural. Lo de* + substantif ou infinitif : *la question de... le
    sujet de... Lo de* **las relaciones entre indio y blanco,** *le
    problème des rapports entre Indien et Blanc.* Aspects du
    neutre LO, voir I−3, 12 ; XIII−3, 6 ; XXI−3, 4 ; XXVI−3,
    5.

13. **caminemos** (impératif de *caminar*), *marchons,* variante :
    andar. A pie ou *andando,* à *pied. Fui andando hasta el
    museo, je suis allé jusqu'au musée à pied.*

ahorita, ahoritica, *tout de suite*
los chagualos, *les « godasses »*
el almorzadero, *petite auberge*
bahareque, cloison faite de roseaux et de boue séchée
el bolate, *la pagaille*   **pendejo,** *« poire »*
dar para cacao, *causer des*   **pedir cacao,** *demander grâce*
ennuis
la cachetada, *la gifle*
los cachumbos, *les boucles* (cheveux)
el caimacán, persona importante, *le ponte*
caramelear, différer la conclusion d'une affaire
el cupo, *la place* (hôtels, transports)

Bogotá

La capital de Colombia lleva su nombre en recuerdo de una diosa chibcha, Bacatá. Hasta fines del siglo XIX se llamó Santa Fé de Bogotá, nombre que tenía desde su fundación, en 1538, por Gonzalo Jiménez de Quesada, uno de los posibles modelos, según algunos, de Don Quijote de la Mancha. Se extiende en la sabana del mismo nombre, al pie de los cerros de Monserrate y de Guadalupe y está a 2.640 metros de altura. Desde Monserrate, casi a 3.000 metros, se puede ver una panorámica de la ciudad, más extensa de norte a sur que de este a oeste, por la presencia de la montaña. Desde luego, las calles del casco antiguo son empinadas y, en pleno centro, se siente el aire que baja de las cumbres.

Bogota

La capitale de la Colombie tire son nom du souvenir d'une déesse chibcha, Bacata. Jusqu'à la fin du XIXᵉ siècle, elle s'est appelée Santa Fé de Bogota, nom qu'elle portait depuis sa fondation, en 1538, par Gonzalo Jiménez de Quesada, un des modèles possibles, d'après certains, de Don Quichotte de la Manche. Elle s'étend sur le plateau du même nom, au pied des pics de Monserrate et de Guadalupe, et se trouve à 2 640 mètres d'altitude. De Monserrate, presque à 3 000 mètres, on peut voir le panorama de la ville, plus étendue du nord au sud que de l'est à l'ouest, par suite de la présence de la montagne. D'ailleurs, les rues de la vieille ville sont pentues et, en plein centre, on sent l'air qui descend des sommets.

Zipaquirá y su catedral de sal

A unos cincuenta kilómetros de Bogotá se halla una antigua
y pequeña ciudad, Zipaquirá. Su nombre viene del de los jefes
chibchas, los zipas. Conserva su fisonomía colonial con sus
calles angostas y rectas, su catedral en la plaza central y sus
casas con sus balcones de madera. Fuera de este atractivo,
tiene el de su gran salina, pues Zipaquirá está edificada al pie
de un cerro de sal. Este parece inagotable pues se viene
explotando desde la época precolombina. Los socavones, en
cuatro niveles, tienen unos doce kilómetros de largo. La explo-
tación se planeó de tal modo que se pudiera formar dentro de
la mina una catedral de sal, que se inauguró en 1954. En ella
caben quince mil personas. Tiene cuatro naves de 120 metros
de longitud y 74 de altura y está sostenida por catorce columnas de sal. Se puede llegar en automóvil hasta la catedral por
un camino subterráneo excavado en la montaña de sal. El sitio
es impresionante por su majestad y su carácter colosal e insó-
lito. La iluminación indirecta crea un ambiente particular en
esta basílica, « una de las maravillas del mundo católico ».

Zipaquira et sa cathédrale de sel

A environ cinquante kilomètres de Bogota se trouve une
petite ville ancienne, Zipaquira. Son nom vient de celui des
chefs chibchas, les zipas. Elle garde son allure coloniale avec
ses rues étroites et droites, sa cathédrale sur la place centrale et
ses maisons aux balcons en bois. Outre cet attrait, elle a celui
de sa grande mine de sel, car Zipaquira est bâtie au pied d'une
colline de sel. Celle-ci paraît inépuisable puisqu'elle est exploi-
tée depuis l'époque précolombienne. Les galeries, sur quatre
niveaux, ont environ douze kilomètres de long. L'exploitation a
été conçue de manière à pouvoir créer à l'intérieur de la mine
une cathédrale de sel, qui a été inaugurée en 1954. Quinze
mille personnes y tiennent. Elle a quatre nefs de 120 mètres de
longueur et 74 de hauteur et elle est soutenue par quatorze
colonnes de sel. On peut parvenir en auto à la cathédrale par
un chemin souterrain creusé dans la montagne de sel. L'endroit
est impressionnant par sa majesté et son caractère insolite.
L'éclairage indirect crée une atmosphère particulière dans
cette basilique, « une des merveilles du monde catholique ».

1. En Cartagena, Colombia, existe un monumento a los zapatos viejos, recuerdo de un poema de Luis Carlos López.
2. Nos detendremos en el almorzadero y nos comeremos un cabrito.
3. No sea pendejo, véngase con nosotros a bailar.
4. Aquí se va a armar un bolate, de esos de a cañón.
5. No siga zumbando, joven, más bien ayúdeme a cargar eso.
6. ¿ Tú crees que va a haber cupo en el Hotel Tequendama ?
7. Esa madre desalmada le dio una cachetada a esa pobre criaturita.
8. Desde hace tres días no hay para el mercado.
9. El hecho de ser campeón no lo dejó dormir.
10. Se despertó antes de las cinco de la mañana, salió y se sentó sobre una caneca de basura.
11. Vas a tener que pedir cacao porque ése es un caimacán.
12. Mientras no lleguen los caballos, no podemos salir.
13. ¿ Ya irá a llegar el bus ? — No creo que se demore mucho, ahoritica llega.

1. A Cartagena, Colombie, il existe un monument aux vieilles chaussures, en souvenir d'un poème de Luis Carlos López.
2. Nous nous arrêterons à l'auberge et nous mangerons du chevreau.
3. Ne sois pas idiot, viens danser avec nous.
4. Ici, il va y avoir une pagaille du tonnerre.
5. Arrête de m'embêter, mon garçon, viens plutôt m'aider à charger ça.
6. Tu crois qu'il va y avoir de la place à l'Hôtel Tequendama ?
7. Cette mère sans cœur a donné une gifle à ce pauvre petit gamin.
8. Depuis trois jours, il n'y a pas d'argent pour faire le marché.
9. Le fait d'être champion l'empêcha de dormir.
10. Il se réveilla presque à cinq heures du matin, sortit et s'assit sur une poubelle.
11. Il va falloir que tu t'écrases parce que ce type est un ponte.
12. Tant que les chevaux ne seront pas là, nous ne pourrons pas partir.
13. Est-ce que l'autobus va bientôt arriver ? — Je ne crois pas qu'il tarde beaucoup, il arrive tout de suite.

caminar, marcher, cheminer

la ciudad, la ville, la cité

contar, conter, raconter, compter

el gamín, le gamin des rues *(Colombie)*

arrancar, arracher, démarrer

la cartera, la serviette, le sac à main *(Colombie)*

robar, voler, dérober

los anteojos, les lunettes

la fama, la renommée

¿ de veras ? vraiment

claro, évidemment, bien sûr

pasear(se), se promener

las joyas, les bijoux, les joyaux

la maleta, la valise

el carro, la voiture *(Amérique hispanique)*

el cerro, le pic, le mont, la colline

fiero, farouche, féroce

tener cuidado, faire attention

las pertenencias, ce qui vous appartient, vos affaires

la capilla, la chapelle

suceder, arriver, se produire

el barrio, le quartier

la Candelaria, la Chandeleur

santafereño, de Santa Fé de Bogota

antiguo, ancien, antique

el patio, la cour (d'une maison)

el rascacielos, le gratte-ciel

la quinta, la villa

el lujo, le luxe

el edificio, le bâtiment, l'immeuble

alto, a, haut, grand *(pour les personnes)*

la oficina, le bureau

los tugurios, les taudis

el campo, la campagne, le champ, le domaine (au sens figuré)

las alhajas, les bijoux

los chibchas, les Chibchas, *habitants précolombiens du plateau de Bogota et de la région de Boyacá*

hombre *(en tant qu'exclamation),* voyons ! oh ! allons !

pintar, peindre

el ejemplo, l'exemple

A ■ Traducir

1. Mientras más me paseo por el centro, más me divierto.
2. ¿ Quieres subir a Monserrate ? — Con mucho gusto.
3. El carro está parado en la esquina de la carrera sexta con la calle 10.
4. Cuando pase el bus, suba rápido pues no se detiene mucho.
5. ¡ Qué curioso ese rascacielos tan cerca de la iglesita !

B ■ Traduire

1. Ce n'est pas si terrible qu'on le dit. **2.** La Villa de Bolivar est un des monuments à visiter à Bogota. **3.** Chez les Chibchas, les bijoux en or n'étaient pas rares. **4.** Tiens ! Quelle surprise ! Toi aussi tu es là ! **5.** Dans quelques minutes, vous allez atterrir à l'aéroport d'Eldorado.

C ■ Remplacer les points de suspension par le mot approprié

1. ..... se trabaja, ... se vive.
2. ..... de la Candelaria ..... en el centro de Bogotá.
3. ..... señora miope no ..... sin .....
4. ..... ¡ Qué contraste entre ..... de las quintas y los .....

Corrigé

A ■ 1. Plus je me promène dans le centre, plus je m'amuse. **2.** Tu veux monter à Monserrate ? — Bien volontiers. **3.** La voiture est arrêtée au coin de la sixième avenue et de la dixième rue. **4.** Lorsque l'autobus passera, montez rapidement, car il ne s'arrête pas longtemps. **5.** C'est curieux, ce gratte-ciel, si près de la petite église !

B ■ 1. No es tan fiero el león como lo pintan.
2. La Quinta de Bolívar es uno de los monumentos que hay que visitar en Bogotá.
3. Entre los chibchas, no escaseaban las alhajas de oro.
4. ¡ Hombre ! ¡ Qué sorpresa ! ¡ Tú también estás aquí !
5. Dentro de unos minutos, van a aterrizar en el aeropuerto de Eldorado.

B ■ 1. *En las oficinas* se trabaja, *en los apartamentos* se vive.
2. *El barrio* de la Candelaria *está* en el centro de Bogotá.
3. *Esta* señora miope no *ve* sin *anteojos.*
4. ¡ Qué contraste entre *el lujo* de las quintas y los *tugurios.*

(Por la mañana, en un camión con aire acondicionado)
— Ya estamos saliendo[1] del Distrito Federal.
— No, compadre[2], ni siquiera de Ciudad de México. La capital azteca es muy extensa y agrupa, por ahora, unos catorce millones de habitantes.

(Una hora después, en Cuernavaca, al bajar del camión[3])
— Yo me voy a pelar el saco[4] : está haciendo más calor que en Ciudad de México.
— Claro... Es que vamos bajando : aquí veranean los habitantes de la capital.
— ¿ Y también haremos una parada[5] en Taxco ?
— Seguro que sí. No sólo la ciudad es preciosa por su arquitectura colonial y sus callejuelas, sino que hay muchos objetos[6] de plata que comprar.

(Por la tarde)
— ¡ Qué cantidad de curvas !
— Ya no más salimos[7] de la Sierra Madre del Sur. Dentro de poco[8] se va a ver un panorama deslumbrante.
— ¡ Uy ! Ya llega lo que Vd dice ; la bahía de Acapulco : palmeras, cocoteros y... rascacielos.
— Cierto es que Acapulco es algo muy moderno, muy al estilo del coloso del norte.
— Claro que si Vd quiere ver playas casi desiertas, tiene que viajar hasta Zihuatanejo... Y eso[9]...

(Al otro día)
— ¡ Qué bonito este hotel ! Siempre es que lo moderno ayuda...
— Con el calorcito que hace, la climatización es un alivio[10].
— Y luego, la alberca[11], en medio de bugambilias y magueyes...

(Más tarde, en la playa)
— ¡ Nos echamos un baño, a ver si nos refrescamos[12] ?
— ¡ Qué va ![13] Si el agua está más que tibia, calientica.
— ¡ Ay ! ¡ Qué sabroso ! Esto parece de cuento[14]...
— ¿ A qué horas vamos a ver los tan mentados clavadores[15] ?
— Al atardecer, comiéndonos unos tacos y bebiendo tequila.

(Le matin, dans un autocar à air conditionné)
— Nous sommes sur le point de quitter Mexico D.F.
— Non, mon vieux. Même pas Mexico. La capitale aztèque s'étend très loin et rassemble, pour le moment, environ quatorze millions d'habitants.

(Une heure après, à Cuernavaca, à la descente de l'autocar)
— Je vais tomber la veste : il fait plus chaud qu'à Mexico.
— Évidemment... Nous descendons : c'est ici que les habitants de la capitale passent leurs vacances.
— Et nous nous arrêterons aussi à Taxco ?
— Bien sûr. Non seulement la ville est ravissante avec son architecture de l'époque coloniale et ses ruelles, mais on peut aussi acheter beaucoup d'objets en argent.

(L'après-midi)
— Que de virages !
— On va bientôt quitter la Sierra Madre du Sud. Bientôt, le panorama va être éblouissant.
— Oh ! là ! là ! Ce que vous disiez apparaît ; la baie d'Acapulco : palmiers, cocotiers et... gratte-ciel.
— C'est vrai qu'Acapulco c'est quelque chose de très moderne, tout à fait dans le goût du colosse du nord.
— Ah ! Bien sûr ! Si vous voulez voir des plages presque désertes, il faudra que vous alliez jusqu'à Zihuatanejo... Et encore...

(Le lendemain)
— Qu'il est joli, cet hôtel ! Le moderne, c'est quand même bien...
— Avec la chaleur qu'il fait, la climatisation, ça soulage.
— Et puis, la piscine, au milieu des bougainvillées et des agaves...

(Plus tard, à la plage)
— On prend un bain, pour voir si on se rafraîchit ?
— C'est à voir ! L'eau est plus que tiède, elle est presque chaude.
— Ah ! Que c'est agréable ! Ça n'a pas l'air vrai...
— A quelle heure allons-nous voir les fameux plongeurs ?
— Au crépuscule, en prenant de la tequila, accompagné de « tacos ».

1. **Ya estamos saliendo,** m. à m. *nous sommes déjà en train de sortir, nous quittons, nous sortons de.* **Estar** + gérondif, voir VIII—3, 9, XI—3, 1.

2. **compadre,** m. à m. *compère,* courant en Amérique latine pour *mon vieux, mon ami.*

3. **al bajar del camión,** (*autocar* en Espagne), *en descendant de l'autocar.* **Al** + infinitif, voir IV—3, 7. Variante de *descendre* (d'un véhicule) : *apearse.*

4. **pelar el saco** (familier) = « *tomber la veste* » : *el saco, la veste.* En Espagne : *la chaqueta.*

5. **haremos una parada,** m. à m. *nous ferons un arrêt, nous ferons une halte, nous nous arrêterons.*

6. **No sólo la ciudad es preciosa... sino que hay muchos objetos,** *non seulement la ville est ravissante... mais il y a aussi.* **No sólo... sino que :** on emploie *sino que* au lieu de *sino* s'il y a opposition entre deux verbes : *No sólo me interesa* la civilización azteca *sino que quiero* estudiarla a fondo, *non seulement la civilisation aztèque m'intéresse mais je veux l'étudier à fond. Sino* a aussi le sens du français : *sinon, sauf.*

7. **Ya no más,** américanisme pour : *enseguida, pronto, tout de suite, bientôt.*

8. **Dentro de poco,** *sous peu, dans peu de temps. Dentro de una hora, dans une heure. Dentro, à l'intérieur, dedans.*

9. **Y eso,** m. à m. *et ça, et encore, et même.*

10. **es un alivio,** *c'est un soulagement, ça soulage, fait du bien. Aliviar, soulager.*

11. **la alberca,** *la piscine* ou en Espagne : *l'étang, la réserve d'eau.*

12. **Nos echamos... nos refrescamos,** *on prend... on se rafraîchit... ON:* NOUS 1re personne du pluriel en espagnol : ¿ *Vamos* a la playa ? *On va (nous allons) à la plage ?*

13. **¡ Qué va !,** très usuel pour : *mais non !*

14. **... parece de cuento,** m. à m. *semble être, faire partie, d'un conte de fées...* ou **de película** (film), *ça n'a pas l'air vrai.*

15. **los mentados clavadores,** *les fameux plongeurs. Mentados :* famosos, célèbres, de **mentar,** *mentionner, nommer.*

la tortilla, crêpe de maïs tenant lieu de pain
el nopal, *le figuier de Barbarie*
la tuna, variété de figue de Barbarie
la pita, *agave, fibre d'agave*
el jaibol, grand verre rond à pied
el tiangui, *le marché en plein air*
el mecapal, lanière de cuir qui, mise sur le front, sert à
    soutenir une charge portée dans le dos
el metate, pierre servant à broyer le maïs à la main
el petate, *la natte* (sorte de lit)
el huacal, *récipient*
el atol(e), boisson à base de maïs, de lait et de sucre
la mordida, *le pot-de-vin, le « bakchich »*

De México D.F. à Acapulco
México es un estado federativo y su capital constituye el
Distrito Federal (D.F.). En Cuernavaca, fuera de la catedral, se
puede visitar el Palacio de Cortés, cuya arquitectura deriva de
los palacios castellanos y extremeños del siglo XVI. Por la
carretera, se ven a veces charros, o sea vaqueros vestidos con
trajes típicos y que lucen sombreros engalanados. Son diestros
jinetes y aparecen a menudo en las películas. También suelen
surgir ante el turista fascinado niños con iguanas que se dejan
fotografiar a cambio de unos centavos. El nombre completo de
Taxco, Taxco de Alarcón, recuerda que esa ciudad vio nacer
al dramaturgo hispano-mexicano del siglo XVII, Ruiz de Alarcón, cuya *Verdad sospechosa* inspiró a Corneille su *Menteur.*

De Mexico à Acapulco
Le Mexique est un État fédératif et sa capitale constitue le
District Fédéral (D.F.). A Cuernavaca, outre la cathédrale, on
peut visiter le Palais de Cortés, dont l'architecture est inspirée
des palais castillans et d'Estrémadure du XVIe siècle. Sur la
route, on voit quelquefois des « charros », c'est-à-dire des
gardians habillés de costumes typiques et coiffés de chapeaux
ornés. Ce sont d'habiles cavaliers et ils apparaissent souvent
dans les films. Devant le touriste fasciné surgissent aussi généralement des enfants avec des iguanes qui se laissent photogra-
phier pour quelques sous. Le nom complet de Taxco, Taxco de
Alarcón, rappelle que cette ville a vu naître le dramaturge
hispano-mexicain du XVIIe siècle, Ruiz de Alarcón, dont *la
Vérité suspecte* a inspiré à Corneille son *Menteur.*

Acapulco

Acapulco ha sido, durante muchos años, un nombre mágico, símbolo de ensoñación. Hace unos treinta años, el cantante Luis Mariano repetía : « *Acuérdate de Acapulco, de aquella noche, María Bonita, María del alma* ». Era la playa de las estrellas de Hollywood y de los primeros rascacielos a orillas del mar. En los siglos anteriores ese puerto del Pacífico había sido refugio de piratas y de corsarios. También había servido de vínculo entre la China y Europa, pues las especias desembarcadas en sus muelles, atravesaban el actual México y se volvían a despachar desde los puertos del Mar Caribe. Hoy día, a pesar de la competencia de Cancún, Acapulco sigue atrayendo al turismo por su clima y su ambiente. Los clavadores siguen tirándose desde una altura de 35 metros entre dos peñascos y Acapulco es uno de los pocos lugares de la costa donde la gente se puede bañar en el mar y no en piscina pues está al amparo de los tiburones. Además se pescan tortugas gigantescas, se cazan patos silvestres y venados y se comen numerosos mariscos.

Acapulco

Acapulco a été, pendant bien des années, un nom magique, symbole de rêverie. Il y a quelque trente ans, le chanteur Luis Mariano répétait : « *Souviens-toi d'Acapulco, de cette nuit, Maria Jolie, Maria de mon cœur* ». C'était la plage des vedettes de Hollywood et des premiers gratte-ciel au bord de la mer. Au cours des siècles précédents, ce port du Pacifique avait été un refuge de pirates et de corsaires. Il avait également servi de lien entre la Chine et l'Europe, car les épices débarquées sur ses quais traversaient le pays qui est actuellement le Mexique et étaient réexpédiées à partir des ports de la mer des Caraïbes. De nos jours, malgré la concurrence de Cancún, Acapulco continue à attirer les touristes à cause de son climat et de son ambiance. Les plongeurs continuent à se jeter d'une hauteur de 35 mètres entre deux rochers et Acapulco est un des rares endroits de la côte où les gens peuvent se baigner dans la mer et non dans des piscines car il est à l'abri des requins. De plus, on pêche des tortues géantes, on chasse des canards sauvages et des cerfs et l'on mange une grande variété de fruits de mer.

1. ¿ Has probado los tacos ? — Son ricos.
2. ¿ Queda lejos el zócalo ? — Ahí no más.
3. Recibe esta fotografía hasta que nos veamos.
4. El agua es tan tibia en Acapulco que, cuando llueve, la gente no lleva paraguas.
5. ¿ Te metes al mar ? ¡ Cuidado con los tiburones !
6. En Acapulco pudimos practicar el esquí acuático.
7. Quisiera pintar un paisaje para recobrar algo de aquella playa.
8. Aunque era todo un atleta, no se atrevió a clavarse desde el peñasco.
9. Al regresar de México, extrañamos mucho sus mil mitologías.
10. No te escribí durante más de un mes, pues he estado malo.
11. Me hubiera gustado ir al tiangui, pero no nos alcanzó el tiempo.
12. Tómese su cerveza ; ni siquiera le ha dado una probadita.
13. Me pongo el saco y me anudo la corbata mientras tanto.

1. As-tu goûté les « amuse-gueule » ? — Ils sont délicieux.
2. Est-ce que la place centrale est loin ? — A deux pas.
3. Prends cette photo en attendant de nous voir.
4. L'eau est si tiède à Acapulco que, lorsqu'il pleut, les gens ne prennent pas de parapluie.
5. Tu te baignes dans la mer ? Attention aux requins !
6. A Acapulco, nous avons pu faire du ski nautique.
7. Je voudrais peindre un paysage pour garder un souvenir de cette plage.
8. Bien qu'il fût un athlète complet, il n'osa pas plonger du haut du rocher.
9. En revenant du Mexique, ses mille légendes nous ont beaucoup manqué.
10. Je ne t'ai pas écrit pendant plus d'un mois, car j'ai été malade.
11. J'aurais aimé aller au marché, mais nous n'avons pas eu le temps.
12. Buvez votre bière ; vous ne l'avez même pas goûtée.
13. Je mets ma veste et je fais mon nœud de cravate en attendant.

el aire, l'air

acondicionar, conditionner

el distrito, l'arrondissement *(villes),* le district

compadre *(littéralement)* compère ; *ici, traitement amical :* mon vieux, mon cher

ni siquiera, pas même

azteca, aztèque, mexicain *(par extension)*

agrupar, grouper

por ahora, pour le moment

unos *(devant un chiffre),* environ

pelarse el saco *(familier),* tomber la veste

veranear, passer des vacances

la parada, l'arrêt

precioso, a, joli

la arquitectura, l'architecture

colonial, de l'époque coloniale *(espagnole c.-à-d. XVIe, XVIIe, XVIIIe)*

la callejuela, la ruelle

la plata, l'argent *(métal)* ou *(Amérique hispanique)* l'argent en général

comprar, acheter

la curva, la courbe, le virage, le tournant

deslumbrante, éblouissant, étincelant

la bahía, là baie *(mer)*

la palmera, le palmier

el cocotero, le cocotier

el rascacielos, le gratte-ciel

el coloso, le colosse

el coloso del Norte, les États-Unis

viajar, voyager

ayudar, aider *(sous-entendu : à améliorer le paysage ou la vie)*

el alivio, le soulagement, la guérison

la alberca, le bassin *(au Mexique),* la piscine

las bugambilias, les bougainvillées *(fleur)*

el maguey, variété d'agave

echarse un baño, prendre un bain, se baigner

refrescarse, se rafraîchir

¡ qué va ! *(exclamation),* pensez-vous ! il faut voir

sabroso, savoureux, délicieux, agréable

parecer de cuento, sembler irréel (**cuento,** conte)

mentar, citer, mentionner

el clavador, le plongeur

jugarse la vida, risquer sa vie

A ■ **Traducir**

1. Ni siquiera nos mandó una tarjeta postal de Acapulco.
2. El cine azteca es uno de los más interesantes de habla española.
3. Las callejuelas de Taxco se parecen a las de Toledo.
4. ¡ Ay ! ¡ Qué alivio ! Ya no hace tanto calor.
5. Por estar durmiendo, no viste la bahía.

B ■ **Traduire**

1. Si j'avais le temps, je passerais ma vie à voyager. 2. J'aurais voulu aller jusqu'à Zihuatanejo, mais je n'ai pas pu, faute de temps. 3. Pour le moment, nous allons prendre un bain, pour nous rafraîchir. 4. Les touristes oublient que les plongeurs risquent leur vie.

C ■ **Remplacer les points de suspension par le mot qui convient**

1. Las grandes capitales suelen dividirse en . . . . .
2. Arbol típico de los países tropicales . . . . . la . . . . .
3. ¡ Qué . . . . . está . . . . . agua hoy !

Corrigé

A ■ **1.** Il (ou elle) ne nous a même pas envoyé une carte postale d'Acapulco. **2.** Le cinéma mexicain est un des plus intéressants de ceux de langue espagnole. **3.** Les ruelles de Taxco ressemblent à celles de Tolède. **4.** Ah ! Quel soulagement ! Il ne fait plus aussi chaud ! **5.** Parce que tu dormais, tu n'as pas vu la baie.

B ■ 1. Si tuviera tiempo, me pasaría la vida viajando.
2. Hubiera querido ir hasta Zihuatanejo, pero no pude, por falta de tiempo.
3. Por ahora, vamos a echarnos un baño, para refrescarnos.
4. Los turistas olvidan que los clavadores se juegan la vida.

C ■ 1. Las grandes capitales suelen dividirse en *distritos.*
2. Arbol típico de los países tropicales *es* la *palmera.*
3. ¡ Qué *sabrosa* está *el* agua hoy !

(En Mérida, frente a la catedral)

— ¡ Qué sobria esta catedral ! Muy diferente por su fachada de la de Taxco !

— ¡ Qué tal[1] si fuéramos a ver el mercado !

— ¿ Por qué no ? Queda aquí no más[2].

(En el mercado)

— ¡ Mire ! ¡ Qué bonitos huipiles venden aquí !

— No es de extrañar : en la tierra de los mayas...

— Lo que yo me quiero comprar es una guayabera.

— Tiene razón. Es muy práctica y fresca. Y aquí, son genuinas yucatecas.

— Volvamos rápido a la plaza : de allá sale el pullman de excursión para Chichén-Itzá.

(Más tarde, ya en Chichén-Itzá)

— Ya vamos a llegar al Cenote.

— Sí. Era el pozo sagrado donde precipitaban las víctimas sacrificadas al dios de la lluvia.

— ¿ Y ese pozo, como que tiene que ver[3] con el nombre del sitio ?

— Sí. *Chi* quiere decir boca, en maya, *chen* es pozo. En cuanto a Itzá, es el nombre de los habitantes del lugar.

— Así que Chichén-Itzá significa : en la boca del pozo de los Itzá.

— Eso es. Y allá se ve El Caracol, nombre dado por los españoles a esa torre que era sin duda un observatorio astronómico.

— ¡ Ah sí ! Son nombres raros[4]. Lo mismo sucede en Uxmal[5], con la Casa de las Monjas o la Pirámide del Adivino.

(Dos días después en Palenque)

— Aquí sí nos vamos a asar.

— O a derretirnos. El sitio arqueológico está en plena selva y ésta lo invade todo[6].

— Y, además, hay que subir.

— Sí, por un sendero. Y, de cuando en vez[7], sale a asolearse[8] una culebra.

— ¡ Uy, ni diga[9] ! Aunque es cierto que, en lengua tzetzal, el lugar se llama Culhuacán, ciudad de las culebras.

— Sí, tal vez fue capital maya[10] entre los siglos VII y X.

— El imperio maya se extendía desde la península de Yucatán hasta la actual Guatemala. Para allá vamos[11], a Tikal...

(A Mérida, en face de la cathédrale)
— Qu'elle est sobre, cette cathédrale ! Sa façade est très différente de celle de Taxco.
— Et si nous allions voir le marché !
— Pourquoi pas ? C'est tout près.

(Au marché)
— Regardez ! Quelles jolies tuniques on vend ici !
— Pas étonnant : au pays des Mayas…
— Ce que je veux m'acheter, c'est une chemise-veste.
— Vous avez raison. C'est très pratique et très frais. Et ici, elles sont vraiment du Yucatan.
— Revenons vite à la place ; c'est de là-bas que part l'autocar pour l'excursion à Chichen-Itza.

— *(Plus tard, à Chichen-Itza)*
— Nous arrivons bientôt au Cenote.
— Oui. C'était le puits sacré où l'on précipitait les victimes sacrifiées au dieu de la pluie.
— Et ce puits, il semble qu'il ait quelque chose à voir avec le nom du site ?
— Oui. *Chi* veut dire bouche, en maya, *chen* c'est le puits. Quant à Itza, c'est le nom des habitants de l'endroit.
— Si bien que Chichen-Itza signifie : dans la bouche du puits des Itza.
— C'est ça. Et là-bas, on voit le Colimaçon, nom donné par les Espagnols à cette tour, qui était sans doute un observatoire astronomique.
— Ah oui ! Ce sont de drôles de noms. Il en est de même à Uxmal avec la Maison des Nonnes ou la Pyramide du Devin.

(Deux jours plus tard à Palenque)
— Ici, nous allons rôtir pour de bon.
— Ou fondre. Le site archéologique est en pleine jungle et celle-ci envahit tout.
— Et, de plus, il faut monter.
— Oui, par un sentier. Et, de temps en temps, un serpent vient se chauffer au soleil.
— Oh ! là là ! N'en parlez pas ! Mais c'est vrai qu'en langue tzetzal, l'endroit s'appelle Culhuacán, ville des serpents.
— Oui, elle a peut-être été la capitale maya du VIIe au Xe siècle.
— L'empire maya s'étendait de la péninsule du Yucatan à l'actuel Guatemala. C'est là que nous allons, à Tikal…

1. **¡Qué tal !.** ici, *qu'en pensez-vous, qu'en dites-vous.* Variante : *¿ Qué os (les) parece ?*
2. **Queda aquí no más,** *c'est tout près. Quedar :* sens courant de *estar, encontrarse.* La playa no queda lejos, *la plage n'est pas loin,* voir XV—3, 5.
3. **¿ cómo que tiene que ver ?** m. à m. *comment cela se fait-il qu'il ait quelque chose à voir ?* **a)** *Como que.* Tournure elliptique = *il semble, il paraît.* **b)** *Tiene que ver, avoir à* + infinitif : *tener que ;* voir XVI—3, 4 ; XVII—3, 8.
4. **nombres raros,** *des drôles de noms, des noms bizarres.* ¡ Qué raro ! *C'est bizarre.* **Es raro para las comidas,** *il est difficile pour la nourriture.* **Lo raro es que,** *ce qui est curieux c'est que.*
5. **Lo mismo sucede en Uxmal,** m. à m. *la même chose arrive à, il en est de même à, c'est pareil à.* **Suceder, ocurrir, pasar.**
6. **y ésta lo invade todo,** *et celle-ci envahit tout.* Si *todo,* dans le sens de toute chose est complément d'un verbe, celui-ci est accompagné du neutre *lo.* **Lo sabe todo sobre los Mayas,** *il sait tout sur les Mayas.* **Quiere explicarlo todo detalladamente,** *il veut tout expliquer en détail.*
7. **de cuando en vez** (en Amérique) ou **de vez en cuando** (en Espagne), *de temps en temps, de temps à autre.*
8. **asolearse, ponerse al sol,** *se mettre, se réchauffer au soleil.* **Tomar el sol,** *prendre le soleil.*
9. **¡ ni diga !** m. à m. *n'en parlez même pas.* Expression d'étonnement, de peur pour *n'en parlez pas, non, pas ça !*
10. **tal vez fue capital maya** (quizás, acaso) entraîne le subjonctif si l'idée de doute domine : voir III—3, 3 et VII—3, 9. Mais s'il s'agit d'un fait réel (celui qui parle en est persuadé) on utilise l'indicatif, comme c'est le cas ici. **Tal vez fue la capital,** *j'ai des raisons pour le croire,* mais : **Tal vez fuera la capital,** *je l'ai entendu dire, je ne sais pas très bien, peut-être a-t-elle été la capitale* (mais j'en doute).
11. **Para allá vamos** (para, ici : *vers, de ce côté-là*), *c'est là que nous allons.*

el comate, *la gourde*   **el pisto,** *le fric*
vigear, vigiar, *surveiller*   **bolo,** *ivre*
los cuaches, marimbas (xylophones) à double clavier
el temascal, bain de vapeur d'origine maya
el yagual, rond d'étoffe que l'on met sur la tête pour porter
    des fardeaux
el zangoloteo, action de se trémousser
el moño, *le nœud de ruban*
el chan, boisson rafraîchissante à base de sauge, de sucre et
    de citron

Yucatán y Guatemala

Se llama Yucatán la península mexicana que se adelanta, en el sureste, hacia Cuba. Entre las dos se halla el canal del mismo nombre. También se denomina Yucatán uno de los estados de la península, cuya capital es Mérida, ciudad con aeropuerto internacional desde donde se visitan los sitios arqueológicos de la región. Yucatán y la actual Guatemala formaban parte del imperio precolombino de los mayas, constructores y astrónomos. La capital actual, Ciudad Guatemala, ha sufrido numerosos terremotos desde el siglo XVIII. En Antigua, subsisten ruinas de la primera capital, fundada en el siglo XVI y destruída por un sismo. El más famoso de los guatemaltecos es el novelista Miguel Angel Asturias, Premio Nobel en 1967.

Le Yucatan et le Guatemala

On appelle Yucatan la péninsule mexicaine qui s'avance, au sud-est, vers Cuba. Entre les deux se trouve le canal du même nom. Yucatan c'est aussi le nom d'un des États de la péninsule, dont la capitale est Mérida, ville desservie par un aéroport international et point de départ pour les visites des sites archéologiques de la région. Le Yucatan et le Guatemala actuel faisaient partie de l'empire précolombien des Mayas, bâtisseurs et astronomes. La capitale actuelle, Ciudad Guatemala, a subi de nombreux tremblements de terre depuis le XVIIIᵉ siècle. A Antigua subsistent les ruines de la première capitale, fondée au XVIᵉ siècle et détruite à la suite d'un séisme. Le plus célèbre des Guatémaltèques est le romancier Miguel Angel Asturias, Prix Nobel 1967.

El juego de pelota

Se practicó mucho el juego de pelota durante la época precolombina y se conservan bien las canchas de Monte Albán, cerca de Oaxaca y de Chichén-Itzá. Nada tiene que ver con el juego de pelota vasca, en el cual la pelota rebota en un frontón. La pelota de los precolombinos, de hule o caucho, tenía que pasar por un anillo de piedra, de treinta a cuarenta centímetros de diámetro y empotrado a más de dos metros de altura en una de las dos paredes que había de cada lado de la cancha. Los jugadores habían de lanzar la pelota con la rodilla, la cadera o el codo. Según ciertos investigadores, el juego era simbólico : los jugadores eran dioses que lanzaban astros (la pelota) por el firmamento (la cancha). Algunos historiadores declaran que los jugadores trataban de ganar sabiendo que, si lo hacían, tendrían que sacrificarse y morir por los dioses. Otros, con lógica más cartesiana, dicen que se sacrificaba al jefe del equipo vencido. Como siempre, las interpretaciones varían y, finalmente, se sabe poco de lo que pasaba realmente.

Le jeu de pelote

Le jeu de pelote a été très pratiqué au cours de la période précolombienne et les terrains de Monte Alban, près de Oaxaca et de Chichen-Itza sont bien conservés. Ce jeu n'a rien à voir avec celui de la pelote basque, dans lequel la balle rebondit contre un fronton. La balle des Précolombiens, en caoutchouc, devait passer à travers un anneau de pierre, de trente à quarante centimètres de diamètre et scellé à plus de deux mètres de hauteur sur un des deux murs qu'il y avait de chaque côté du terrain. Les joueurs devaient lancer la balle à l'aide du genou, de la hanche ou du coude. Selon certains chercheurs, le jeu était symbolique : les joueurs étaient des dieux qui lançaient des astres (la balle) à travers le firmament (le terrain). Certains historiens déclarent que les joueurs essayaient de gagner en sachant que, s'ils y parvenaient, ils devraient se sacrifier et mourir pour les dieux. D'autres, avec une logique plus cartésienne, disent que l'on sacrifiait le capitaine de l'équipe vaincue. Comme toujours, les interprétations varient et, finalement, on ne sait guère ce qui se passait réellement.

1. Con sólo saber que no le ha pasado nada, me conformo.
2. El temascal es algo como el sauna de los trópicos.
3. Los de allá están zangoloteándose que no se diga.
4. Llevaba un moño colorado en sus crenchas negrísimas.
5. No la pude ir a ver por andar agenciándome noticias de los demás.
6. No se preocupe. Me quito una oreja si no llega ya.
7. ¡ Chis, gato ! El animal se está bebiendo la leche, espántelo.
8. ¡ Vea, déjese de cuentos y confiese cuanto antes la verdad !
9. Mal hace Vd en negarlo pues la autoridad sabe que Vd habló con ese señor.
10. ¡ Ay ! Si yo supiera, se lo diría, pero cabe la desgracia que no lo sé. ¡ Santísima Trinidad, qué voy a hacer !
11. ¡ Manos a la obra ! gritó el jefe. ¡ Y cuidado quien se raja !
12. Yo le hice ver que eras un tipo muy de a petate.
13. Dios no da gustos ni endereza curcunchos.
14. Al que le mienta la madre a uno hay que borrarlo del mapa.

1. Je me contente de savoir qu'il ne lui est rien arrivé.
2. Le temascal est quelque chose comme le sauna des tropiques.
3. Ceux qui sont là-bas n'arrêtent pas de se trémousser.
4. Elle portait un nœud de ruban rouge sur sa tignasse très noire.
5. Je n'ai pas pu aller la voir car j'étais en train de me procurer des nouvelles des autres.
6. Ne vous en faites pas. Je donne ma tête à couper s'il n'arrive pas tout de suite.
7. Ouste, le chat ! L'animal est en train de boire le lait, chassez-le.
8. Écoutez, arrêtez de raconter des histoires et avouez au plus tôt la vérité !
9. Vous avez tort de le nier car les autorités savent que vous avez parlé avec ce monsieur.
10. Ah ! Si je le savais, je vous le dirais, mais par malheur je ne le sais pas. Très Sainte-Trinité, qu'est-ce que je vais faire !
11. Au travail ! cria le chef. Et tâchez de ne pas vous dégonfler !
12. Je lui ai fait voir que tu étais un type très courageux.
13. Dieu ne fait pas plaisir et il ne redresse pas les bossus.
14. Celui qui parle mal de votre mère, il faut l'effacer de la carte.

la frente, le front
frente a, en face de
el frente, le front *(guerre)*
sobrio, sobre
la fachada, la façade
qué tal si..., qu'est-ce que vous diriez si... ; et si... *(avec subjonctif imparfait en espagnol)*
el mercado, le marché *(concret ou commercial)*
el trato, marché *(contrat)*
queda aquí no más, c'est tout près
quedar, rester, *prend souvent un sens de semi-auxiliaire*
mirar, regarder
el huipil, robe-tunique d'origine maya
extrañar, trouver étonnant, regretter *(quelqu'un)*
la tierra, la terre, le pays
la guayabera, chemise-veste très légère portée dans les pays tropicaux
tener razón, avoir raison
genuino, a, authentique
yucateco, a, du Yucatan *(péninsule mexicaine)*

volver a, revenir ; *traduit souvent le préfixe français « re- »*
el pozo, le puits
la lluvia, la pluie
como que, il semble que, je crois que
el lugar, le lieu, l'endroit, le village
eso es, c'est ça
el caracol, l'escargot, le colimaçon
la torre, la tour
raro, rare, bizarre, drôle
la monja, la religieuse, la nonne
el adivino, le devin
asar, griller, rôtir
derretirse, fondre *(intransitif)*
invadir, envahir
además, de plus, en outre
el sendero, le sentier
de cuando en vez, de temps en temps
asolearse, prendre le soleil, se mettre au soleil
la culebra, le serpent
ni diga, *exclamation,* n'en dites rien, n'en parlez pas
el imperio, l'empire

A ■ Traducir

1. ¡ Qué tal si te compraras ese huipil !
2. Iba yo directamente al pozo para sacar una foto de Luis, claro.
3. Los mayas tienen fama de ser grandes astrónomos.
4. ¿ Habrá culebras ? Espero que no.
5. ¿ Cómo que estás con ganas de comprarte esa guayabera ?

B ■ Traduire

1. Il lui avait dit de revenir de Palenque le plus vite possible. 2. Qu'il ait ou non raison, quelle importance ! 3. Ne me dites pas que vous n'avez pas vu la tour ! 4. La végétation envahit le sentier qui mène à la Pyramide du Devin. 5. Ils arrivèrent dix minutes après à la Maison des Nonnes.

C ■ Remplacer les points de suspension par le mot approprié

1. Se secó el sudor de . . . . . con un pañuelo.
2. . . . . . es un animal muy lento.
3. Es bueno comer carne . . . . . de cuando en vez.
4. El azúcar . . . . . en el café.
5. . . . . . de la iglesia . . . . . de estilo barroco.

Corrigé

A ■ 1. Pourquoi ne t'achèterais-tu pas cette tunique ! 2. J'allais directement au puits pour prendre une photo, de Louis, bien sûr. 3. Les Mayas passent pour être de grands astronomes. 4. Il risque d'y avoir des serpents ? J'espère que non. 5. Je crois bien que tu as envie de t'acheter cette chemise-veste.

B ■ 1. Le había dicho que volviera de Palenque lo más pronto posible.
2. Que tenga o no razón, ¡ qué importa !
3. ¡ No me diga que no vio la torre !
4. La vegetación invade el sendero que lleva a la Pirámide del Adivino.
5. Diez minutos después, llegaron a la Casa de las Monjas.

C ■ 1. Se secó el sudor de *la frente* con un pañuelo.
2. *El caracol* es un animal muy lento.
3. Es bueno comer carne *asada* de cuando en vez.
4. El azúcar *se derrite* en el café.
5. La *fachada* de la iglesia *es* de estilo barroco.

(En Veracruz, México, ya de noche, sobre cubierta)

— ¡ Fíjese ! ¡ Qué reflejos los que hacen las luces del puerto en el agua !

— ¡ Esto está divino[1] ! ¡ Y qué brisa tan tibia !

— Y se siguen oyendo[2] los ecos de la marimba...

— Ya vamos a zarpar. Oiga la sirena... Nos fuimos[3]... Me bajo al camarote a dormir.

— Yo me quedo todavía un ratico[4] para disfrutar del fresco de la noche y de las estrellas.

(En alta mar)

— ¡ Cómo pasa el tiempo ! Yo que me figuraba que uno se aburría mucho en los cruceros...

— ¡ De ninguna manera ! ¡ Con tanta distracción ! Se sale de la piscina para ir a bailar...

— Y de ahí al bar para tomarse un mojito...

— Normal, puesto que nos estamos acercando a Cuba.

(Unas horas más tarde)

— ¡ Míreme esa hermosura de puerto[5] ! ¡ Qué emoción ! ¡ Estar en La Habana !

— Ya se ve el Morro y se vislumbra[6] a la gente paseando por el Malecón.

— ¡ Qué contraste ! Las fortalezas del puerto y los hoteles modernos de las playas.

— Y verá, cuando visitemos la ciudad, el ambiente criollo del barrio de la Catedral.

— Ojalá podamos ir a la Bodeguita del Medio[8]...

— Claro que sí. Aquí la escala es larga y tomaremos como guía una novela de Alejo Carpentier...

(Unos días después)

— Ya se está terminando el crucero. ¡ Qué lástima !

— Pero podemos decir que estuvimos en la ciudad más antigua de América[9], Santo Domingo.

— Por lo menos de las fundadas por los españoles...

— Claro está. No estoy hablando de Cuzco ni de Tenochtitlan.

— Y, dentro de poco, vamos a ver el conjunto de murallas más impresionante[9] del continente.

— Sí, en Cartagena de Indias, vamos a cerrar nuestro viaje con broche de oro.

— Y quizás veamos[10] bailar la embriagante cumbia.

(A Veracruz, Mexique, le soir, sur le pont)
— Regardez donc ! Les reflets que font les lumières du port sur l'eau !
— C'est vraiment fantastique ! Et cette brise, si tiède !
— On entend toujours, au loin, la « marimba »...
— Nous allons lever l'ancre. Écoutez la sirène... Nous sommes partis... Je descends dormir dans la cabine.
— Moi, je reste encore un petit moment pour profiter de la fraîcheur du soir et des étoiles.

(En haute mer)
— Comme le temps passe ! Moi qui croyais qu'on s'ennuyait beaucoup pendant les croisières...
— Mais non ! Il y a tant de distractions ! On sort de la piscine pour aller danser...
— Et de là on passe au bar pour prendre un « mojito »...
— C'est normal, puisque nous nous approchons de Cuba.

(Quelques heures plus tard)
— Regardez ! Quel port magnifique ! Que c'est émouvant de se trouver à La Havane !
— On voit déjà le Morro et l'on distingue les gens qui se promènent sur le front de mer.
— Quel contraste ! Les forteresses du port et les hôtels modernes des plages.
— Et vous verrez, lorsque nous visiterons la ville, l'atmosphère typique du quartier de la Cathédrale.
— Espérons que nous pourrons aller à la Bodeguita del Medio...
— Mais bien sûr. Ici, c'est une longue escale et nous prendrons comme guide un roman d'Alejo Carpentier...

(Quelques jours après)
— La croisière s'achève. Quel dommage !
— Mais nous pouvons dire que nous avons visité la ville la plus ancienne de l'Amérique, Santo Domingo.
— Oui, si l'on parle des villes fondées par les Espagnols...
— Évidemment. Je ne parle ni de Cuzco ni de Tenochtitlan.
— Et, sous peu, nous allons voir l'ensemble de murailles le plus impressionnant du continent.
— Oui, à Carthagène des Indes, nous allons clore brillamment notre voyage.
— Et peut-être verrons-nous danser l'enivrante « cumbia ».

1. **¡ Esto está divino !** *C'est fantastique !* voir XXXVI—3, 14.
2. **Y se siguen oyendo,** m. à m. *on continue d'entendre* = *on entend toujours.* **Seguir** + gérondif, voir XXIV—3, 4.
3. **Nos fuimos,** *nous sommes partis* = *ya hemos salido, nous voilà partis, c'est fait.* Le passé simple est encore plus courant en Amérique latine. Voir I, IV, XI.
4. **un ratico** (de un *rato, un moment*), *un petit moment,* ou **un ratito** (diminutifs : voir IV—3, 5). La terminaison *ico-ica* est plus répandue dans le nord de l'Espagne et en Amérique latine.
5. **¡ Míreme esa hermosura de puerto !** m. à m. *regardez-moi cette beauté de port !* = *regardez, quel port magnifique ! quel beau port !* Tournure usuelle à valeur exclamative : **¡ Oh, qué hermosura de casa !** *quelle belle maison !*
6. **se vislumbra,** *on distingue, on aperçoit.* **Vislumbrar** ou **divisar,** *apercevoir au loin.*
7. **el ambiente criollo,** m. à m. *l'ambiance, l'atmosphère créole* = *l'atmosphère typique. Lo criollo* signifie donc par extension ce qui est propre au pays, authentique, typique…
8. **Ojalá podamos ir a,** m. à m. *pourvu que nous puissions aller à. Ojalá, plût au ciel,* est passé dans la langue courante et exprime un souhait ; *ojalá* + subjonctif : *pourvu que* + subjonctif. *Ojalá haga* **buen tiempo !** *pourvu qu'il fasse beau !* ou *j'espère qu'il fera beau !* Voir XXIV—3, 7.
9. **la ciudad más antigua de América,** *la ville la plus ancienne d'Amérique.* **El conjunto de murallas más impresionante,** *l'ensemble de murailles le plus impressionnant.* Dans le superlatif relatif donc, l'article détermine le nom exprimé (**la ciudad,** *la ville*) et ne se répète pas. **Es el monumento más impresionante,** *c'est le monument le plus impressionnant.* **Santo Domingo es lo que me ha gustado más,** *c'est Santo Domingo que j'ai aimé le plus.*
10. **Y quizás veamos,** *et peut-être verrons-nous.* Après *quizás, tal vez, acaso* (peut-être) l'action envisagée, rendue par le futur en français, se rend en espagnol par le subjonctif présent.

janguear (Porto-Rico), *fréquenter*
el jolope (Porto-Rico), *l'attaque à main armée*
tofete (Porto-Rico), *fanfaron*
pitiyanqui, *servile, « colonisé »*
chapear (Cuba, Porto-Rico), 1) *désherber* ; 2) *tuer*
el galuche (Caraïbes), *le galop*
el jején (Cuba), moustique tropical
la jutía (Cuba), 1) *rongeur* (proche du rat) ; 2) *lâche*
el majá (Cuba), 1) *serpent* (non venimeux) ; 2) *paresseux*
  (adj.)
el mambí, *insurgé cubain* contre les Espagnols au XIXᵉ siècle
los orishas (Cuba), *saints,* forces, divinités d'origine africaine
la malanga (Cuba), tubercule comestible
pan con timba, pain avec de la confiture de goyave (guayaba)

Variedad y unidad del Caribe

Se da el nombre de Caribe al Mar de las Antillas y a toda la
región, formada por islas grandes y pequeñas, donde vivían
caribes y arahuacos, pueblos guerreros que lucharon mucho
contra los conquistadores españoles, ingleses, franceses, neer-
landeses. Además de los cuatro idiomas de dichos colonizado-
res, se hablan en la región el creole, derivado del francés y el
papiamento, en Curazao, con elementos de las cuatro lenguas
citadas. Además, muchas palabras son de origen arahuaco o
de lenguas africanas. Frente a esa diversidad de hablas y de
etnias, existe una unidad caribeña que se refleja en la música y
en el modo de ser, alegre, espontáneo, exuberante.

Variété et unité des Caraïbes

On donne le nom de Caraïbes à la mer des Antilles et à toute
la région, formée d'îles, grandes et petites, où vivaient les
Caraïbes et les Arawaks, peuples guerriers qui luttèrent beaucoup contre les conquérants espagnols, anglais, français, néerlandais. Outre les quatre langues de ces colonisateurs, on
parle, dans la région, le créole, dérivé du français, et le
papiamento, à Curaçao, qui comporte des éléments des quatre
langues citées. De plus, bien des mots ont pour origine l'arawak
ou les langues africaines. Face à cette diversité de manières de
parler et d'ethnies, il existe une unité des Caraïbes, reflétée par
la musique et par la manière d'être, gaie, spontanée, exubé-
rante.

Aportes de Cuba al mundo

El sociólogo cubano Fernando Ortiz, en su ensayo *La Música afrocubana y la indocubana*, presenta así los aportes de Cuba : « Dos son las cosas típicas de Cuba que ésta ha dado al mundo y han sido recibidas con universal beneplácito ; y ninguna de ellas se debe sólo a los blancos, habiendo nacido ambas del abrazo cruzador de distintas culturas : el tabaco y la música. En Cuba fue descubierto el « tabaco », en noviembre del año 1492, en esa misma forma de « cigarro torcido » o « puro » que sigue siendo un regalo de insuperada exquisitez. Herencia de indios y adaptación de negros y blancos ; producto mestizo. Otro don de Cuba al mundo ha sido y es su música popular. Engendro de negros y blancos ; producto mulato. Y esta última es de ambas cosas la más genuinamente de Cuba porque, mientras el tabaco y el modo de fumarlo no fueron privativos de los aborígenes, esas músicas mulatas, que se dan en Cuba como las palmas reales, sí son creaciones exclusivas del genio de su pueblo. En los últimos lustros, como en siglos pasados, la música de Cuba ha logrado una era de fama más allá de los mares. »

Apports de Cuba au monde

Le sociologue cubain Fernando Ortiz, dans son essai *La Musique afro-cubaine et l'indo-cubaine*, présente ainsi les apports de Cuba : « Cuba a donné au monde deux choses typiques et elles ont été accueillies universellement avec plaisir ; et aucune d'elles n'est due seulement aux Blancs, car toutes les deux sont nées de l'étreinte de différentes cultures qui se croisent : le tabac et la musique. C'est à Cuba que fut découvert le « tabac », en novembre 1492, sous cette même forme de « cigare roulé » ou « pur » qui continue à être un régal d'un raffinement insurpassé. Un héritage des Indiens et une adaptation des Noirs et des Blancs ; un produit métis. Un autre don de Cuba au monde a été, est sa musique populaire. D'origine noire et blanche ; produit mulâtre. Et des deux, la musique est la plus authentiquement cubaine car, alors que le tabac et la manière de le fumer n'ont pas été l'exclusivité des autochtones, ces airs mulâtres, qui poussent à Cuba comme les palmiers royaux, sont réellement des créations particulières du génie de son peuple. Au cours des derniers lustres, comme dans les siècles passés, la musique de Cuba a connu une ère de renommée au-delà des mers. »

1. ¡ Cómo rechazar el facilismo y los detalles superfluos ?
2. Los destacados percusionistas cubanos se adueñaron de la escena.
3. Los restantes paneles plasman la rebeldía de los que se enfrentaron a la dictadura.
4. Este relato descuella por la raigal cubanía de su contenido.
5. Por no dar limosna, los que escuchaban en segunda fila se escurren prestamente.
6. Ese tofete no es capaz de meterse en un jolope.
7. Te va a escocer la picadura de ese condenado jején.
8. Shangó, bajo los rasgos de Santa Bárbara, es el segundo elemento de la trinidad de orishas mayores.
9. El arsenal de maleficios se componía de colmillos de gato, maracas, cornamentas de venado y un sapo embalsamado.
10. El hubiera querido arrimarse con ella y construir un bohío.
11. Siempre encontraba motivo oportuno para zurrarla.
12. Mojó la cabeza del neófito con el líquido santo, mezcla de sangre de gallo, pólvora, tabaco, pimienta, ajonjolí.

1. Comment écarter la facilité et les détails superflus ?
2. Les excellents percussionnistes cubains triomphèrent sur la scène.
3. Les autres panneaux concrétisent le caractère rebelle de ceux qui ont affronté la dictature.
4. Ce récit est important par l'aspect profondément cubain de son contenu.
5. Pour ne pas faire l'aumône, ceux qui écoutaient au second rang se défilent rapidement.
6. Ce fanfaron n'est pas capable de participer à un coup (« casse »).
7. Elle va te démanger, la piqûre de ce maudit moustique.
8. Shango, sous les traits de sainte-Barbe, est le second élément de la trinité des grandes divinités.
9. L'arsenal des maléfices se composait de crocs de chat, de maracas, de bois de cerfs et d'un crapaud embaumé.
10. Il aurait voulu se mettre en ménage avec elle et construire une cabane.
11. Il trouvait toujours une bonne raison pour lui taper dessus.
12. Il mouilla la tête du néophyte avec le liquide sacré, mélange de sang de coq, de poudre, de tabac, de poivre et de sésame.

el crucero, la croisière, le croiseur, la croisée *(transept)*

la cubierta *(ici),* le pont d'un navire, l'enveloppe

fijarse, faire attention, regarder, se fixer *(objets)*

el reflejo, le reflet

la luz, la lumière, le jour

tibio, a, tiède

oir, entendre, écouter

el eco, l'écho

la marimba, variété de xylophone

zarpar, lever l'ancre

el camarote, la cabine *(bateaux)*

el ratico, diminutif de **el rato,** le moment

disfrutar, jouir, profiter

la estrella, l'étoile

alta mar, la haute mer, le large

aburrirse, s'ennuyer

bailar, danser

el mojito, cocktail cubain à base de rhum

la hermosura, la beauté

el puerto, le port, le col *(montagne)*

el morro, le museau, la colline *(le morne)*

vislumbrar, distinguer, apercevoir, deviner

el malecón, le front de mer

la fortaleza, la forteresse

el ambiente, l'atmosphère, l'ambiance

criollo, national, typique *(de chaque pays d'Amérique hispanique)*

ojalá, espérons que... fasse le ciel que... Dieu veuille que...

la bodega, la cave, le chai, la cale

la guía, le guide *(livre)*

la novela, le roman

qué lástima, quel dommage,

la lástima, la pitié

fundar, fonder

Tenochtitlan, nom précolombien de Mexico

las murallas, les murailles, les remparts

cerrar, fermer, clore

el broche, la broche, l'agrafe

el broche de oro, l'aboutissement, l'apothéose

embriagar, enivrer

la cumbia, danse colombienne de la côte

Alejo Carpentier, romancier cubain du XXe siècle

A ■ **Traduire**
1. Nous allons profiter agréablement de cette croisière aux Caraïbes. 2. C'est dommage que le voyage se termine. 3. Allez vous reposer un peu dans votre cabine. 4. Même si on ne voit pas tout le port, on distingue la forteresse. 5. Espérons que nous pourrons bientôt lever l'ancre.

B ■ **Traducir**
1. ¿ No temes aburrirte sobre cubierta ? — ¡ Qué va !
2. Aunque no lo creas, desde aquí se vislumbra el malecón.
3. La brisa tibia del Caribe es embriagante.
4. ¡ Ojalá aprendas a bailar cumbia y a tocar marimba !
5. ¡ Fíjese bien en lo que dice el guía !

C ■ **Remplacer les points de suspension par le mot approprié**
1. El vino suele colocarse en . . . . .
2. Alejo Carpentier ha escrito muchas . . . . . cubanas.
3. Con . . . . . se protegían los puertos contra los piratas.
4. Los conquistadores . . . . . muchas ciudades en el siglo XVI.
5. . . . . . es lo mismo que la belleza.

Corrigé

A ■ 1. Vamos a disfrutar agradablemente de este crucero por el Caribe.
2. Es lástima que el viaje se termine.
3. Váyase a descansar un poco en su camarote.
4. Aunque no se vea todo el puerto, se vislumbra la fortaleza.
5. ¡ Ojalá podamos zarpar pronto !

B ■ 1. Tu n'as pas peur de t'ennuyer sur le pont ? — Penses-tu ! 2. Même si tu ne le crois pas, d'ici on distingue le front de mer. 3. La brise tiède de la mer des Caraïbes est enivrante. 4. Tâche d'apprendre à danser la cumbia et à jouer de la marimba ! 5. Faites bien attention à ce que dit le guide !

C ■ 1. El vino suele colocarse en *la bodega*.
2. Alejo Carpentier ha escrito muchas *novelas* cubanas.
3. Con *las murallas* se protegían los puertos contra los piratas.
4. Los conquistadores *fundaron* muchas ciudades en el siglo XVI.
5. *La hermosura* es lo mismo que la belleza.

L'ESPAGNE

Superficie *(territoire métropolitain + Baléares et Canaries)* :
504 782 km^2
Population : 38 millions, soit 72 hab./km^2
Capitale : Madrid *(4 millions)*
Points culminants : Pico de Teide *(Tenerife)* : 3 718 m ; Mulhacén *(Sierra Nevada)* : 3 478 m ; Pico Aneto *(Pyrénées)* : 3 404 m
Régime politique : monarchie constitutionnelle ; régime parlementaire.
Fête nationale : début 1983 le gouvernement espagnol ne s'était pas encore décidé entre le 24 juin *(Saint-Jean)*, fête du roi Juan Carlos Ier, le 25 juillet *(Saint-Jacques)*, saint patron de l'Espagne et le 12 octobre *(vierge de El Pilar)*, sainte patronne de l'Espagne et anniversaire de la découverte de l'Amérique. Jusqu'en 1976 elle avait lieu le 18 juillet, date du soulèvement franquiste contre la 2e République.

ADRESSES UTILES
Ambassade d'Espagne : 13, av. George-V, Paris 8^e
Office national espagnol de Tourisme : 43 ter, av. Pierre-Ier-de-Serbie, Paris 8^e
Office culturel de l'Ambassade d'Espagne *(bibliothèque)* : 11, av. Marceau, Paris 16^e
IBERIA *(lignes aériennes espagnoles)* : 31, av. Montaigne, Paris 8^e
RENFE *(chemins de fer espagnols)* : 1, av. Marceau, Paris 16^e
Casa de España : 7, rue Quentin-Bauchart, Paris 8^e
Église espagnole : 51 bis, rue de la Pompe, Paris 16^e
Maison de l'Amérique latine : 217, bd. Saint-Germain, Paris 7^e
Institut d'Études hispaniques *(bibliothèque)* et **Centre d'Études ibériques et latino-américaines appliquées** : 31, rue Gay-Lussac, Paris 5^e
Institut des Hautes études de l'Amérique latine : 28, rue Saint-Guillaume, Paris 7^e

PRESSE ESPAGNOLE
Quotidiens (Madrid) ; *El País, Diario 16, ABC, Ya, Pueblo, El Alcázar*
Quotidiens (Barcelone) : *La Vanguardia, El Correo Catalán, El Periódico*
Hebdomadaires : *Cambio 16, Actualidad Económica, Interviú*
Presse sportive : *Marca, As, Don Balón*
Presse du cœur : *Diez Minutos, Semana, Hola, Lecturas*
Roman-photo : *Corín-Tellado*
Humoristiques : *El Papus, El jueves*

RADIO ESPAGNOLE
450 émetteurs en ondes moyennes. Regroupés en chaînes :
Radio Nacional de España (chaîne d'État) avec ses satellites :

Radio Peninsular, Radio Reloj, Radio Juventud
La COPE ou *Radio Popular* (catholique)
La S.E.R. (Société espagnole de radiodiffusion)
Radio Exterior de España : émissions en ondes courtes à destination de l'étranger (48.86 : 42.22 : 31.35 ; 25.17 mètres)
En modulation de fréquence (« frecuencia modulada »), notons la création récente de « Radio 80 » et de « Antena 3 »
Le *« Hilo musical »* (Fil musical) est un système de réception de musique en Hi-Fi et Stéréo par câble à travers le fil du téléphone.
Télévision : deux chaînes d'État (R.T.V.E.). Il existe un projet de loi sur les télévisions privées.

MAPA DE LAS AUTONOMIAS ESPAÑOLAS

LES ÉTATS DE L'AMÉRIQUE HISPANIQUE

L'espagnol est la langue officielle de 18 États d'Amérique. Un État « associé » aux États-Unis d'Amérique, Porto Rico, est bilingue (espagnol et anglais) et 20 millions, environ, de citoyens des États-Unis ont pour langue maternelle l'espagnol. Il s'agit de Portoricains, de Cubains d'origine et surtout de Chicanos ou Mexicains-nord-américains. (Le mot *Chicano* est la finale de « mexicano » prononcé au XVIᵉ siècle « mechicano », le x étant prononcé comme le « ch » français. Penser à la transposition de Ximena en Chimène, de Don Quixote en Don Quichotte, en ce qui concerne le français, et de Xerez en sherry, en ce qui concerne l'anglais.)

L'un de ces États, le Mexique, se trouve, géographiquement, en Amérique du Nord, même si, par sa langue et par sa culture, il fait partie de l'Amérique latine. Cuba, la République dominicaine (partie orientale de l'île de Saint-Domingue) et Porto Rico font partie des Antilles. Cinq républiques constituent l'Amérique centrale : le Guatemala, El Salvador, le Honduras, le Nicaragua et le Costa Rica. Le Panama relie les deux Amériques. L'Amérique du Sud comprend neuf États de langue espagnole : les cinq pays andins ou bolivariens (du nom de Simon Bolivar, 1783-1830, le Libérateur) ; le Venezuela, la Colombie, l'Équateur, le Pérou et la Bolivie ; le Paraguay ; les trois États du Cône sud (l'Argentine, l'Uruguay et le Chili). Certes, le Chili et l'Argentine sont, géographiquement, andins, mais leurs populations sont plus concernées par la mer ou la plaine que par la montagne.

Avertissement : Dans les tableaux ci-joints, le chiffre des populations est global et estimé vers 1980. En effet, les recensements n'ont pas lieu simultanément et certains pays ont un taux démographique très élevé (entre 3 et 3,5 % par an pour certains pays comme le Mexique ou la Colombie).

LES ÉTATS DE L'AMÉRIQUE HISPANIQUE

	Superficie (km²)	Population* (en millions d'hab.)	Capitale Structure étatique et administrative	Fête nationale**	Monnaie
MEXIQUE (*E.U. Mexicanos*) République fédérale	2 022 058	70 (Mexicanos)	México (*Distrito federal*) 31 États et 1 district fédéral	16 - IX (1910)	el peso (= *100 centavos*)
CUBA République socialiste	114 524	10 (Cubanos)	La Habana 14 provinces	26 - VII (1953) Attaque de la caserne Moncada (Fidel Castro)	el peso (= *100 centavos*)
RÉPUBLIQUE DOMINICAINE (*República Dominicana*)	48 734	5,5 (Dominicanos)	Santo Domingo 26 provinces 1 district national	27 - II (1844)	el peso (= *100 centavos*)
PORTO RICO (*Puerto Rico*) « Commonwealth »	8 891	3,5 (Puertorriqueños)	San Juan		dollar U.S.
GUATEMALA (*República de —*)	108 889	7 (Guatemaltecos)	Ciudad de Guatemala 22 départements	15 - IX (1821)	el quetzal (= *100 centavos*)
EL SALVADOR (*República de —*)	21 126	5 (Salvadoreños)	San Salvador 14 départements	15 - IX (1821)	el colón (= *100 centavos*)
HONDURAS (*República de —*)	112 088	4 (Hondureños)	Tegucigalpa 18 départements	15 - IX (1821)	la lempira (= *100 centavos*)

* entre parenthèses : nom des habitants. ** entre parenthèses : année de l'accession à l'indépendance, commémorée par la fête nationale.

NICARAGUA (*República de —*)	148 000	3 (Nicaragüenses)	15 - IX (1821)	Managua 16 départements	el córdoba (*= 100 centavos*)
COSTA RICA (*República de —*)	50 900	2,3 (Cóstarricenses)	15 - IX (1821)	San José 7 provinces	el colón (*= 100 céntimos*)
PANAMA (*República de —*)	75 470	2 (Panameños)	3 - XI (1903)	Panamá 9 provinces	el balboa (*= 100 céntimos*)
VENEZUELA (*República de —*)	916 490	14 (Venezolanos)	5 - VII (1811)	Caracas 1 district fédéral, 20 États	el bolívar (*= 100 céntimos*)
COLOMBIE (*República de —*)	1 138 914	27 (Colombianos)	20 - VII (1810)	Bogotá, 22 départements 5 « intendances » 5 « comisarías »	el peso (*= 100 centavos*)
ÉQUATEUR (*República de el Ecuador*)	455 454	8 (Ecuatorianos)	10 - VIII (1809)	Quito, 19 provinces 1 territoire insulaire, archipel Colón, Iles Galápagos	el sucre (*= 100 centavos*)
PÉROU (*República del Perú*)	1 285 215	18 (Peruanos)	28 - VII (1821)	Lima, 23 départements 1 province constitutionnelle : Callao	el sol (*= 100 centavos*)
BOLIVIE (*República de Bolivia*)	1 098 581	6 (Bolivianos)	6 - VII (1825)	La Paz (Siège du Gouvernement), Sucre (Capitale constitutionnelle) 9 départements 99 provinces	el peso boliviano

	Superficie	Population (millions)	Capitale / divisions	Indépendance	Monnaie
PARAGUAY *(República del Paraguay)*	406 752	3 (Paraguayos)	Asunción 16 départements 1 district	14 et 15 - V (1811) 15 - VIII. Fondation : Asunción en 1537	el guaraní *(= 10 céntimos)*
ARGENTINE *(República de Argentina)*	4 027 024	27 (Argentinos)	Buenos Aires 22 provinces, 1 capitale fédérale, 1 territoire fédéral	9 - VII (1816)	el peso *(= 100 centavos)*
URUGUAY *(República del —)*	177 508	3 (Uruguayos)	Montevideo 19 départements	25 - VIII (1825)	el peso *(= 100 céntimos)*
CHILI *(República de Chile)*	2 006 626	11 (Chilenos)	Santiago 12 régions	18 - IX (1810)	el peso

PAYS HISPANOPHONES

AFRIQUE

GUINÉE ÉQUATORIALE *(Guinea Ecuatorial)*	28 051	0,3 (Guineos)	Santa Isabel, 2 provinces : Fernando Poo, Río Muni	12 - X (1968)	

ASIE

PHILIPPINES *(República de Filipinas)*	299 681	35 (Filipinos)	Quezon City 56 provinces	14 - VII (1946)	

QUELQUES REMARQUES SUR LA LANGUE PARLÉE EN AMÉRIQUE HISPANIQUE

1. *« Seseo » général :* On appelle **« seseo »** le fait de prononcer le *z* ou le *c* devant *e, i* comme un *s*. Outre l'ensemble des pays hispano-américains c'est le cas de l'Andalousie et de l'Estrémadure.

2. *Tutoiement collectif :* La deuxième personne du pluriel qui, en Espagne, est le pluriel du tutoiement, a totalement disparu de l'usage hispano-américain. On emploiera donc la troisième personne du pluriel pour s'adresser à plus d'une personne, même si, au singulier, on tutoie ces personnes.

¿ Ya vienes ? (à une seule personne), *viens-tu ?* - *¿ Ya vienen ?* (à plusieurs), *venez-vous ?*

La deuxième personne du pluriel subsiste cependant dans les sermons ou les discours solennels.

¿ Hasta cuando, hermanos, seguiréis pecando ? *Jusqu'à quand, mes frères, continuerez-vous à pécher ?*

Naturellement, les pronoms correspondants *(vosotros, vosotras)* et les possessifs *(vuestro, vuestra, vuestros, vuestras)* ne sont plus utilisés, sauf dans les cas indiqués.

Dans les pays du Cône sud (Argentine, Uruguay, Chili), on emploie souvent *vos* avec la deuxième personne du singulier dont la conjugaison est d'ailleurs déformée :

Vos tenés hambre pour *tienes hambre, tu as faim.*

Ce traitement est appelé *voseo :* utilisé dans la langue parlée, il tend également à l'être dans la langue écrite. Très répandu dans les pays du sud du continent, le *voseo* apparaît parfois dans d'autres pays, comme une nuance de grande familiarité :

Se dicen de tú y de vos, ils se tutoient.

A part ces deux grandes différences par rapport à l'espagnol d'Europe, les variantes concernent essentiellement l'accent et le vocabulaire.

L'accent peut varier, non seulement d'un pays à l'autre, mais d'une région à l'autre du même pays. Mais c'est là le cas de l'Espagne ou de n'importe quel pays. A la limite, certains linguistes parlent d'un accent (manière de parler) par locuteur. Il y a cependant des ressemblances :

a. entre le Mexique, l'Amérique centrale et la Colombie intérieure ;

b. entre les pays ou régions proches de la Mer des Caraïbes : côtes mexicaines, d'Amérique centrale, colombiennes, vénézuéliennes, Panama, Cuba, République Dominicaine, Porto Rico ;

c. entre le Pérou, l'Équateur, la Bolivie, le sud de la Colombie, le nord de l'Argentine et du Chili ;

d. entre les pays du Cône sud (Argentine, Chili, Uruguay).

Le Paraguay est un cas particulier : l'espagnol, minoritaire dans la population, est très influencé par le guarani et, parfois, par le portugais du Brésil voisin.

Quoi qu'il en soit de ces différences, il faut souligner que les hispanophones n'ont pas la moindre peine à se comprendre entre eux. La seule difficulté provient des argots et des parlers régionaux, souvent explicités par un glossaire dans les ouvrages qui les emploient. De même, les particularismes de langue des ouvrages étrangers sont souvent « gommés » par les traducteurs pour permettre la diffusion d'une édition unique dans l'ensemble du continent.

Afin de garder cette possibilité de communication entre 300 millions d'hommes, qui seront probablement environ 500 millions en l'an 2000, les Académies de la Langue des différents pays correspondent régulièrement et se réunissent périodiquement. Elles mettent en commun néologismes et particularismes, commentés dans la presse des différents pays. Il existe, dans la plupart des pays, des dictionnaires ou des lexiques régionaux ou nationaux.

LANGUES ET RELIGIONS MINORITAIRES
(langues autres que l'espagnol et religions autres que le catholicisme)

Pays	Langues	Religions
MEXIQUE	nahuatl, maya-quiché	protestants 1,6 % juifs 0,4 %
CUBA		protestants, juifs
PORTO RICO	anglais	
EL SALVADOR		protestants
HONDURAS	dialectes	
NICARAGUA	miskito, anglais	
PANAMA	anglais	protestants
VENEZUELA		protestants, juifs
ÉQUATEUR	quechua	
PÉROU	quechua, aymará	
BOLIVIE	quechua, aymará	
PARAGUAY	guaraní	
ARGENTINE		protestants, juifs
GUINÉE ÉQUATORIALE	autochtones	
PHILIPPINES	tagalo, anglais	musulmans, protestants, bouddhistes

PRIX NOBEL DE LITTÉRATURE HISPANO-AMÉRICAINE

1945	Gabriela Mistral (1889-1957)	chilienne	Désolation *(poésie)* Tendresse *(poésie)* Coupe de bois *(poésie)* Pressoir *(poésie)*
1967	Miguel Angel Asturias (1899-1974)	guatémaltèque	Légendes du Guatemala *(nouvelles)* Monsieur le Président *(roman)*/Tempe d'alouette *(poème)*/Le Tribunal des Confins *(théâtre)*
1971	Pablo Neruda	chilien	Vingt poèmes d'amour et une chanson désespérée *(poème)* Chant général *(poésie)* J'avoue que j'ai vécu *(prose)*
1982	Gabriel Garcia Marquez (né en 1928)	colombien	Cent ans de solitude *(roman)*/Chronique d'une mort annoncée *(roman)*/Les funérailles de la Grande Mémé *(nouvelle)*/Récit d'un naufragé *(journal)*

PETITE CHRONOLOGIE HISPANO-AMÉRICAINE

— 1000 : civilisation de Teotihuacán (Mexique).

IVᵉ-XVᵉ : empire maya (Mexique, Guatemala).

XIIIᵉ : début de l'empire inca (Pérou, Bolivie, Équateur, nord de l'Argentine et du Chili, sud de la Colombie).

1370 : fondation de Tenochtitlan (Mexico) par les Aztèques.

1492 12 octobre : arrivée de Christophe Colomb à l'île de Guanahaní (San Salvador, Bahamas).

1519-1522 : conquête du Mexique par Hernán Cortés. La région s'appellera Nouvelle-Espagne.

1531-1536 : les frères Pizarro et Almagro triomphent du dernier Inca : Atahualpa.

1538 : fondation de Bogota, à la suite de la rencontre involontaire de Jiménez de Quesada (venu du nord), de Federmann (venu de l'est) et de Belalcázar (venu du sud).

vers 1550 : la conquête terminée, installation de l'administration espagnole dans la seconde moitié du XVIᵉ siècle : vice-royautés de Lima (Pérou) et Mexico ; capitaineries générales au Guatemala, au Venezuela, au Chili. Les Indes occidentales s'étendent de la Californie à la Patagonie.

XVIIᵉ : création de collèges et d'universités (pour une minorité). Culture essentiellement religieuse. Cathédrales (Mexico, Lima, Bogota, Quito).

XVIIIᵉ : création de nouvelles vice-royautés : la Nouvelle-Grenade (Colombie actuelle), le Rio de la Plata (Argentine actuelle). Attaques anglaises contre les ports fortifiés de La Havane et de Carthagène. Voyages du Français La Condamine et de l'Allemand Humboldt. Expédition botanique du savant espagnol José Celestino Mutis en Nouvelle-Grenade. Insurrections durement réprimées de Tupac Amaru au Pérou et des Comuneros en Nouvelle-Grenade.

1808-1824 : guerres d'indépendance des différents pays contre la monarchie espagnole, sous la direction de : Hidalgo et Morelos (Mexique), Bolivar (Venezuela, Colombie, Pérou, Équateur, Bolivie), San Martín (Argentine, Chili, Pérou), Sucre (les mêmes pays que Bolivar), Santander (Colombie), O'Higgins (Chili). A la fin de cette période, seuls Cuba et Porto Rico sont encore des colonies.

1823 : déclaration de Monroe, président des États-Unis : « l'Amérique aux Américains ».

1826 : Bolivar essaie de maintenir l'unité hispano-américaine au Congrès de Panama, mais il échoue à la suite de l'attitude négative des États-Unis.

1830 : mort de Bolivar. Séparation de la Grande Colombie en trois États : Venezuela, Colombie, Équateur.

1845-1848 : guerre entre le Mexique et les États-Unis. Le Mexique perd la moitié de son territoire (actuels États de

Californie, Texas, Nouveau-Mexique, soit 2 millions de kilomètres carrés) au profit de son voisin du nord.

1857-1867 : réforme au Mexique : Benito Juárez face à Maximilien d'Autriche, soutenu par Napoléon III. Triomphe de Juárez et exécution de Maximilien.

1868-1878 : guerre de Dix-Ans entre Cuba et l'Espagne sous la direction de Céspedes et des frères Maceo, du côté cubain. Sans résultat pour Cuba.

1879-1883 : guerre du Pacifique : le Chili contre le Pérou et la Bolivie. Celle-ci perd son accès à la mer. Le Chili gagne le nord actuel de son territoire (cuivre).

1895-1898 : guerre d'indépendance de Cuba. José Martí, homme d'État, révolutionnaire, poète et écrivain en est l'inspirateur et meurt au combat. Les États-Unis interviennent à la fin de la guerre, détruisent la flotte espagnole et s'installent à Cuba.

1903 : le Panama se sépare de la Colombie avec l'aide des États-Unis. Ce pays reprend les travaux du canal, commencés par la France.

1911 : début de la révolution mexicaine, dirigée par Francisco Madero, puis par Emiliano Zapata, Francisco Villa, Venustiano Carranza, Obregón.

1917 : constitution du Mexique, encore en vigueur.

1918 : révolution universitaire de Córdoba (Argentine), dont les idées se répandent dans tout le continent.

1921 : école mexicaine de peintures murales : Diego Rivera, José Clemente Orozco, David Alfaro Siqueiros.

1930-1931 : luttes en Amérique centrale : Sandino au Nicaragua ; Farabundo Martí dans la République d'El Salvador.

1938 : le président mexicain Lázaro Cárdenas nationalise le pétrole.

1945-1955 : Juan Domingo Perón gouverne en Argentine : le justicialisme.

1948 : Conférence panaméricaine de Bogota : création de l'O.E.A. (Organisation des États américains). Le 9 avril, assassinat du chef libéral Jorge Eliécer Gaitán. La violence s'installe en Colombie pour une dizaine d'années.

1952 : révolution bolivienne : Paz Estenssoro. Nationalisation de l'étain, principal produit bolivien.

1953 : début de la révolution cubaine : attaque par Fidel Castro et ses compagnons de la caserne Moncada.

1959 : triomphe de la révolution cubaine après deux ans de guérilla dans la Sierra Maestra. Principaux dirigeants : Fidel Castro, Ernesto « Che » Guevara (argentin), Camilo Cienfuegos, Raúl Castro.

1961 : échec de la tentative de débarquement de contre-révolutionnaires cubains, soutenus par les États-Unis (Playa

Girón ou la Baie des Cochons). Proclamation du caractère socialiste de la révolution cubaine. Blocus de Cuba par les États-Unis.

1962 : crise des fusées entre l'U.R.S.S. et les États-Unis à propos de Cuba.

1965 : intervention nord-américaine en République Dominicaine, suite de l'intervention au Guatemala en 1954.

1967 : guérilla en Bolivie sous la direction d'Ernesto Che Guevara, qui est assassiné par l'armée bolivienne, après avoir été capturé.

1968 : dure répression de manifestations d'étudiants à Mexico par le président Díaz Ordaz. Jeux olympiques de Mexico.

1970-1973 : expérience socialiste de Salvador Allende au Chili.

1974 : coup d'État militaire en Uruguay, jusque-là modèle de démocratie.

1976 : nouveau coup d'État militaire en Argentine après un bref retour du péronisme.

1977 : négociations entre le Panama et les États-Unis : le canal serait de nouveau sous la souveraineté panaméenne à la fin du siècle.

1979 : après des années de lutte, les sandinistes abattent la dictature de Somoza au Nicaragua.

1980 : après l'assassinat, à San Salvador, de Mgr Arnulfo Romero, recrudescence de la guerre civile dans le pays.

1980-1981 : préparation et réalisation du premier vol soviéto-cubain dans l'espace : le premier Hispano-Américain dans le cosmos.

1982 : guerre des Malouines entre l'Argentine et la Grande-Bretagne, soutenue par les États-Unis. Forte solidarité des pays hispano-américains.

Rétablissement de la démocratie en Bolivie avec le président Siles Suazo, après des années de coups d'État.

QUELQUES DISTANCES

(à titre d'exemple) :

à l'intérieur d'un pays ; exemple : **la Colombie** :

Santa Marta *(au nord)* - Pasto *(au sud)* : 1 814 km.

Barranquilla *(au nord)* - Puesto Carreño *(à l'est)* : 2 237 km

CUBA : longueur maximale : 1 275 km. Largeur moyenne : 96 km.

CHILI :

longueur *(nord-sud)* : 4 239 km. Cette distance est généralement comparée à celle qui sépare Stockholm de Madrid ; largeur *(est-ouest)* : de 90 à 500 km.

Frontières : exemple : **le Mexique** : *Mexique-U.S.A.* : 3 115 km ; *Mexique-Guatemala* : 962 km ; *Mexique-Belice* : 259 km.

INDEX THÉMATIQUE

INDEX GRAMMATICAL

(Les chiffres romains renvoient au numéro de la leçon ; les chiffres arabes qui leur sont accolés renvoient au numéro de la remarque figurant toujours dans la 3ᵉ partie de la leçon correspondante.)

INDEX GÉNÉRAL

Photocomposition : NORD COMPO 59650 Villeneuve-d'Ascq

IMPRIMÉ EN FRANCE PAR BRODARD ET TAUPIN
58, rue Jean Bleuzen - Vanves.
Usine de La Flèche, le 12-07-1985.
6515-5 - N° d'Éditeur 1961, mars 1983.

PRESSES POCKET - 8, rue Garancière - 75006 Paris
Tél. 634.12.80